Obra Completa de C.G. Jung
Volume 16/2

Ab-reação, análise dos sonhos e transferência

Comissão responsável pela organização do lançamento da Obra Completa de C.G. Jung em português:
Dr. Léon Bonaventure
Dr. Leonardo Boff
Dora Mariana Ribeiro Ferreira da Silva
Dra. Jette Bonaventure

A comissão responsável pela tradução da Obra Completa de C.G. Jung sente-se honrada em expressar seu agradecimento à Fundação Pro Helvetia, de Zurique, pelo apoio recebido.

Dados Internacionais de Catalogação na Publicação (CIP)
(Câmara Brasileira do Livro, SP, Brasil)

Jung, Carl Gustav, 1875-1961.
Ab-reação, análise dos sonhos, transferência / C.G. Jung; tradução de Maria Luiza Appy; revisão técnica Jette Bonaventure. 9. ed. – Petrópolis, RJ : Vozes, 2012.
Título original: Praxis der Psychotherapie.
Bibliografia.

19ª reimpressão, 2024.

ISBN 978-85-326-0403-3
1. Ab-reação 2. Psicoterapia 3. Sonhos – Interpretação 4. Transferência (Psicologia) I. Título.

07-0590 CDD-616.8914
NLM-WM 420

Índices para catálogo sistemático:
1. Psicoterapia : Medicina 616.8914

C.G. Jung

Ab-reação, análise dos sonhos e transferência

16/2

Petrópolis

Tradução do original em alemão intitulado
Praxis der Psychotherapie (Band 16)
Spezielle Probleme der Psychotherapie

Editores da edição suíça:
Marianne Niehus-Jung
Dra. Lena Hurwitz-Eisner
Dr. Med. Franz Riklin
Lilly Jung-Merker
Dra. Fil. Elisabeth Rüf

Direitos exclusivos de publicação em língua portuguesa:
1986, Editora Vozes Ltda.
Rua Frei Luís, 100
25689-900 Petrópolis, RJ
www.vozes.com.br
Brasil

Tradução: Maria Luiza Appy
Revisão técnica: Dra. Jette Bonaventure
Revisão literária: Maria Luiza Appy

Diagramação: AG.SR Desenv. Gráfico
Capa: 2 estúdio gráfico

ISBN 978-85-326-2424-6 (Obra Completa de C.G. Jung)

ISBN 978-85-326-0403-3 (Brasil)
ISBN 3-530-40716-X (Suíça)

Este livro foi composto e impresso pela Editora Vozes Ltda.

Sumário

Prefácio do autor

Este décimo sexto volume da obra completa foi o primeiro a ser publicado. Contém trabalhos antigos e também os mais recentes sobre questões da prática psicoterapêutica. Sinto-me na obrigação de agradecer aos editores, não só pela cuidadosa revisão dos textos, como particularmente por sua escolha. Manifestam desse modo terem compreendido que minha contribuição para o conhecimento da alma se baseia na experiência prática com o homem. Trata-se de fato do empenho médico em alargar a compreensão psicológica dos males psíquicos que, em mais de cinquenta anos de prática psicoterapêutica me conduziu a descobertas e conclusões, levando-me por outro lado a reexaminar e modificar minhas concepções, sempre através da experiência direta. Por exemplo, se basearmos uma pesquisa histórica em dados dos meus escritos mais recentes, o leitor, despreparado, obviamente encontrará dificuldades em coaduná-la com a sua própria concepção de psicoterapia. Para ele a prática e a observação histórica, provavelmente, são coisas que não podem ser medidas. Na realidade psicológica, porém, não é assim, pois neste campo, a cada passo, encontramos fenômenos que, examinados em sua causalidade, revelam seu caráter histórico. Os comportamentos psíquicos são até de caráter eminentemente histórico. O psicoterapeuta não tem que tomar conhecimento apenas da biografia pessoal do paciente, mas também das condições espirituais do seu meio ambiente próximo e remoto, em que permeiam influências tradicionais e filosóficas que frequentemente desempenham um papel decisivo. Nenhum psicoterapeuta seriamente empenhado em compreender o homem inteiro, ficará dispensado de entender-se com o simbolismo da linguagem dos sonhos. Como toda linguagem, esta também necessitará de conhecimentos históricos para sua interpretação; tanto mais, que não se trata de uma linguagem de uso corrente, mas de uma linguagem de símbolos, que, além de recorrer a formas recentes, também se serve de modos primitivos de expressão.

O conhecimento dessa linguagem simbólica dá condições ao médico de ajudar seu cliente a sair da estreiteza, muitas vezes angustiante, de uma compreensão exclusivamente personalística de si, e livrá-lo da prisão egocêntrica, que até agora lhe encobria a perspectiva dos horizontes mais amplos de sua evolução social, moral e espiritual.

O leitor encontrará nos capítulos deste volume não somente indicações quanto aos fundamentos e princípios que orientam minha concepção prática, mas também um guia para a compreensão histórica do fenômeno que, por assim dizer, representa a *crux*, ou pelo menos *the crucial experience* de qualquer análise razoavelmente completa, ou seja, do fenômeno da transferência, a que Freud já atribuíra uma importância capital. É uma questão tão ampla e absorvente, que não se pode prescindir de um aprofundamento dos seus antecedentes históricos.

Apesar de sua composição heterogênea, ou justamente por causa dela, é possível que este volume transmita ao leitor uma imagem clara da enorme quantidade de fatores relacionados com a questão psicoterapêutica, bem como dos seus fundamentos empíricos.

Agosto de 1957

C.G. Jung

Prólogo dos editores

A pedido do professor C.G. Jung, são editadas sua obra completa em colaboração com os editores da edição completa em inglês, os *Collected Works*, Bollingen Series XX, Pantheon, Nova York, e Routledge & Kegan Paul Ltd., Londres. A compilação dos volumes e sua organização é baseada nos "Collected Works", tendo sido levada em consideração a sequência temática e cronológica de cada trabalho. A edição completa abrangerá provavelmente 18 a 20 volumes.

O presente volume, além do capítulo acerca da *Psicologia da transferência* (editado em volume avulso em 1946), contém todos os trabalhos dos anos de 1939 a 1950, que tratam do problema da psicoterapia. Alguns desses trabalhos foram publicados apenas em revistas médicas e, por isso, o público maior não teve acesso a eles. Os estudos intitulados *Alguns aspectos da psicoterapia moderna* e *O valor terapêutico da ab-reação* existiam unicamente na versão inglesa e foram traduzidos para o alemão pelos editores.

Para corresponder ao crescente interesse pelos problemas da psicologia do consciente e da psiquiatria, deverão ser lançados, logo após o presente volume, o Volume 6, *Tipos psicológicos*, e o Volume 1, *Estudos psiquiátricos.*

A fim de facilitar a localização das referências das notas de rodapé que se reportam aos diversos volumes da Obra Completa, os parágrafos foram numerados de acordo com a ordem adotada nos *Collected Works.* Como a publicação de todos os volumes da edição completa demorará algum tempo, daremos, além da referência a esses parágrafos, também a da paginação das edições avulsas das obras de Jung já existentes.

Os algarismos arábicos grifados nas notas de rodapé, assim como no corpo do texto, referem-se aos números da bibliografia mais detalhada, constante no fim deste livro. Os demais números reportam-se aos trechos correspondentes dentro da obra mencionada.

Um índice completo do conteúdo dos volumes previstos da obra completa encontra-se no final de cada um dos volumes. Em se tratando de trabalhos com várias edições, tivemos a preocupação de indicar o ano da primeira, bem como da mais recente edição.

Citações em latim e grego foram traduzidas, para que se tornassem acessíveis a um círculo mais vasto de leitores. Agradecemos à Srta.-Dra. M.-L. von Franz pela valiosa colaboração nesse trabalho. Especiais agradecimentos também à Sra. Aniela Jaffe pelo múltiplo apoio na redação dos textos.

Zurique, setembro de 1957

I

O valor terapêutico da ab-reação[1]

255 Em seu comentário sobre o trabalho de William Brown, 28,"The Revival of Emotional Memories and Its Therapeutic Value", William McDougall, 110, exprime alguns pensamentos importantes, aos quais desejo fazer referência. Com as neuroses que surgiram depois da Primeira Guerra Mundial e sua gênese essencialmente traumática, a questão da teoria da origem traumática das neuroses voltou à ordem do dia, depois de ter ficado em segundo plano, no âmbito da discussão científica, nos anos que precederam a Primeira Guerra Mundial, o que aliás era compreensível.

256 Os criadores dessa teoria tinham sido Breuer e Freud. Freud passou a investigar as neuroses a fundo, e logo chegou a uma compreensão mais satisfatória sobre a sua verdadeira origem, porquanto, na maioria das neuroses comuns, não se constata causa traumática alguma.

257 Ora, para sustentar a tese da origem traumática das neuroses e unicamente para isto, fatos secundários e desprovidos de importância são colocados em evidência. Na medida em que esses conteúdos traumáticos não são produto apenas da fantasia do médico ou da transigência do paciente, eles representam fenômenos secundários por si já resultantes de uma atitude que pode ser definida como neurótica. Por via de regra, a neurose é um desenvolvimento patológico unilateral da personalidade, cujas origens, dificilmente perceptíveis, podem remontar à mais remota infância. Pronunciar-se com segurança acerca do início efetivo de uma neurose seria, no mínimo, arbitrário.

1. Tradução da palestra "The Therapeutic Value of Abreaction", publicada no *British Journal of Psychology* (1921, I, p. 13-22. Londres). Mais tarde a mesma foi revista e publicada em *Contributions to Analytical Psychology* (Londres/Nova York, 1928).

258 Seria sem dúvida mais justificado buscar a causa determinante na fase pré-natal do paciente e levar em conta a disposição psíquica e física dos pais no momento da concepção e da gravidez, do que responsabilizar aleatoriamente uma passagem qualquer da vida pessoal do paciente pela formação da neurose.

259 É evidente que nesta questão não nos deveríamos deixar influenciar demais pelo aparecimento dos sintomas propriamente ditos, por mais que o paciente e seus familiares insistam em confundir a manifestação visível dos sintomas com o início da neurose. Uma investigação mais acurada mostrará com toda probabilidade que uma tendência doentia já existia muito antes da irrupção dos sintomas clínicos.

260 Estes fatos já eram do conhecimento dos especialistas há muito tempo e fizeram com que a teoria do trauma fosse relegada a um segundo plano, até o instante em que, devido às consequências da guerra, surgiu uma verdadeira onda de neuroses de fundo traumático.

261 Abstração feita das inúmeras neuroses de guerra, em que um trauma – um choque violento – já vem coincidir com um histórico neurótico anterior, não são poucos os casos em que nenhuma predisposição neurótica pode ser constatada, ou em que esta é tão insignificante, que dificilmente a neurose se teria manifestado sem um trauma. Neste caso, o trauma é mais do que um mero estopim; ele é a origem propriamente, no sentido de uma causa *efficiens*, sobretudo, se a atmosfera psíquica peculiar do campo de batalha for compreendida como fator essencial.

262 Estes casos colocam-nos diante de um problema terapêutico novo, que parece justificar a retomada do método original de Breuer e Freud e da teoria que o embasa. Isso porque o trauma, nesse caso, ou é uma comoção definida, única e intensa, ou então ele é um complexo de ideias e emoções, comparável a uma ferida psíquica. Tudo quanto tocar nesse complexo, por mais insignificante que seja, vai desencadear uma reação extraordinariamente violenta, uma verdadeira explosão emocional. Assim sendo, o trauma poderia ser representado como um complexo de intensa *carga* emocional. E como, numa visão superficial, essa carga extremamente explosiva pode parecer-nos a causa patológica da perturbação, é compreensível que se defenda e se adote uma terapia que possibilite uma *descarga* completa. Uma tal interpretação é simples e lógica e corresponde, aparente-

mente, também ao fato de que a ab-reação – ou seja, a repetição dramática do momento traumático, a recapitulação emocional em estado desperto ou sob hipnose – tem muitas vezes um efeito curativo. Como é sabido, o ser humano tem necessidade de contar repetidamente as experiências fortes que vivencia, até elas perderem seu peso afetivo*. "Wes das Herz voll ist, des geht der Mund über" (Aquilo que enche o coração transborda pela boca), como diz o provérbio alemão. Ao ser expresso em palavras, a afetividade da vivência traumática vai diminuindo de intensidade progressivamente até perder seu efeito perturbador.

263 Infelizmente, porém, esta interpretação, tão clara e simples na aparência, corresponde tão pouco à realidade quanto outras explicações igualmente simples, mas falaciosas – como observa McDougall com toda razão. Posições como estas são muitas vezes defendidas com veemência, e até com fanatismo, como se fossem dogmas. Isto, porque elas não resistem a uma análise fenomenológica. McDougall afirma, portanto, com razão, que em inúmeros casos a ab-reação não só é inútil, como até prejudicial.

264 Poder-se-ia objetar a este ponto de vista que a ab-reação nunca pretendeu ser um método universal e infalível e que todos os métodos encontram casos resistentes.

265 Diante disso, tenho a dizer que justamente o minucioso exame dos casos resistentes dá o melhor esclarecimento sobre um método ou uma teoria, pois os pontos fracos de uma teoria se revelam com maior nitidez nos fracassos. Não se trata naturalmente de questionar a eficácia do método ou a sua legitimidade. No entanto, o exame daqueles casos pode levar à retificação da teoria e – indiretamente – à retificação do método.

266 Ao frisar que o fator principal de uma neurose não é a tensão de fundo afetivo, mas sim a dissociação da psique, e que o problema terapêutico não consiste, portanto, prioritariamente, na ab-reação, mas na supressão da dissociação, McDougall atingiu, sem dúvida alguma, o essencial. Tal argumento faz avançar a nossa discussão, na

* Afetividade, afeto, afetivo: termos usados no texto repetidamente, no sentido de "aquilo que afeta" o complexo e desencadeia uma reação emocional [N.T.].

medida em que vem confirmar a experiência de que um complexo traumático leva a uma dissociação da psique. O complexo não se submete ao controle da vontade, mas possui autonomia psíquica.

267 Autonomia significa, neste caso, que o complexo se manifesta independentemente da vontade, podendo inclusive mostrar-se diretamente antagônico às tendências conscientes. O complexo impõe-se à consciência com uma força tirânica. A explosão de fundo afetivo é comparável a uma investida global contra a personalidade: o indivíduo é como que atacado por um inimigo ou um animal selvagem. Tenho observado, não raro, que o afeto traumático típico é representado no sonho sob a forma de feras selvagens e perigosas – o que ilustra adequadamente sua natureza autônoma, quando cindido da consciência.

268 Considerada deste ponto de vista, a ab-reação apresenta-se por um prisma totalmente diverso, isto é, como uma tentativa de reintegrar o complexo autônomo, ou de incorporá-lo pouco a pouco à consciência, como um componente seu, ao revivenciar a situação traumática uma ou diversas vezes.

269 Duvido, porém, de que a coisa seja realmente tão simples como aparenta. Convém indagar se neste processo não entram outros fatores de importância fundamental. Temos que salientar, por exemplo, que a mera repetição da experiência não possui ação curativa: é indispensável que ela seja repetida na presença do médico.

270 Se o efeito curativo dependesse unicamente da repetição do acontecido, a ab-reação poderia ser feita pelo paciente sozinho, à maneira de um exercício. O parceiro humano que o alivia da carga do afeto seria dispensável. No entanto, a intervenção do médico é absolutamente necessária, e é fácil entender o que significa para o paciente poder confiar sua experiência a um médico solidário e compreensivo. Sua consciência encontra no médico um apoio moral contra o afeto de seu complexo traumático, que de outra forma não conseguiria dominar. Já não está sozinho na luta contra esses poderes elementares, mas tem a seu lado uma pessoa humana, em quem pode confiar e que lhe dá a força moral necessária para combater a tirania das emoções incontroláveis. Sua consciência é assim fortalecida, até conseguir integrar o complexo e colocar o afeto de novo sob o seu controle. Talvez possamos chamar de sugestão essa influência absolutamente indispensável por parte do médico.

271 Por meu lado, prefiro encará-la como interesse humano e disponibilidade pessoal. Não se trata de um método determinado, mas de qualidades morais, de importância capital, não só no caso da ab-reação, mas em todo e qualquer método psicoterapêutico. O revivenciar de um momento traumático só vai curar uma dissociação neurótica quando a personalidade consciente do paciente estiver suficientemente fortalecida através da relação com o médico, para que o complexo autônomo possa ser submetido conscientemente ao controle de sua vontade.

272 O poder curativo da ab-reação só se verifica nestas condições. E mais, ele não depende exclusivamente da descarga da tensão afetiva, mas muito mais – como mostra McDougall – da eficácia com que é tratada a cisão da consciência. Assim os casos em que a ab-reação produz um resultado negativo aparecerão sob um foco totalmente diferente.

273 A ab-reação por si só não basta para unificar a psique dissociada: a não ser que as condições que acabei de mencionar estejam preenchidas. Ainda que o reviver do lance traumático não resulte na reintegração do complexo autônomo, a relação com o médico propiciará a elevação do nível de consciência do paciente a ponto de deixá-lo em condições de superar o complexo e assimilá-lo. Mas se o paciente opuser uma resistência particularmente obstinada ao médico, ou se este não se posicionar adequadamente em relação àquele, o método da ab-reação falhará.

274 É supérfluo dizer que o método catártico da ab-reação não surtirá bons efeitos nos casos de neuroses em que a etiologia traumática é apenas parcial, porque, então, a verdadeira natureza da neurose não estará sendo levada em conta. Isto faz com que a aplicação rígida do método catártico, nestes casos, seja inteiramente inadequada. Mas se, apesar disso, se obtiver um êxito relativo, não se deve julgá-lo mais importante que o de outro método tão indiferente quanto ele próprio à verdadeira natureza da neurose.

275 Uma tal melhora deve ser atribuída à sugestão; geralmente sua duração é bem curta e não passa de um acaso feliz. A causa principal de tais resultados é sempre a transferência para o médico, e esta se estabelece sem maiores dificuldades, desde que o médico esteja sinceramente convencido da eficácia do seu método. Há algum tempo, o método ca-

tártico já vem sendo substituído pela análise, pela simples razão de que aquele pouco ou nada tem a ver com a essência da neurose, da mesma forma que a hipnose e outros métodos terapêuticos afins.

276 Não é por acaso que a força do método analítico reside precisamente no ponto mais fraco do método catártico: isto é, na relação entre o médico e o paciente. Não importa que ainda se diga consistir a análise principalmente em "desenterrar" complexos da mais tenra infância, a fim de extirpar o mal pela raiz: são apenas vestígios da antiga teoria do trauma. Os fatos biográficos só têm importância na medida em que dificultam a adaptação do paciente à realidade presente. A investigação minuciosa de todas as ramificações das fantasias infantis tem relativamente pouco valor em si; isto porque o efeito terapêutico depende do esforço do médico de penetrar a alma do paciente e assim estabelecer uma relação correta do ponto de vista psicológico. O que faz sofrer o paciente é justamente a falta de uma relação deste tipo. O próprio Freud já havia descoberto, há muito tempo, que a transferência é o Alfa e o Ômega da psicanálise. A transferência representa a tentativa do paciente de estabelecer um *rapport* psicológico com o médico. Ele precisa desta relação para superar a dissociação. Mas quanto mais fraco o *rapport*, isto é, quanto menos o médico e o paciente se *entendem*, mais intensa se torna a transferência, notadamente em seu aspecto sexual.

277 É tão vital para o paciente atingir a meta da adaptação, que a sexualidade intervém como função compensatória. Através da sexualidade, visa-se atingir uma relação que não pode ser estabelecida pelas vias normais ou pela compreensão mútua. Nestas circunstâncias, a transferência pode até tornar-se o maior obstáculo a um tratamento bem-sucedido. Não é de admirar que as transferências de caráter marcadamente sexual ocorram com maior frequência nos casos em que o analista se concentra demasiadamente no aspecto sexual porque as demais vias de comunicação estão barradas. A interpretação unilateralmente sexual dos sonhos e fantasias do paciente é violentar o seu material psíquico; pois este material não se restringe de forma alguma apenas a fantasias sexuais infantis. Nele, sempre também se encontram elementos criativos, com o auxílio dos quais se pode ir traçando a saída da neurose. Na neurose essa solução natural está bloqueada. O médico torna-se assim o único refúgio seguro dentro

de uma barafunda de fantasias sexuais, e o paciente não vê outra saída a não ser agarrar-se a ele mediante uma transferência erótica convulsiva, ou, então, romper a relação, carregado de ódio.

278 Ambas as soluções vão desembocar num deserto espiritual. Isto é lamentável, tanto mais que o psicanalista não tinha a menor intenção, evidentemente, de chegar a um resultado tão desolador. Mas muitas vezes é nisso que vai dar, infelizmente, sua cega devoção ao dogma da sexualidade.

279 Do ponto de vista intelectual, é óbvio que uma interpretação que leva unicamente em conta a sexualidade é extremamente simples: depende apenas de umas poucas realidades elementares, manifestando-se nas mais variadas formas. Já se sabe de antemão como vai terminar a coisa. "Inter faeces et urinam nascimur" é e permanece uma verdade eterna, mas uma verdade estéril, monótona e sobretudo pouco apetitosa. De nada serve interpretar e reinterpretar sempre de novo as mais elevadas aspirações da alma a partir do colo materno, e, assim, desvirtuá-las. Além do mais, cometeríamos um erro crasso do ponto de vista técnico, o qual destruiria a compreensão psicológica em vez de promovê-la. Os pacientes neuróticos precisam sobretudo de um *rapport* psicológico, que lhes permita ajustar-se à psique do médico, no estado dissociado em que se encontram. Mas não é fácil estabelecer uma relação humana desse tipo; isso só é conseguido às custas de um enorme esforço e atenção. A constante redução de todas as projeções à sua origem – e a transferência é justamente composta de projeções – pode ter considerável interesse histórico e científico, mas jamais criará um ajustamento do paciente à vida, por frustrar toda e qualquer tentativa por ele feita para estabelecer uma relação humana normal, devido à decomposição incessante de toda relação em seus componentes originais.

280 O paciente que conseguir ajustar-se à vida a despeito disso vai fazê-lo em detrimento de muitos valores morais, intelectuais e estéticos, cuja perda é extremamente deplorável, pois o desenvolvimento da personalidade global ficará sensivelmente prejudicado. Por outro lado, o paciente ainda corre o perigo de perder-se, remoendo o passado e condoendo-se, melancolicamente, com coisas que já não podem ser mudadas. É aquela propensão doentia, frequente entre os neuróticos, de procurar a razão de sua insuficiência nos alvores do

passado, na educação errada que receberam ou em alguma predisposição dos pais.

281 Por mais minuciosa que seja a investigação de todas essas causas secundárias, ela jamais terá efeito algum sobre os sentimentos de inferioridade atuais do paciente. Seria como, por exemplo, esperar que alguma pesquisa bem feita sobre as causas da guerra mundial pudesse melhorar as condições sociais do presente. No fundo, o que vai determinar a cura é o trabalho moral da personalidade como um todo.

282 No entanto, considerar a análise redutiva como inútil, por princípio, seria prova de miopia: um despropósito tão grande quanto considerar que a investigação das causas da guerra não tem valor algum. O médico há que remontar tanto quanto possível até as origens da neurose, a fim de criar uma base para a síntese posterior. No decorrer da análise redutiva, que faz com que o paciente retroceda às suas origens, a sua adaptação – que já era precária – termina por desmoronar por inteiro. Para reparar esta perda, é compreensível que a sua psique se agarre desesperadamente a um objeto humano. Em geral, esse objeto é o médico, mas também pode ser outra pessoa, por exemplo, o cônjuge ou um amigo, que neste caso atuará como polo oposto ao médico. Uma tal situação pode, eventualmente, equilibrar uma transferência demasiado unilateral, mas também pode revelar-se como obstáculo ao desenvolvimento do trabalho.

283 A intensa ligação com o médico – a transferência – é uma compensação pela precariedade de sua relação com a realidade. O fenômeno da transferência é inevitável e característica de toda análise que se aprofunda; pois é absolutamente necessário que o médico entre numa relação tão íntima quanto possível com o desenvolvimento psíquico do paciente. Poderíamos dizer que, à medida que os conteúdos psíquicos mais íntimos do paciente são "compreendidos", ou seja, assimilados pelo médico, ele é por sua vez incorporado, como uma figura, à psique do paciente. Digo "como uma figura", pois quero sugerir que o paciente não percebe o médico como ele é na realidade, mas nele vê uma daquelas figuras típicas que tanta influência tiveram em sua história passada. O médico fica contaminado por essas imagens mnêmicas, pois motiva o paciente a revelar-lhe os seus mais íntimos segredos. É como se o poder daquelas imagens gravadas na memória do paciente fosse transferido para o médico.

284 A transferência consiste, pois, em diversas projeções – que funcionam como substitutos de uma relação psicológica real. As projeções criam uma relação ilusória; mas acontece que, num determinado momento, esta relação é da maior importância para o paciente, isto é, no momento em que o seu desajustamento habitual se encontra agravado pelas próprias exigências da análise, pois esta o faz ocupar-se intensamente com as situações do passado. Esta é a razão por que a súbita interrupção de uma transferência nunca deixa de ter consequências desastrosas. Estas podem tornar-se inclusive um perigo, pois o paciente cai numa solidão insuportável ao deixar de relacionar-se por completo com outro ser humano.

285 Ainda que as projeções sejam retroanalisadas até a sua origem – e todas as projeções podem ser decompostas desta maneira –, mesmo assim permanece a exigência por parte do paciente de relacionar-se com um ser humano; e esta exigência deveria ser satisfeita, pois o homem, totalmente sem qualquer espécie de relação humana, cai no vazio.

286 De uma forma ou de outra, o paciente tem que poder referir-se a um objeto presente, para atender de certa forma às exigências que vão surgindo do esforço feito para ajustar-se. Independentemente da análise redutiva, ele vai voltar-se para o médico, não apenas como objeto sexual, mas como parceiro numa relação puramente humana, em que a posição individual de cada um é respeitada. É evidente que isso não acontece, enquanto as projeções não são reconhecidas como tais, conscientemente. Assim sendo, é preciso submetê-las primeiramente a uma análise redutiva, desde que não se perca de vista a importância e o direito à exigência fundamental do paciente a uma relação pessoal.

287 Quando as projeções são reconhecidas como tais, cessa esse tipo peculiar de relacionamento, ou transferência, e tem início o problema do relacionamento pessoal. Quem já estiver mais ou menos familiarizado com a literatura existente nesta área, com a interpretação de sonhos, ou com a análise dos próprios complexos ou dos complexos alheios, não encontrará maiores dificuldades em chegar a este ponto decisivo. O direito de prosseguir, no entanto, deve ser reservado aos médicos que já se submeteram a uma análise didática, ou então aos que se dedicam ao seu trabalho analítico com um amor à verdade tão grande, que este lhes permita uma autoanálise através do

paciente. O médico que não tem vontade de submeter-se a uma análise didática e que não consegue autoanalisar-se através do paciente deveria abster-se de fazer análise. Sempre há de faltar-lhe algo, por mais que invoque sua autoridade.

288 Em última análise, seu trabalho não passará de um blefe intelectual, pois, como poderia ajudar o paciente a superar sua inferioridade doentia, se sua própria inferioridade é tão evidente? Como pode o paciente sacrificar subterfúgios neuróticos se vê que o médico brinca de esconder consigo mesmo, como que receando que a sua inferioridade seja descoberta no momento em que deixar cair a máscara profissional da autoridade, da competência e da superioridade no saber?

289 Esta relação de pessoa a pessoa é a pedra de toque de toda análise que não se dá por satisfeita com um pequeno resultado parcial ou que emperra sem resultado algum. Nesta situação psicológica o paciente se coloca diante do médico em igualdade de condições, com os mesmos direitos e com o mesmo e impiedoso espírito crítico que ele próprio teve que suportar por parte do médico no decorrer do tratamento.

290 Esta forma de relacionamento pessoal corresponde a um compromisso ou a uma ligação livremente assumida, em oposição aos grilhões da transferência. Para o paciente, seria como uma ponte sobre a qual ensaia os primeiros passos, em direção a uma vida plena de sentido. Ele descobre o seu próprio valor e o valor de sua individualidade única; vê que é aceito tal como é, e que é capaz de adaptar-se às exigências da vida. Mas esta descoberta não se fará enquanto o médico ficar entrincheirado por detrás de um método e se achar no direito de aborrecer e criticar o paciente sem o menor escrúpulo. Se for este o seu procedimento, qualquer que seja o método empregado, ele pouco diferirá da sugestão e atingirá resultados de acordo com esta situação. O médico deveria, pois, abrir espaço ao paciente, para que este o critique livremente, pois o paciente precisa sentir-se, de fato, humanamente em pé de igualdade.

291 Acredito que pelo exposto ficou claro que as exigências da análise são a meu ver muito maiores em relação à postura espiritual e moral do médico do que à mera aplicação de uma técnica de rotina. Penso que ficou claro também que a influência terapêutica do médico depende, antes de mais nada, desta sua postura mais pessoal.

292 Contudo, se o leitor concluir, de tudo isso, que o método tem pouca ou nenhuma importância, é sinal de que não entendeu bem o meu ponto de vista. A pura simpatia pessoal nunca dará ao paciente a compreensão objetiva de sua neurose, necessária para libertá-lo da dependência do médico e contrabalançar a transferência.

293 O conhecimento é indispensável a uma compreensão objetiva de sua doença e ao estabelecimento de uma relação humana. Não se trata de um conhecimento puramente médico, que diz respeito a uma área específica, mas de um conhecimento amplo de todos os aspectos da alma humana. O resultado do tratamento deve ir além da simples solução da antiga atitude patológica. Deve levar o paciente a uma renovação, a uma atitude mais sadia e mais apta para a vida. Muitas vezes isso implica uma modificação radical na maneira de encarar o mundo. O paciente deve ser capaz, não só de reconhecer a causa e a origem de sua neurose, mas também de enxergar a meta a ser atingida. A parte doente não pode ser simplesmente eliminada, como se fosse um corpo estranho, sem o risco de destruir ao mesmo tempo algo de essencial que deveria continuar vivo. Nossa tarefa não é destruir, mas cercar de cuidados e alimentar o broto que quer crescer até tornar-se finalmente capaz de desempenhar o seu papel dentro da totalidade da alma.

II

A aplicação prática da análise dos sonhos[1]

294 A aplicação terapêutica da análise dos sonhos é um tema ainda muito controvertido. Muitos consideram a análise dos sonhos indispensável no tratamento clínico das neuroses e conferem ao sonho uma função de importância psíquica equivalente à da consciência. Outros, ao contrário, contestam a validade da análise dos sonhos, reduzindo-os a um derivado psíquico insignificante. Não é preciso dizer que todo aquele que considera o papel do inconsciente como decisivo na etiologia da neurose também atribua ao sonho, enquanto expressão direta desse inconsciente, um significado prático fundamental. Da mesma forma, é óbvio que quem nega o inconsciente ou, pelo menos, o considera inexpressivo do ponto de vista etiológico, também declare dispensável a análise dos sonhos. Pois bem, estamos no ano do Senhor de 1931. Há bem mais de meio século, Carus formulava o conceito de um inconsciente; há mais de século, Kant falava no "campo incomensurável das ideias obscuras"; e há uns 200 anos, Leibniz postulava um inconsciente anímico, para não falar dos trabalhos de um Janet, Flournoy e tantos outros. Depois de tudo isso, pode, no mínimo, ser considerado deplorável que a realidade do inconsciente ainda seja objeto de controvérsia. Não quero fazer a apologia do inconsciente, já que estamos tratando aqui de uma questão exclusivamente prática, muito embora o nosso problema específico da análise dos sonhos não subsista sem a hipótese do inconsciente. Sem ela, o sonho não passa de um *lusus naturae*, de um conglomerado sem sentido de fragmentos de so-

---

1. Comunicação feita no Congresso da Sociedade Médica Geral de Psicoterapia, Dresden, 1931, publicada no Relatório do Congresso e em *Wirklichkeit der Seele* (Realidade da alma). 3. ed., 1947, p. 68s.

bras do dia. Se assim fosse, nem se justificaria uma discussão sobre a possibilidade de aplicar ou não a análise dos sonhos em terapia. Seja como for, o debate deste tema só é possível na base do reconhecimento do inconsciente, porquanto o objetivo da análise dos sonhos não é um exercício intelectual qualquer, mas a descoberta e a conscientização de conteúdos até então inconscientes, considerados de grande interesse para a explicação ou o tratamento de uma neurose. Para os que consideram a hipótese inaceitável, a questão da utilização da análise dos sonhos também deixa de existir.

295 Fundamentados em nossa hipótese de que o inconsciente tem importância na etiologia e de que os sonhos são expressão direta da atividade psíquica inconsciente, a tentativa de analisar e interpretar os sonhos é, para começar, um empreendimento teoricamente justificável do ponto de vista científico. Na medida em que é bem-sucedida, esta tentativa pode oferecer-nos, de início, uma compreensão científica da estrutura da etiologia psíquica, independentemente de uma eventual ação terapêutica. Mas, como as descobertas científicas devem ser encaradas pelo clínico no máximo, como um produto secundário – ainda que desejável – da atividade terapêutica, a possibilidade de uma radiografia meramente teórica do fundo etiológico não pode ser considerada motivo suficiente e muito menos prescrição para a aplicação clínica da análise do sonho, a não ser que o médico espere dessa radiografia um efeito terapêutico. Neste último caso, recorrer à análise do sonho torna-se para ele um dever profissional. Como se sabe, a radiografia e a explicação, isto é, a plena tomada de consciência dos fatores etiológicos inconscientes, são tidos como altamente importantes terapeuticamente pela escola freudiana.

296 Partamos do ponto de vista de que os fatos justificam tal expectativa. Neste caso, só nos resta saber se a análise dos sonhos é apropriada ou não se presta de maneira alguma à descoberta da etiologia inconsciente, e, em caso afirmativo, se ela o é exclusiva ou relativamente, isto é, combinada com outros métodos. Acho que posso partir do pressuposto de que todos conhecem a opinião de Freud. Quanto a mim, posso confirmar este seu ponto de vista, uma vez que existem sonhos, sobretudo na fase inicial do tratamento, que trazem à luz, inconfundivelmente muitas vezes, o fator etiológico essencial. Que o seguinte exemplo possa ilustrar o que acabo de dizer:

297 Um executivo que ocupava um cargo de alta responsabilidade veio consultar-me. Sofria de ansiedade, insegurança, tonturas e, por vezes, até de vômitos, atordoamento, dispneia; enfim, queixava-se de um estado em tudo semelhante ao do mal de montanha. A carreira deste meu cliente havia sido extraordinariamente brilhante. Começara como filho esforçado de um agricultor sem posses. Graças a seu talento e esforço, foi subindo gradativamente a uma posição de liderança, com excepcionais perspectivas de uma ascensão social ainda maior. Havia, de fato, atingido o patamar, a partir do qual poderia alçar voo, não fosse, de repente, essa neurose. Neste ponto do relato, o paciente não pôde deixar de pronunciar aquela frase que sempre começa com o estereótipo: "E justamente agora, que..." etc. A sintomatologia do mal de montanha parece particularmente apropriada para representar drasticamente a situação peculiar do paciente. Este aproveitou a consulta para contar dois sonhos que tivera na noite anterior. O primeiro sonho era o seguinte: "*Tinha voltado à aldeia em que nasci. Vejo alguns rapazes, filhos de camponeses, daqueles que iam à escola comigo. Estão reunidos em grupo no meio da rua. Faço de conta que não os conheço e passo por eles sem olhar. Ouço, então, um deles dizer, apontando em minha direção: 'Esse aí também não tem aparecido muito aqui na aldeia'*".

298 Não são necessárias grandes acrobacias interpretativas para perceber que o sonho aponta para a situação humilde do início de sua carreira, e que o significado dessa alusão deve ser: "*Você se esquece de que começou lá embaixo*".

299 O segundo sonho diz: "*Estou de partida para uma viagem e com uma pressa enorme. Ainda estou catando as coisas para arrumar a mala e não acho nada. Estou em cima da hora. O trem vai partir daqui a pouco. Por fim consigo juntar tudo, me precipito para a rua, percebo que esqueci uma pasta importante de documentos, corro de volta, já quase sem fôlego; por fim consigo encontrá-la. Corro em direção à estação, mas quase não consigo avançar. Num derradeiro esforço, alcanço a plataforma, mas só para ver o trem, compridíssimo, saindo da estação e entrando numa curva esquisita em forma de S. Penso comigo mesmo que se o maquinista não prestar atenção e acelerar demais, o trem vai descarrilhar no momento em que arrancar a todo vapor e entrar na reta, pois os últimos carros ainda estarão na curva. Dito e fei-*

to, o maquinista arranca a todo vapor. Tento gritar, mas vejo os últimos vagões sendo sacudidos terrivelmente de um lado para outro até serem lançados fora dos trilhos. É uma catástrofe horrível. Acordo amedrontado".

Neste sonho também não é preciso esforçar-se demais para compreender o que ele representa: no começo, a pressa neurótica e inútil no desejo de progredir cada vez mais. Como o maquinista lá na frente continua avançando sem a menor consideração, na rabeira forma-se a neurose, a vacilação e o descarrilamento. 300

Pelo visto, a vida do paciente atingiu seu ponto culminante na fase atual. Sua procedência humilde e o esforço dispendido na demorada ascensão esgotaram-lhe as forças. Deveria dar-se por satisfeito com o que já conseguiu, mas ao invés disso a ambição o impele a prosseguir e subir mais. O ar rarefeito dessas regiões não lhe convém. A neurose se instala para pô-lo de sobreaviso. 301

Por motivo de força maior, não pude continuar o tratamento do paciente. Além disso, minha interpretação não lhe agradou. O destino esboçado nesse sonho seguiu, portanto, o seu curso. Tentou ambiciosamente aproveitar-se das chances oferecidas. Descarrilou, então, profissionalmente, por completo, e a catástrofe tornou-se realidade. 302

O que a anamnese consciente apenas deixava entrever, ou seja, que o mal de montanha devia representar simbolicamente que ele não tinha condições de subir mais, era confirmado pelos sonhos como sendo realidade. 303

Aqui deparamos um fato extremamente importante para a tese da aplicação da análise dos sonhos: o sonho retrata a situação interna do sonhador, cuja verdade e realidade o consciente reluta em aceitar ou não aceita de todo. Conscientemente, ele não vê o menor motivo para não prosseguir. Muito pelo contrário: a ambição o impele para cima. Ele se recusa a enxergar a própria incapacidade, a qual, mais tarde, ficou patente com o desenrolar dos acontecimentos. Na esfera da consciência sempre ficamos inseguros, em semelhantes casos. Sua anamnese pode ser avaliada ou desta ou daquela maneira. Afinal de contas, o soldado raso também pode estar carregando o bastão do marechal dentro de sua mochila, e muito filho de pais pobres já alcançou êxitos fantásticos. Por que seria diferente neste caso? Eu tam- 304 bém posso estar enganado. Por que o meu modo de ver seria melhor que o dele? Mas aqui entra o sonho, como expressão de um processo psíquico inconsciente, alheio à vontade e longe do controle da consciência. Este sonho representa a verdade e a realidade interiores, exatamente como elas são. Não porque eu suponha que assim seja, nem porque o sonhador gostaria que assim fosse, mas simplesmente *porque é assim*. Por este motivo, tenho por norma considerar os sonhos de maneira exatamente igual à de uma manifestação fisiológica, ou seja: se um exame de urina acusar um elevado teor de açúcar, isso quer dizer que a urina está com açúcar e não com albumina ou urobilina ou qualquer outra substância, que talvez corresponda melhor às minhas expectativas. Concebo, portanto, o sonho como uma realidade utilizável no diagnóstico.

305 Como sempre acontece com os sonhos, este nosso pequeno exemplo acabou dando-nos mais que o esperado. Deu-nos não só a etiologia da neurose, como também um prognóstico; e mais ainda, através dele sabemos até de imediato por onde começar a terapia: é necessário impedir que o paciente arranque a todo vapor. Afinal, é isso que ele próprio está se dizendo no sonho.

306 Contentemo-nos, por enquanto, com este dado, e voltemos à nossa reflexão sobre se os sonhos se prestam ou não para o esclarecimento da etiologia de uma neurose. O exemplo acima é um caso positivo neste sentido. Contudo, poderíamos enumerar uma infinidade de sonhos de início de terapia em que não se percebe nem sombra de fator etiológico, mesmo em se tratando de sonhos do tipo transparente. Quero deixar de lado, por enquanto, os sonhos que exigem uma análise e interpretação mais profundas.

307 Como se sabe, existem neuroses, cuja etiologia verdadeira transparece apenas no final do tratamento, e outras, em que a etiologia é mais ou menos insignificante. Voltando à hipótese levantada no início, de que a conscientização do fator etiológico é terapeuticamente indispensável, vemos, por aí, que ela ainda está contaminada pela teoria do trauma. Não nego o fato de que muitas neuroses são traumatógenas, apenas me recuso a aceitar que todas as neuroses sejam provocadas por traumas, no sentido de experiências determinantes na infância. Esta maneira de ver condiciona uma atitude do médico es-

sencialmente causalista e com a atenção voltada para o passado, o que faz com que ele sempre se pergunte *por que*, sem se preocupar com o *para que*, tão importante um quanto o outro. Não raro, isso até prejudica o paciente, por obrigá-lo a procurar um acontecimento de sua infância impossível de encontrar. E pode levar anos nisso, descuidando visivelmente de outros aspectos de interesse imediato. A visão meramente causalista é demasiado acanhada e não leva em conta a essência do sonho, nem a da neurose. Ver no sonho unicamente uma possibilidade de descobrir o fator etiológico é colocar a questão de forma preconceituosa, e esquecer o principal da função do sonho. Nosso exemplo serve justamente para mostrar que a etiologia se destaca claramente, mas que também é dado um prognóstico ou antecipação, além de uma orientação para a terapia. Além disso, existem os numerosos sonhos de início de terapia que nem tocam na etiologia, mas sim em questões bem diferentes, como, por exemplo, o relacionamento com o médico. Para ilustrá-lo, vou relatar três sonhos que uma mesma paciente teve ao iniciar sua terapia com três analistas diferentes. Primeiro sonho: "*Tinha que atravessar a fronteira do país; não encontro essa fronteira em parte alguma e ninguém é capaz de me dizer onde fica*".

308 Este tratamento foi interrompido pouco depois de iniciado, por não ter dado resultado algum. Segundo sonho: "*Tinha que atravessar a fronteira. A noite está escura e não consigo encontrar a alfândega. Depois de procurar por muito tempo, descubro uma luzinha a grande distância e presumo que a fronteira é ali. Mas, para chegar até lá, tenho que atravessar um vale e uma floresta muito escura. Nisso perco o meu rumo. Percebo então a presença de alguém. Esta pessoa me agarra, de repente, feito doida. Acordo amedrontada*".

309 Este tratamento foi interrompido. Não durou mais que umas poucas semanas, por ter ocorrido uma identificação inconsciente entre o analista e a analisanda, o que provocou a sua total desorientação.

310 O terceiro sonho foi no início do tratamento comigo: "*Tenho que atravessar uma fronteira. Aliás, já me encontro do outro lado, dentro do edifício da alfândega suíça. Estou apenas com uma bolsa e acredito que nada tenho a pagar. Acontece que o funcionário da alfândega mete sua mão dentro da minha bolsa e, para maior espanto meu, tira de dentro dois colchões inteiros*".

311 A paciente casou-se durante o tratamento comigo. Antes de começar, tinha as maiores resistências ao casamento. A etiologia das resistências neuróticas só se tornou visível vários meses depois. Nesses sonhos iniciais não havia referência a ela. Os mesmos eram antecipações e previam as dificuldades que encontraria com cada um dos terapeutas.

312 Que estes sonhos sirvam para mostrar que muitas vezes eles são antecipações e que, se são observados por um enfoque puramente causalista, podem perder seu verdadeiro sentido. Eles dão uma informação inequívoca sobre a situação analítica, que, quando captada corretamente, pode ser do maior valor terapêutico. O médico n. 1, ao identificar corretamente a situação, encaminhou a paciente ao médico n. 2. Nesta segunda tentativa, a paciente tirou suas próprias conclusões do sonho e resolveu deixá-lo. Devo dizer que a minha interpretação a decepcionou, mas o fato de que, no sonho, ela já havia atravessado a fronteira, ajudou-a decisivamente a perseverar, apesar de todas as dificuldades.

313 Muitas vezes, os sonhos iniciais são de uma clareza e transparência espantosas. Mas à medida que a análise progride, os sonhos perdem essa clareza. Se esta persiste, e isso pode ocorrer excepcionalmente, é sinal de que a análise não chegou ainda a uma parte essencial da personalidade. Em geral, os sonhos tornam-se menos transparentes e mais confusos logo após o início do tratamento, o que dificulta sobremaneira a sua interpretação. Tais dificuldades também aumentam, porque eventualmente se atinge logo o estágio em que o médico perde a visão global da situação. Isto é comprovado pelos sonhos que se tornam menos claros, o que, como é sabido, é uma constatação inteiramente subjetiva (por parte do médico). Nada é pouco claro quando há compreensão; só as coisas que não se entendem é que parecem obscuras e complicadas. Em si, os sonhos são claros, isto é, eles são exatamente como devem ser, nas condições do momento. Pode acontecer que, numa fase posterior da análise, ou mesmo anos depois, se olhe para trás, para estes sonhos, e se ponha as mãos na cabeça, perguntando como podíamos ter sido tão cegos naquela época. Se, com o progredir da análise, nos deparamos com sonhos que, comparados aos sonhos luminosos do início, nos parecem sensivelmente obscuros, o médico não deve culpar a confusão dos sonhos, nem as resistências intencionais do paciente, mas deve entendê-lo como um

indício de que a sua compreensão está começando a se tornar insuficiente. Do mesmo modo, um psiquiatra, em vez de declarar que um paciente é confuso, deveria admitir sua própria confusão e reconhecer nisso uma projeção. O que está ocorrendo, na realidade, é que o comportamento estranho do doente o está perturbando em sua compreensão. Além disso, do ponto de vista terapêutico, é extremamente importante que a sua não compreensão seja admitida a tempo, pois nada é menos conveniente para o paciente do que ser compreendido o tempo todo. De qualquer maneira, ele confia no saber misterioso do médico (e este se deixa enganar por sua vaidade profissional), e se instala formalmente nessa "profunda" e autoconfiante compreensão do médico, perdendo assim todo senso da realidade. Essa é uma das causas fundamentais da transferência obstinada e da protelação da cura.

314 Como se sabe, compreender é um processo subjetivo. Pode ser unilateral, no sentido de o médico compreender e o paciente não. O médico acha-se então no dever de convencer o paciente. Se este não se deixar convencer, o médico poderá repreendê-lo por estar resistindo. Nos casos em que a compreensão é unilateral, eu diria tranquilamente que se trata de uma não compreensão; no fundo, não importa que o médico compreenda, pois tudo vai depender da compreensão do paciente. A compreensão deveria ser estabelecida *por consenso*, por um consenso que seja fruto da reflexão conjunta. O perigo da compreensão unilateral reside no fato de que o médico, partindo de uma opinião preconcebida, avalie o sonho de modo a fazê-lo corresponder à ortodoxia de alguma teoria, que no fundo pode até estar correta. Mas assim não se chega a um livre consenso com o paciente. Logo, a sua interpretação será praticamente falha. Falha também por antecipar o desenvolvimento do paciente, o que o paralisa. O paciente não deve ser instruído acerca de uma verdade. Se assim fizermos, estaremos nos dirigindo apenas à sua cabeça. Ele tem que evoluir para esta verdade. Assim atingiremos o seu coração. Isso o toca mais fundo e age mais intensamente.

315 Se a interpretação unilateral do médico estiver apenas concordando com alguma teoria ou opinião preconcebida, o eventual assentimento do paciente, ou um certo êxito terapêutico, estarão essencialmente baseados na *sugestão*, e poderão ser puramente ilusórios. O efeito da sugestão, em si, não é condenável, porém o seu êxito tem as

limitações que conhecemos. Além disso, tem efeitos colaterais sobre a autonomia do caráter do paciente. Por isso é recomendável prescindir-se dela em tratamentos prolongados. Quem se dedica ao tratamento analítico, acredita, implicitamente, no sentido e no valor da tomada de consciência, que faz com que partes, até então inconscientes da personalidade, sejam submetidas à opção e à crítica conscientes. O paciente é assim colocado diante dos problemas, e incentivado a dar a sua opinião e a tomar decisões conscientemente. Este procedimento significa nada menos do que uma provocação direta da função ética do paciente, chamado assim a reagir com a personalidade inteira. Do ponto de vista do amadurecimento da personalidade, o trabalho analítico situa-se em plano consideravelmente superior ao da sugestão, pois esta é uma espécie de recurso mágico atuando no escuro e sem nenhuma exigência ética à personalidade. A sugestão é sempre ilusória e apenas uma medida de emergência, devendo ser evitada na medida do possível, por ser incompatível com o princípio do tratamento analítico. É natural que só pode ser evitada, quando o médico toma consciência da possibilidade de ela ocorrer, pois sempre sobram demasiadas influências sugestivas inconscientes.

316 Quem quiser evitar a sugestão consciente deve considerar que uma interpretação de sonho não tem valor enquanto não for encontrada a fórmula que implica o consenso do paciente.

317 Observar estas regras básicas me parece fundamental, quando se lida com sonhos, que por sua obscuridade anunciam a não compreensão tanto do médico como do paciente. Tais sonhos deveriam ser sempre considerados pelo médico como novidade, como uma informação sobre condições de natureza desconhecida, a respeito das quais tem tanto a aprender quanto o paciente. É evidente que, nestes casos, o médico deveria renunciar a todo e qualquer pressuposto teórico e se dispor a descobrir uma teoria do sonho inteiramente nova para cada caso, pois neste particular abre-se um campo incomensurável ao trabalho pioneiro. O ponto de vista de que os sonhos são mera satisfação de desejos reprimidos já está superado há muito tempo. Sonhos representando claramente receios ou desejos realizados também existem, não resta a menor dúvida, mas não são os únicos. Há muitos outros. Por exemplo, os sonhos podem exprimir verdades implacáveis, sentenças filosóficas, ilusões, desenfreadas fantasias, re-

cordações, planos, antecipações, e até visões telepáticas, experiências irracionais e sabe Deus o que mais. Não podemos deixar de lembrar que passamos quase a metade de nossa vida em estado mais ou menos inconsciente. O modo específico de o inconsciente se comunicar com a consciência é o sonho. Da mesma forma que a alma tem seu lado diurno, que é a consciência, ela também tem o seu lado noturno, seu funcionamento psíquico inconsciente, que poderia ser concebido como o fantasiar onírico. Assim como não existem apenas desejos e medos no consciente, mas uma infinidade de outras coisas, também é sumamente provável que a nossa alma onírica tenha uma riqueza semelhante de conteúdos e formas de vida ou, quem sabe, muito superiores às da vida consciente, cuja natureza é essencialmente concentração, limitação e exclusão.

318 Nestas circunstâncias não só se justifica, mas é até obrigatório que não se restrinja o sentido de um sonho pela doutrina. É que temos que saber que muitos sonhadores imitam em seus sonhos até o jargão técnico ou teórico do médico, segundo o velho ditado: "Canis panem somniat, piscator pisces" (O cão sonha com o pão e o pescador com o peixe). O que não quer dizer que os peixes com que sonha o pescador sejam sempre apenas peixes. Não existe linguagem alguma de que não se possa abusar. É fácil imaginar como isso pode induzir-nos em erro. Aliás, até parece que o inconsciente tem uma certa tendência a enroscar o médico em sua própria teoria, a ponto de asfixiá-lo. Por isso, quando se trata de analisar sonhos, costumo prescindir da teoria, toda vez em que isso é possível. Não posso abrir mão dela totalmente, porque um pouco de teoria sempre é necessário à clara apreensão das coisas. Ora, a expectativa de que um sonho tenha um sentido é teórica. É que nem sempre podemos prová-lo estritamente, pois existem sonhos que simplesmente não são compreendidos nem pelo médico, nem pelo paciente. No entanto, é indispensável que eu me baseie numa tal hipótese, para me dar coragem de lidar com esse material onírico. Outra teoria determina que um sonho tem que acrescentar algo de essencial à apreensão consciente; e, consequentemente, aquele que não o fizer está mal interpretado. Esta é outra hipótese que tenho que levantar, se eu me quiser explicar os motivos que afinal de contas me levam a analisar sonhos. Todas as demais hipóteses, porém, como as que dizem respeito à função e à estrutura

do sonho, por exemplo, não passam de regras operacionais e têm que estar abertas à constante introdução de modificações. Neste trabalho, em momento algum, podemos perder de vista que o terreno em que pisamos é traiçoeiro e que nele a única coisa certa é a incerteza. Temos quase vontade de alertar o intérprete de sonhos: "Não queira entender!", para que não seja precipitado em suas interpretações.

319 No sonho obscuro, sem transparência, não se trata de entender primeiro e de interpretar, mas sim, de lhe compor o contexto cuidadosamente. Não quero dizer com isso que a partir das imagens oníricas seja permitido fazer "livremente associações", sem fim, mas sim que se deve ir focalizando consciente e cautelosamente aqueles elos associativos, objetivamente agrupados em torno de uma imagem onírica. Muitos pacientes têm que ser educados antes de poderem enfrentar este trabalho, pois, assim como o médico, eles também têm uma tendência irresistível a querer entender imediatamente e interpretar, sobretudo quando foram preparados, ou deformados por leituras ou uma análise anterior malfeita. Por isso, vão logo fazendo associações teóricas, para compreender e interpretar, e podem até ficar entalados nisso. De certa forma, eles querem, como o médico, descobrir logo o que há por trás do sonho, na suposição errônea de que o mesmo seja uma mera fachada a encobrir o verdadeiro sentido. Pois bem, na maioria das casas, a fachada não está aí para iludir ou disfarçar, mas corresponde ao seu interior e muitas vezes até o revela abertamente. Assim também a imagem manifesta do sonho é o próprio sonho e contém o sentido por inteiro. Quando encontro açúcar na urina, é açúcar mesmo, e não uma fachada, um disfarce para albumina. O que Freud chama de "fachada do sonho" é a sua não transparência, que, na realidade, não passa de uma projeção de quem não compreende; só se fala em fachada do sonho, porque não se consegue apreender-lhe o sentido. Seria preferível compará-lo a algo como um texto incompreensível, que não tem fachada alguma, mas que simplesmente não conseguimos ler. Sendo assim, também não temos que interpretar o que poderia existir por trás, apenas temos que aprender a lê-lo primeiro.

320 Isto se consegue melhor, como já disse, montando o contexto. Não atinjo o meu objetivo mediante a "associação livre", do mesmo modo que esta também não me ajudaria a decifrar uma inscrição hiti-

ta, por exemplo. Através dela, descobrirei naturalmente todos os meus complexos. Mas para isto não preciso dos sonhos. Basta uma placa de proibição ou uma frase qualquer de jornal. As associações livres nos fazem descobrir os complexos, mas, raramente, o sentido de um sonho. Para compreender o sentido de um sonho tenho que me ater tão fielmente quanto possível à imagem onírica. Se alguém sonha com uma mesa de pinho, por exemplo, não basta associar-lhe a sua escrivaninha, pela simples razão de que ela não é de pinho. O sonho se refere expressamente a uma mesa de pinho. Suponhamos que nada mais ocorra ao sonhador com relação a isto. Este empacar tem um significado objetivo, pois indica que a imagem onírica está cercada por uma zona especialmente obscura; o divagar, nestes casos, é uma grande tentação. Naturalmente, haveria dezenas de associações possíveis com uma mesa de pinho. O fato, porém, de não lhe ocorrer nenhuma é significativo. Num caso destes, volta-se à imagem novamente e, quanto a mim, costumo dizer aos meus pacientes: "Suponhamos que eu não tenha a menor ideia do que significam estas palavras: 'mesa de pinho'. Por favor, descreva-me o objeto em todos os seus detalhes e diga-me tudo o que sabe a respeito, inclusive de seu aspecto científico, até eu entender de que objeto se trata".

321 Procedendo desta maneira, conseguiremos verificar mais ou menos o contexto global da imagem onírica. Só depois de repetir o mesmo com todas as imagens do sonho é que podemos arriscar-nos a iniciar a sua interpretação.

322 Toda interpretação é uma mera hipótese, apenas uma tentativa de ler um texto desconhecido. É extremamente raro que um sonho isolado e obscuro possa ser interpretado com razoável segurança. Por este motivo, dou pouca importância à interpretação de um sonho isolado. A interpretação só adquire uma relativa segurança numa *série de sonhos*, em que os sonhos posteriores vão corrigindo as incorreções cometidas nas interpretações anteriores. Também é na série de sonhos que conteúdos e motivos básicos são reconhecidos com maior clareza. Por isso insisto em que meus pacientes façam um cuidadoso registro dos seus sonhos e interpretações. Oriento-os igualmente sobre a preparação do sonho, para que o tragam à sessão por escrito, juntamente com o material referente ao seu contexto. Em estágios mais avançados, também permito que elaborem a interpreta-

ção. Assim, o paciente aprende a lidar corretamente com seu inconsciente, mesmo sem o médico.

323 Se os sonhos não passassem de fonte de informações sobre os momentos importantes do ponto de vista etiológico, poderíamos deixar tranquilamente toda a elaboração do mesmo nas mãos do médico. Ou então, se o médico utilizasse os sonhos apenas para obter deles um certo número de dados úteis ou *insights* psicológicos, todo este meu procedimento seria certamente desnecessário. No entanto, os sonhos podem ser mais do que meros instrumentos de trabalho a serviço do médico, como mostram os exemplos acima. Assim sendo, a análise dos sonhos merece uma atenção toda especial: muitas vezes, um sonho pode até avisar que uma vida está correndo perigo. Dos inúmeros sonhos deste tipo, um me impressionou particularmente. Trata-se de um médico, colega meu, um pouco mais velho. Em nossos encontros ocasionais, sempre caçoava da minha "mania" de interpretar sonhos. Um dia encontrei-o na rua. Já veio falando alto: "Como é, ainda não se cansou de interpretar sonhos? Ah! e por falar nisso, dias atrás, tive um sonho idiota. Será que ele quer dizer alguma coisa?" Ali mesmo ele me contou o sonho: "*Eu estava escalando uma montanha muito alta, por um lado íngreme, coberto de neve. Vou subindo cada vez mais alto. O tempo está maravilhoso. Quanto mais subo, mais me sinto bem. Tenho a sensação de que seria bom se eu pudesse continuar subindo assim, eternamente. Chegando ao pico, uma sensação de felicidade e arrebatamento me invade; esta sensação é tão forte, que tenho a impressão de que poderia subir ainda mais e entrar no espaço cósmico. E é o que faço. Subo no ar. Acordo em estado de êxtase*".

324 Respondi: "Caro colega, sei perfeitamente que nada no mundo o faria abandonar o alpinismo, mas quero pedir-lhe insistentemente que, a partir de hoje, renuncie a escalar sozinho. Vá com dois guias e dê sua palavra de honra de que lhes obedecerá em tudo". Rindo, ele disse: "É incorrigível mesmo!", e despediu-se. Nunca mais o vi. Dois meses depois, sofreu o primeiro acidente. Estava desacompanhado. Foi soterrado por uma avalancha, mas no último momento foi salvo por uma patrulha militar, que casualmente se encontrava por perto. Três meses depois, o acidente foi fatal. Numa expedição sem guia, com um amigo mais jovem, já na descida, deu literalmente um passo em falso num rochedo a pique, e foi cair sobre a cabeça do amigo, que

por ele esperava uns lances abaixo. Ambos rolaram juntos para o precipício, despedaçando-se no fundo. A cena foi presenciada por um guia que se encontrava mais embaixo. Foi este o êxtase em sua plenitude.

325 Mesmo com o maior ceticismo e espírito crítico, nunca consegui considerar os sonhos como *quantité négligeable*. Quando eles nos parecem um disparate, somos nós os desarrazoados, desprovidos de acuidade de percepção, incapazes de decifrar os enigmas da mensagem do nosso lado noturno. Isso deveria estimular, porém, a psicologia médica a desenvolver a sua acuidade de percepção, mediante um trabalho sistemático com sonhos, pois pelo menos a metade de nossa vida psíquica se desenvolve naquele lado noturno. Da mesma maneira que a consciência se infiltra noite adentro, o inconsciente também permeia a nossa vida diurna. Ninguém duvida da importância do vivido conscientemente. Então, por que duvidar da importância daquilo que se passa no inconsciente? Ele *também* é parte da nossa vida. Uma parte talvez até maior, mais perigosa ou útil que a nossa vida consciente.

326 Uma vez que os sonhos nos dão informações sobre a vida interior, oculta e nos desvendam componentes da personalidade do paciente, que na vida diurna se exprimem apenas por sintomas neuróticos, não se pode realmente tratar o paciente unicamente por e em seu lado consciente, mas é necessário tratá-lo também em sua parte inconsciente. No pé em que está a ciência atualmente, não vemos outra possibilidade de fazê-lo, a não ser integrando amplamente os conteúdos inconscientes à consciência, através da assimilação.

327 Entende-se por *assimilação*, neste caso, uma interpenetração recíproca de conteúdos conscientes e inconscientes. Não uma avaliação unilateral, uma reinterpretação ou uma distorção dos conteúdos inconscientes pelo consciente, como se costuma pensar e, inclusive, praticar. Existem opiniões totalmente errôneas neste sentido quanto ao valor e ao significado dos conteúdos inconscientes. Como é sabido, na concepção de Freud, o inconsciente é encarado por um prisma totalmente negativo, da mesma forma que, nesta escola, o homem primitivo é visto mais ou menos como um monstro. As histórias da carochinha sobre o terrível homem primitivo, aliadas aos ensinamentos sobre o inconsciente infantil perverso e criminoso, conseguiram fazer com que essa coisa natural que é o inconsciente aparecesse como um monstro perigoso. Como se tudo o que há de belo, bom e

sensato, como se tudo aquilo que torna a vida digna de ser vivida, habitasse a consciência! Será que a guerra mundial e seus horrores ainda não nos abriram os olhos? Será que ainda não percebemos que a nossa consciência é mais diabólica e mais perversa do que esse ser da natureza que é o inconsciente?

328 Recentemente, atacaram a minha teoria da assimilação do inconsciente, argumentando que ela solapava a cultura e abria mão dos nossos maiores valores a favor do primitivismo. Tal opinião só pode encontrar apoio no pressuposto totalmente errôneo de que o inconsciente é um monstro. Ela tem sua origem no medo da natureza, no medo de ver a realidade tal como ela é. A teoria freudiana inventou o conceito da sublimação, com o objetivo de salvar-nos das garras imaginárias do inconsciente. O que existe como tal não pode ser sublimado alquimicamente e o que aparentemente é sublimado nunca foi o que a falsa interpretação fazia supor.

329 O inconsciente não é um monstro demoníaco. Apenas, uma entidade da natureza, indiferente do ponto de vista moral e intelectual, que só se torna realmente perigosa quando a nossa atitude consciente frente a ela for desesperadamente inadequada. O perigo do inconsciente cresce na mesma proporção de sua repressão. No entanto, no momento em que o paciente começa a assimilar-lhe os conteúdos, a sua periculosidade também diminui. À medida que a assimilação progride, também vai sendo suprimida a dissociação da personalidade, a ansiedade da separação entre o lado diurno e noturno. O receio de quem me critica, de que o consciente seja absorvido pelo inconsciente, torna-se real, justamente quando o inconsciente é impedido de participar da vida devido à repressão, à interpretação errônea e à sua desvalorização.

330 O engano fundamental a respeito da natureza do inconsciente é provavelmente a crença generalizada de que os seus conteúdos são unívocos e providos de sinais imutáveis. Na minha modesta opinião, esta maneira de ver é ingênua demais. A alma, por ser um sistema de autorregulação, tal como o corpo, equilibra sua vida. Todos os processos excessivos desencadeiam imediata e obrigatoriamente suas compensações. Sem estas, não haveria nem metabolismos, nem psiques normais. Podemos afirmar que a *teoria das compensações* é a regra básica, neste sentido, do comportamento psíquico em geral. O que falta de um lado, cria um excesso do outro. Da mesma forma, a relação en-

tre o consciente e o inconsciente também é compensatória. Esta é uma das regras operatórias mais bem comprovadas na interpretação dos sonhos. Sempre é útil perguntar, quando se interpreta clinicamente um sonho: que atitude consciente é compensada pelo sonho?

331 Via de regra, a compensação não é apenas uma ilusória satisfação de desejo, mas uma realidade tanto mais real quanto mais reprimida. Todos sabem que não se acaba com a sede reprimindo-a. Por isso, o primeiro a fazer é aceitar o conteúdo do sonho como uma realidade e acolhê-lo, como tal, na atitude consciente como um fator codeterminante. Se não o fizermos, insistiremos naquela atitude consciente excêntrica, que foi a causa, justamente, da compensação inconsciente. Neste caso, fica difícil prever como se evoluirá para um autoconhecimento adequado e a uma conduta equilibrada da vida.

332 Se ocorresse a alguém – e é este precisamente o medo dos meus censores – trocar o conteúdo inconsciente pelo consciente, este último seria, evidentemente, reprimido por aquele. Assim, o conteúdo anteriormente consciente exerceria, no inconsciente, a função compensatória. Isto mudaria, por completo, a fisionomia do inconsciente, que passaria a ser medrosamente sensato, num contraste flagrante com a postura anterior. Julga-se o inconsciente incapaz desta operação, muito embora ela ocorra constantemente e seja sua função peculiaríssima. É a razão por que todo sonho é um órgão de informação e controle e, consequentemente, o recurso mais eficaz na construção da personalidade.

333 O inconsciente, em si, não contém material explosivo, exceto se a ação presunçosa ou covarde do consciente nele tenha armazenado algum secretamente. Uma razão a mais para não passarmos desatentos!

334 Fundamentado nisso, adoto uma regra heurística, que é perguntar a cada nova tentativa de interpretação de sonho: qual é a atitude consciente compensada pelo sonho? Como se vê, o sonho é assim colocado numa relação estreita com a situação consciente. E mais, não hesito em afirmar que um sonho, sem tomar conhecimento da situação consciente, nunca poderá ser interpretado com um mínimo de segurança. É só a partir do conhecimento da situação consciente que se pode descobrir que sinal dar aos conteúdos inconscientes. É que o sonho não é um acontecimento isolado, inteiramente dissociado do

cotidiano e do caráter do mesmo. Se ele nos aparecer assim, será unicamente por causa da nossa não compreensão, da nossa ilusão subjetiva. Na realidade, há entre o consciente e o sonho a mais rigorosa causalidade e uma relação precisa em seus mínimos detalhes.

335 Vou dar um exemplo, para esclarecer esta maneira de apreciar os conteúdos inconscientes. Um rapaz veio ao consultório e contou-me o seguinte sonho: "*Meu pai sai de casa em seu carro novo. Dirige pessimamente mal e me irrito demais com isso. O pai ziguezagueia com o carro, de repente dá marcha-a-ré, coloca o carro em situações perigosas, e vai chocar-se enfim contra um muro. O carro fica seriamente danificado. Grito, furioso, que preste atenção no que faz. Aí meu pai ri, e vejo que ele está completamente bêbado*". Nenhum fato real ocorrera que pudesse justificar o sonho. O sonhador me garante que seu pai, mesmo embriagado, jamais se comportaria daquela maneira. Ele mesmo é automobilista, extremamente cuidadoso, moderado em matéria de bebidas alcoólicas, sobretudo quando dirige; pode irritar-se tremendamente com "barbeiragens" e com pequenos estragos no carro. Seu relacionamento com o pai é positivo. Admira-o por ser um homem excepcionalmente bem-sucedido. Mesmo sem possuir grandes dons interpretativos, é possível constatar que a imagem do pai no sonho não é das mais favoráveis. Que sentido, então, tem este sonho para o filho? Como responder esta pergunta? Sua relação com o pai será boa só na aparência? Será que na realidade se trata apenas de resistências supercompensadas? Se assim fosse, teríamos que dar ao sonho um sinal positivo, isto é, teríamos que dizer: "Esta é a sua relação verdadeira com seu pai". Acontece que na realidade não foi constatada nenhuma ambiguidade neurótica na relação real do filho com o pai. Assim sendo, não se justificaria, seria até um descalabro terapêutico, sobrecarregar os sentimentos do rapaz com um pensamento tão destrutivo.

336 Mas se a sua relação com o pai é realmente boa, então por que este sonho inventa artificialmente uma história tão inverossímil, a fim de desacreditar o pai? No inconsciente do sonhador deve existir uma tendência que produza um sonho desse tipo. Será que é assim porque o rapaz tem mesmo resistências, devido à inveja ou outros sentimentos de inferioridade? Antes de lhe pôr este peso na consciência – o que sempre é arriscado quando se trata de pessoa jovem e sen-

sível – é preferível perguntar, não "por que", mas "para que" ele teria tido esse sonho. Neste caso, a resposta seria a seguinte: o seu inconsciente quer obviamente desvalorizar o pai. Considerando essa tendência como uma realidade compensatória, somos levados a admitir que a sua relação com o pai não é apenas boa, mas boa até demais. Efetivamente, o rapaz é um "filhinho de papai". O pai ainda representa garantia demais em sua vida e o sonhador ainda se encontra naquela fase da vida que chamo de *provisória*. É até um grande perigo, pois de tanto pai, pode não enxergar a sua própria realidade. E, por este motivo, o inconsciente lança mão de uma blasfêmia artificial para rebaixar o pai e valorizar o sonhador. Uma imoralidade daquelas! Um pai pouco esclarecido protestaria. Mas é, sem dúvida alguma, uma compensação astuciosa, que impele o filho a uma oposição ao pai, sem a qual nunca chegaria à consciência de si mesmo.

337 Esta última era a interpretação correta. Deu bons resultados, isto é, obteve o assentimento espontâneo do rapaz, sem que nenhum dos valores reais, seja do pai, seja do filho, tivesse sido prejudicado. Uma tal interpretação, no entanto, só foi possível graças a uma investigação meticulosa de toda a fenomenologia consciente da relação pai-filho. Sem tomar conhecimento da situação consciente, o verdadeiro sentido do sonho teria ficado no ar.

338 Na assimilação dos conteúdos oníricos, é de extrema importância não ferir e muito menos destruir os valores verdadeiros da personalidade consciente, pois, de outra forma, não haveria mais quem pudesse assimilar. O reconhecimento do inconsciente não é como uma experiência bolchevista que vira tudo pelo avesso e, por fim, leva exatamente àquele mesmo estado que pretendia melhorar. É preciso cuidar rigorosamente de conservar os valores da personalidade consciente, pois a compensação pelo inconsciente só é eficaz quando coopera com uma consciência integral. A assimilação nunca é um *isto ou aquilo*, mas sempre um *isto e aquilo*.

339 Como vimos, é indispensável levar em conta a exata situação consciente na interpretação dos sonhos. Da mesma forma, é importante considerar as convicções filosóficas, religiosas e morais conscientes, para trabalhar com a simbologia do sonho. É infinitamente mais aconselhável, na prática, não considerá-la semioticamente, isto é, como sinal ou sintoma de caráter imutável, mas sim como um ver-

dadeiro símbolo, isto é, como expressão de um conteúdo que o consciente ainda não reconheceu e formulou conceitualmente, e também relacioná-la com a respectiva situação consciente. Digo que *na prática* isso é aconselhável, pois na teoria existem símbolos relativamente fixos. Mas em sua interpretação temos que ter o maior cuidado para não referi-los a conteúdos conhecidos e a conceitos formuláveis. Por outro lado, se tais símbolos relativamente fixos não existissem, não haveria como descobrir o que quer que seja sobre a estrutura do inconsciente, pois não haveria nada que se pudesse reter ou a que se pudesse dar nome.

340 Pode parecer estranho que eu atribua ao conteúdo dos símbolos relativamente fixos um caráter por assim dizer indefinível. Se assim não fosse, não seriam símbolos, mas sim sinais ou sintomas. Como é sabido, a escola de Freud admite a existência de *símbolos* sexuais fixos – ou *sinais* neste caso – e lhes atribui o conteúdo aparentemente definitivo da sexualidade. Infelizmente, justo o conceito sexual de Freud é tão incrivelmente extenso e vago, que tudo pode caber nele. Na verdade, estamos familiarizados com a palavra, mas a coisa que ela designa é uma incógnita, que vai do extremo de uma atividade glandular fisiológica aos mais sublimes, fulgurantes e indefiníveis lampejos de espiritualidade. Por este motivo, prefiro que o símbolo represente uma grandeza desconhecida, difícil de reconhecer e, em última análise, impossível de definir. Prefiro isso, a ver nesta palavra conhecida algo já conhecido, apenas para me conformar com uma convicção dogmática, baseada na ilusão. Vejamos, por exemplo, os chamados símbolos fálicos, que pretensamente não representam mais do que o *membrum virile*. Do ponto de vista psíquico, o membro viril também é símbolo de outro conteúdo de difícil definição, segundo o exposto por Kranefeldt num recente trabalho[2]. Do mesmo modo, nunca deve ter ocorrido aos primitivos e aos antigos, que sempre usaram os símbolos fálicos com muita prodigalidade, confundir o falo, símbolo ritual, com o pênis. O significado do falo sempre foi o *mana*, o criativo, o "extraordinariamente ativo", para empregar a expressão de Lehmann, a força da medicina e da fecundidade. Esta tam-

---

2. "*Komplex*" *und Mythos* (Complexo e mito), 101.

bém era expressa por analogias equivalentes, tais como o touro, o asno, a romã, a *yoni*, o bode, o raio, a ferradura, a dança, o coito mágico no campo arado, o mênstruo e uma infinidade de outras mais, exatamente como no sonho. Na origem de todas essas analogias e, portanto, também da sexualidade, está uma imagem arquetípica, difícil de caracterizar. Parece que o símbolo primitivo do *mana* é o que mais se aproxima, do ponto de vista psicológico.

341 Esses símbolos, todos, são relativamente fixos, mas isso não nos garante aprioristicamente que, no caso concreto, o símbolo deva ser interpretado assim.

342 Na prática, pode ser algo completamente diferente. Se tivéssemos que interpretar um sonho pela teoria, ou seja, se tivéssemos que interpretá-lo a fundo, de modo científico, certamente teríamos que referir tais símbolos a arquétipos. Mas clinicamente isso pode ser o maior erro, pois a situação psicológica momentânea do paciente pode estar exigindo tudo, menos um desvio para a teoria do sonho. É, portanto, aconselhável, *in praxi*, considerar aquilo que o símbolo significa em relação à situação consciente, ou seja, tratar o símbolo como se ele não fosse fixo. Em outras palavras, é melhor renunciar a tudo o que se sabe melhor, e de antemão, para pesquisar o que as coisas significam para o paciente. Obviamente, a interpretação teórica interrompe-se assim a meio caminho, ou já nos passos iniciais. No entanto, o clínico que manipula demais os símbolos fixos pode cair numa rotina, num perigoso dogmatismo, que muitas vezes impede a sua sintonização com o paciente. Infelizmente tenho que desistir de apresentar um exemplo que ilustre o que acabo de dizer, posto que o mesmo teria que ser dado com tantas minúcias, que o tempo não me alcançaria. De mais a mais, já tenho publicado material suficiente a respeito.

343 Não são raros os casos que, logo ao início do tratamento, desvendam ao médico, através de um sonho, toda a programação futura do inconsciente. O médico só pode percebê-lo graças ao seu conhecimento dos símbolos relativamente fixos. Mas por motivos terapêuticos é totalmente impossível revelar toda a profundidade do significado de seu sonho. Por este lado, somos limitados por razões de ordem clínica. Do ponto de vista do prognóstico e do diagnóstico, estas informações podem ser do maior valor. Certa vez vieram consultar-me a respeito de uma jovem de 17 anos. Um especialista havia le-

vantado uma levíssima suspeita de um começo de atrofia muscular progressiva; na opinião de outro médico, seu sintoma era histérico. Vieram consultar-me por causa desta última hipótese. Do ponto de vista corporal, havia realmente algo de suspeito, mas a histeria também não podia ser descartada. Perguntei pelos sonhos. A paciente respondeu sem nenhuma hesitação: "Tenho, sim, tenho sonhos horríveis. Não faz muito tempo sonhei que *estou chegando em casa. É noite. Tudo está num silêncio mortal. A porta que dá para o salão está entreaberta e vejo a minha mãe enforcada no lustre, seu corpo balançando ao vento gelado que entra pelas janelas abertas. E depois também sonhei que havia um barulho terrível dentro de casa. Vou ver o que é, e vejo um cavalo espantado correndo feito doido pelo apartamento. Por fim ele encontra a porta do corredor e pula pela janela do corredor para a rua. O apartamento fica no 4º andar. Vi, horrorizada, seu corpo estendido lá embaixo, todo espatifado*".

344 O caráter nefasto dos sonhos já basta para nos colocar de sobreaviso. Mas qualquer pessoa pode ter uma vez ou outra algum pesadelo. Por este motivo, temos que entrar mais intimamente no significado dos dois símbolos principais: "mãe" e "cavalo". Devem ser símbolos equivalentes, pois ambos se comportam da mesma maneira, isto é, ambos se suicidam. "Mãe" é um arquétipo que indica origem, natureza, o procriador passivo (logo, matéria, substância) e portanto a natureza material, o ventre (útero) e as funções vegetativas e por conseguinte também o inconsciente, o instinto e o natural, a coisa fisiológica, o corpo no qual habitamos ou somos contidos. "Mãe", enquanto vaso, continente oco (e também ventre), que gesta e nutre, exprime igualmente as bases da consciência. Ligado ao estar dentro ou contido, temos o escuro, o noturno, o angustioso (angusto = estreito). Com estes dados, estou reproduzindo uma parte essencial da versão mitológica e histórico-linguística do conceito de mãe, ou do conceito do *Yin* da filosofia chinesa. Não se trata de um conteúdo adquirido individualmente pela menina de 17 anos, mas de uma herança coletiva. Esta herança permanece viva na linguagem, por um lado, e, por outro, na estrutura da psique. Por esta razão é encontrada em todos os tempos e em todos os povos.

345 "Mãe", esta palavra tão familiar, refere-se aparentemente à mãe mais conhecida de todas, à nossa mãe individual, mas enquanto sím-

bolo, "minha mãe" designa algo que no fundo se opõe obstinadamente à formulação conceitual, algo que se poderia definir vagamente e intuitivamente como a vida do corpo, oculta e natural. Mas esta definição ainda é por demais limitada e exclui demasiados significados secundários indispensáveis. A realidade psíquica primária em que se baseia é de incrível complexidade, podendo, portanto, só ser apanhada por um conceito extremamente vasto e, mesmo assim, apenas intuída ou pressentida. Daí a necessidade dos símbolos.

346 Encontrada a expressão, e aplicando-a ao sonho, obtemos a seguinte interpretação: a vida inconsciente se destrói a si mesma. É esta a mensagem para o consciente e para quem tem ouvidos para ouvir.

347 "Cavalo" é um arquétipo amplamente presente na mitologia e no folclore. Enquanto animal, representa a psique não humana, o infra-humano, a parte animal e, por conseguinte, a parte psíquica inconsciente; por este motivo encontramos no folclore os cavalos clarividentes e "clariaudientes", que às vezes até falam. Enquanto animais de carga, a sua relação com o arquétipo da mãe é das mais próximas (as valquírias que carregam o herói morto até Walhalla, o cavalo de Troia etc.). Enquanto inferiores ao homem, representam o ventre e o mundo instintivo que dele ascende. O cavalo é *dynamis* e veículo, somos por ele levados como por um impulso, mas como os impulsos está sujeito ao pânico, por lhe faltarem as qualidades superiores da consciência. Tem algo a ver com a magia, isto é, com a esfera do irracional, do mágico, principalmente os cavalos pretos (os cavalos da noite), que anunciam a morte.

348 Assim sendo, o "cavalo" é um equivalente de "mãe", com uma tênue diferença na nuança do significado, sendo o de uma, vida originária e o da outra, a vida puramente animal e corporal. Esta expressão, aplicada ao contexto do sonho, leva à seguinte interpretação: a vida animal se destrói a si mesma.

349 Ambos os sonhos dizem praticamente o mesmo, sendo que o segundo, como em geral acontece, se exprime mais especificamente. Devemos ter notado a especial sutileza do sonho: ele não fala da morte do indivíduo. Todos sabemos que é frequente sonhar com a própria morte, mas nestes casos não se deve tomá-lo ao pé da letra. Quando é para valer, o sonho usa uma linguagem bem diversa.

350 Ambos os sonhos indicam doença orgânica grave, com desfecho letal. Este prognóstico foi logo confirmado.

351 No que diz respeito aos símbolos relativamente fixos, este exemplo nos dá uma ideia aproximada da natureza dos mesmos. Existe uma infinidade deles, que se distinguem individualmente uns dos outros por tênues variações de significado. A comprovação científica de sua natureza só é possível pelo exame comparativo, englobando a mitologia, o folclore, a religião e a linguística. A natureza filogenética da psique se revela muito mais no sonho do que em nosso mundo consciente. As imagens oriundas da natureza mais primitiva e os impulsos mais arcaicos falam através do sonho. Pela assimilação de conteúdos inconscientes, a vida consciente momentânea é de novo ajustada à lei natural, da qual se desvia muito facilmente. Isto traz o paciente de volta à sua própria lei interior.

352 Falei aqui apenas de coisas elementares. O contexto de uma conferência não permitiu a junção das pedras isoladas necessárias à reconstrução do edifício, que é o processo de toda análise que, partindo do inconsciente, termina com a reconstrução definitiva da personalidade total. O caminho das assimilações sucessivas vai muito além de um êxito especificamente clínico. Ele conduz finalmente à meta distante, quem sabe à razão primeira da criação da vida, ou seja, à plena realização do homem inteiro, à individuação. Nós, os médicos, somos provavelmente os primeiros observadores conscientes desse processo obscuro da natureza. No entanto, quase sempre, assistimos unicamente à parte patológica desse desenvolvimento e perdemos o paciente de vista, assim que ele está curado. Mas é só após a cura que se apresenta a verdadeira oportunidade de estudar o desenvolvimento normal, que leva anos e decênios. A impressão confusa do processo que os sonhos transmitem ao consciente seria menos desconcertante talvez, se se tivesse algum conhecimento dos objetivos finais da tendência evolutiva inconsciente e se o médico não colhesse seus *insights* psicológicos justamente na fase abalada pela doença. Não fosse isso, seria mais fácil reconhecer o que, em última análise, é visado pelos símbolos. No meu entender, todo médico deveria estar consciente do fato de que qualquer intervenção psicoterapêutica, e, em especial, a analítica, irrompe dentro de um processo e numa continuidade

já orientado para um determinado fim, e vai desvendando, ora aqui, ora acolá, fases isoladas do mesmo, que à primeira vista podem até parecer contraditórias. Cada análise individual mostra apenas uma parte ou um aspecto do processo fundamental. Por esta razão, as comparações casuísticas só podem criar desesperadoras confusões. Por isso, preferi limitar-me ao elementar e ao prático, pois só na intimidade cotidiana do empírico é possível chegar-se a um consenso mais ou menos satisfatório.

III

A psicologia da transferência[1*]

COMENTÁRIOS BASEADOS EM UMA SÉRIE DE FIGURAS ALQUÍMICAS

"Quaero non pono, nihil hie determino dictans,
Coniicio, conor, confero, tento, rogo..."

(Procuro, não afirmo, nada determino, aqui nem dito.
Conjecturo, esforço-me, comparo, tento, interrogo...).
CHRISTIAN KNORR VON ROSENROTH, 8, 1636-1693.

DEDICADO A MINHA ESPOSA

Prólogo

O processo, que Freud denominou "transferência", é dos mais difíceis para quem tem experiência em clínica psicoterapêutica. Creio que não é exagero supor que praticamente todos os casos que requerem um tratamento prolongado gravitam em torno do problema da transferência. Além disso, ao que tudo indica, o êxito ou o fracasso do tratamento tem, no fundo, muito a ver com ela. Este fenômeno não pode, portanto, ser ignorado, nem contornado pela psicologia; nem tampouco deveria a terapêutica dar a entender que a "solução

1. Publicado em forma de livro, Zurique, 1946.

* Agradeço a minhas amigas Dora Ferreira da Silva e Margaret Makray pelo apoio e pela colaboração prestada na tradução e revisão deste trabalho [N.T.].

da transferência" seja coisa clara, simples e natural. Encontramos, aliás, um otimismo semelhante ao lidar com a "sublimação", que é um processo intimamente ligado à transferência. A discussão científica do problema muitas vezes dá a impressão de que o fenômeno pode ser resolvido apenas com bom-senso, inteligência e vontade, ou então, que a arte e habilidade do médico e sua superioridade técnica bastam. Procede-se, com vantagem aliás, desta maneira propícia e eufemística nos casos em que as coisas são complicadas e quando não é fácil obter bons resultados; mas é inconveniente, por camuflar a dificuldade do problema, e assim tolher ou protelar sua investigação mais profunda. Apesar de eu ter, inicialmente, atribuído uma importância suprema à transferência, como Freud, tive que reconhecer, à medida que as minhas experiências se multiplicavam, que até esta importância é relativa. A transferência pode ser comparada àqueles medicamentos que para uns são remédio e, para outros, puro veneno. A sua ocorrência significa em certos casos uma mudança para melhor, em outros, um entrave, um peso, ou coisa pior, e num terceiro caso, finalmente, pode ser relativamente irrelevante. Entretanto, é quase sempre um fenômeno crítico, que brilha nas mais diversas cores, e a sua ocorrência é tão significativa quanto a sua não ocorrência.

No presente trabalho, abordarei a forma "clássica" da transferência e sua fenomenologia. Como se trata de um tipo de relação, sempre pressupõe um *tu*. Nos casos em que a transferência é negativa ou deixa de ocorrer, o tu desempenha um papel secundário. Em geral, isto se dá nos casos de complexos de inferioridade com impulso compensatório de autovalorização[2].

O leitor poderá achar estranho que eu recorra a um objeto, aparentemente tão remoto como a simbologia alquímica, para explicar a transferência. Mas quem leu *Psicologia e alquimia*[*], *82*, já deve estar

2. Isso não significa que em tais casos jamais se estabeleça uma transferência. O modo negativo da transferência, sob a forma de resistência, antipatia e ódio, confere de imediato uma importância considerável – ainda que negativa – ao tu, e esforça-se de todas as maneiras por colocar entraves ao caminho da transferência positiva. O simbolismo típico da síntese dos opostos, que caracteriza a transferência positiva, fica consequentemente impossibilitado de se desenvolver.

* Tradução em preparação [N.T.].

a par da íntima conexão existente entre a alquimia e aqueles fenômenos, com os quais, por razões práticas, a psicologia do inconsciente é obrigada a lidar. Não se surpreenderá, portanto, ao verificar que um fenômeno – que a experiência mostra ser tão frequente e importante – também exista entre as figuras simbólicas da alquimia. Tais representações contêm a relação da transferência, embora não de forma consciente, mas como pressuposto inconsciente. Por esta razão, prestam-se, digamos, como fio condutor para orientar uma discussão sobre o fenômeno.

Neste trabalho, o leitor não encontrará uma apresentação dos fenômenos clínicos da transferência. É que minhas cogitações não são endereçadas ao principiante, àquele que ainda tem que se familiarizar com o fenômeno, mas exclusivamente a quem já adquiriu suficiente experiência em clínica própria. Minha preocupação é dar uma orientação neste campo recém-aberto à exploração e ainda totalmente nebuloso e ambientar o leitor à problemática. Quero deixar consignado expressamente o caráter provisório da minha pesquisa, dadas as consideráveis dificuldades com que neste campo se defronta o entendimento racional. Tentarei descrever as minhas observações e ideias, que desejo recomendar à reflexão do leitor, na esperança de que a sua atenção se volte para determinados pontos de vista, cuja importância se foi tornando cada vez mais clara para mim com o correr do tempo. Receio que a leitura deste estudo não seja fácil para quem não tem conhecimento dos meus trabalhos anteriores. Por isso, não deixei de me referir, através de notas de rodapé, às minhas obras susceptíveis de ajudarem na compreensão.

O leitor despreparado vai certamente estranhar também a quantidade de material histórico que relacionei com as minhas investigações. Procedi assim pela razão e íntima necessidade de descobrirmos e nos colocarmos num posto de observação fora do nosso tempo, a partir do qual possamos contemplar os problemas atuais da psicologia, pois esta é a única maneira de conhecê-los e avaliá-los corretamente. Este ponto fora do nosso tempo só pode situar-se numa época do passado, que já se preocupou com a mesma problemática, mas de outra forma e em outras condições. É óbvio que uma tal comparação e discussão não pode ser feita sem uma apresentação exaustiva dos pontos de vista históricos. Estes poderiam ser expostos mais sinteticamente, se a matéria fosse conhecida e nos permitisse uma menção de passagem ou uma simples referência. Lamentavelmente, não é este o nosso caso: a psicologia da alquimia ainda é terreno virgem e bem pouco explorado, razão pela qual tenho que colocar uma condição prévia: o conhecimento do meu livro *Psicologia e alquimia*, sem o qual será difícil introduzir o leitor na *Psicologia da transferência*. O leitor, já suficientemente informado, por sua experiência profissional e pessoal da extensão do problema da transferência, que me perdoe esta exigência.

A presente pesquisa não deixa de ter um caráter autônomo, mas constitui simultaneamente uma introdução a uma análise mais abrangente da fenomenologia e da síntese dos opostos na alquimia, objeto dos volumes 10 e 11 dos Tratados de Psicologia, que serão publicados em breve sob o título de *Mysterium coniunctionis, 80*. Quero externar aqui os meus agradecimentos a todos os que leram o manuscrito e me apontaram falhas. Pela ajuda prestada nos mais variados sentidos por Marie-Louise von Franz Dr. em fil., meu especial reconhecimento.

Outono de 1945.

O autor

Introdução

"Bellica pax, vulnus dulce, suave malum".
(Paz guerreira, doce ferida, mal suave).
JOHN GOWER, 54, II, p. 35.

353 O papel fundamental que a alquimia atribui à ideia do *matrimônio* místico não nos surpreenderá, se atentarmos para o seguinte: a expressão *coniunctio* usada frequentemente para designá-la significa, antes de mais nada, aquilo que hoje chamamos de ligação química e aquilo que atrai os corpos a serem ligados entre si e hoje é chamado afinidade. Antigamente, porém, eram usados os termos mais variados, todos eles com uma conotação de relação humana, e, em especial, erótica, como *nuptiae* (núpcias), *matrimonium* e *coniugium* (matrimônio), *amicitia* (amizade), *attractio* (atração) e *adulatio* (adulação). Consequentemente, os corpos a serem ligados eram qualificados como *agens et patiens* (ativo e passivo), *vir* (homem) ou *masculus* (masculino) e *femina*, *mulier*, *femineus* (mulher, feminino), ou então mais pitorescamente ainda, como cão e cadela[1], cavalo (égua) e burro[2], galo e galinha[3], como dragão alado e sem asas[4]. Quanto mais antropomórficas, quanto mais teriomórficas as qualificações, mais se manifesta a participação da fantasia lúdica e, portanto, do inconsciente. Por aí também se vê que o espírito inquiridor do antigo filósofo da natureza estava exposto à tentação de se desviar do estudo das propriedades da matéria, obscuras para ele, ou seja, de desviar-se da questão estritamente química, para sucumbir ao *mito da matéria*.

---

1. "Accipe canem corascenum masculum et caniculam Armeniae". (Tome um cão corasceno e uma cadela armênia.) HOGHELANDE, 5, I, p. 163. Uma citação de Kalid no *Rosarium Philosophorum*, 2, XIII, p. 248, diz o seguinte: "Accipe canem coetaneum et catulam Armeniae". (Tome um cão coetâneo e uma cadela armênia.) Nos papiros mágicos, Selene (a Lua) é designada por χύων (cadela). Papiro mágico de Paris, Z. 2.280, em PREISENDANZ, 135, I, p. 142. Em Zósimo, trata-se de cão e lobo. Cf. BERTHELOT, 26, III, xii, 9.

2. BERTHELOT, 26, op. cit.

3. A clássica passagem de Senior, 160, p. 8: "Tu mei indiges, sicut gallus gallinaeindiget". (Tu precisas de mim como o galo precisa da galinha.)

4. Na literatura existem inúmeras representações disto.

Uma vez que não existe ausência absoluta de pressupostos, o pesquisador, por mais objetivo e imparcial que seja, sempre corre o risco de ser vítima de um pressuposto inconsciente, toda vez que penetrar numa esfera ainda não esclarecida, por falta de apoio em coisa conhecida. Isto não é necessariamente um mal, pois a ideia que lhe vem para substituir o que não conhece será uma analogia, arcaica sem dúvida, mas cabível. Assim sendo, a visão daquele par de dançarinos – que levou Kekule[5] a encontrar a pista da estrutura de certas ligações carbônicas, ou seja, do anel de benzeno – não é mais do que a imagem da *coniunctio*, do acasalamento, que preocupou o espírito dos alquimistas durante 1.700 anos. No entanto, era precisamente esta mesma imagem que desviava constantemente o pensamento dos estudiosos do problema da química, levando-o de volta ao mito primordial das núpcias reais ou divinas. Mas tudo isso não impediu que a meta química fosse finalmente atingida, através da visão de Kekule, prestando o maior serviço possível à compreensão das ligações orgânicas e ao subsequente e vertiginoso progresso da química sintética. Podemos elogiar, retrospectivamente, o faro dos alquimistas, pois, para eles, esse *arcanum arcanorum*[6], esse "donum Dei et secretum altissimi[7]" (dom de Deus e segredo do Altíssimo), esse segredo singular da arte de fazer ouro, nunca deixou de ser o ponto culminante de toda sua obra. Ao triunfo tardio dessa ideia alquímica, acrescenta-se mais uma honrosa constatação, a de outro pensamento central da arte de fazer ouro, ou seja, a transmutabilidade dos elementos químicos. O eminente significado, prático e teórico, destes pensamentos, nos permite chegar à conclusão de que se tratava de antecipações intuitivas, cujo "fascinosum" (poder de fascínio) foi explicado posteriormente, pelo rumo que tomaram as coisas[8].

---

5. ANSCHUETZ, 14, I, p. 624s. • FIERZ-DAVID, 41, p. 235s.

6. ("Geheimnis der Geheimnisse" [segredo dos segredos]) DIONYSIUS ZACHARIÜS, 5, V, p. 826.

7. *Consilium Coniugii*, 1, II, p. 259. Cf. tb. *Aurora Consurgens*, 34, I, cap. 2: "Est namque donum et sacramentum Dei atque res divina..." (É, pois, um dom e um sacramento de Deus e uma coisa divina).

8. Isso não invalida o fato de o tema da coniunctio exercer inicialmente um enorme fascínio, por causa de seu caráter arquetípico.

354 Acreditamos não só que a alquimia se foi transformando na química, passo a passo, à medida que aprendia a desligar-se de seus pressupostos míticos, mas também que se tornou – ou melhor, que sempre foi – uma espécie de filosofia mística. A ideia da *coniunctio* consegue, assim, esclarecer, por um lado, o mistério profundo da ligação química e exprimir, por outro, enquanto mitologema, o arquétipo que representa a união dos opostos, tornando-se uma imagem da *unio mystica*. Os arquétipos não são algo de exterior e não anímico, muito embora o mundo ambiente lhes empreste as formas de sua representação concreta. Mas contrária e independentemente dessa sua forma exterior, eles representam a essência e vida de uma alma não individual, inata em cada indivíduo, cuja personalidade, porém, não pode modificar, nem dela se apoderar. É uma e a mesma alma no indivíduo isolado, em muitos, ou em todos os indivíduos. Da mesma forma que o mar é o portador das suas ondas, esta alma universal é a condição prévia de toda psique individual.

355 A *coniunctio* é uma imagem importantíssima para a alquimia e seu significado prático foi comprovado mais tarde, em outro nível da evolução, mas além disso ela também possui um valor equivalente na esfera anímica: o papel que desempenhou na alquimia em relação às coisas incompreensíveis da matéria é o mesmo que desempenha em relação à descoberta das coisas interiores, obscuras da vida anímica. Aliás, sua eficácia em relação ao mundo material jamais se teria desenvolvido, se já não possuísse de antemão um poder de fascínio capaz de prender o espírito do pesquisador em sua linha diretriz. *A coniunctio é uma imagem apriorística*. Desde os primórdios, ocupa um lugar da maior relevância no desenvolvimento do espírito humano. Remontando à sua origem, vamos encontrar, dentro da alquimia, duas fontes das quais derivam essas ideias: uma cristã, outra pagã. A fonte cristã é incontestavelmente o ensinamento do Cristo e da Igreja, o do *sponsus et sponsa* (esposo e esposa), sendo que a Cristo cabe o papel de Sol e à Igreja, o de *Luna*[9]. A fonte pagã é o Hierosgamos[10] (a hierogamia), por um lado, e, por outro, a união conjugal do místi-

---

9. Comparar com o abrangente estudo de Hugo Rahner, 138.

10. As fontes clássicas referentes a isto se encontram reunidas em A. Klinz, 98.

co com a divindade[11]. Estas experiências psíquicas e sua sedimentação na tradição explicam muita coisa do mundo específico das representações mentais dos alquimistas e de sua linguagem secreta, que sem esta conexão seria simplesmente ininteligível.

356 Conforme dissemos acima, a imagem da *coniunctio* sempre se sobressaiu na história do desenvolvimento do espírito humano. A evolução contemporânea da psicologia médica foi levada à força, através da observação dos processos mentais em psicoses e neuroses, a um aprofundamento cada vez maior na investigação dos processos psíquicos de fundo, geralmente chamados de *inconsciente*. Tais investigações são uma exigência da psicoterapia, porquanto simplesmente não é mais possível negar que as perturbações patológicas da psique não podem ser atribuídas exclusivamente a alguma alteração orgânica ou ao processo consciente, mas que, para a sua explicação, é preciso recorrer a um terceiro fator, que são os hipotéticos processos inconscientes[12].

357 Na análise clínica constatou-se que os conteúdos inconscientes se manifestam sempre, primeiro, de forma *projetada*, sobre pessoas e condições objetivas. Muitas projeções são integradas no indivíduo definitivamente, pelo simples reconhecimento de que fazem parte de seu mundo subjetivo. Mas há outras, no entanto, que não se deixam integrar, apenas se desligam dos seus objetos iniciais e são transferidas ao terapeuta. Entre esses conteúdos, a relação com o progenitor do sexo oposto tem uma importância toda especial. Falo da relação filho-mãe, filha-pai, e também da relação irmã-irmão[13]. Geralmente, este complexo não pode ser integrado por completo, sendo que quase sempre o médico é colocado no lugar do pai, do irmão e até da mãe. (Esta última situação é menos frequente.) A experiência mostra que tais projeções se estabelecem com toda a sua intensidade primitiva (interpretada como etiológica por Freud). Consequentemente, o

11. BOUSSET, 27, p. 69s., 263s., 315s. • LEISEGANG, 107, p. 235.

12. Qualifico os processos inconscientes de "hipotéticos", porque o inconsciente, por definição, não é acessível à observação direta, mas só pode ser "descoberto".

13. Deixei de levar em conta as formas homossexuais, tais como as das relações pai-filho, mãe-filha etc. Ao que eu saiba, na alquimia se faz uma única alusão a esta forma de relação; e isto na visão de Arisleus (2, I, p. 147): "Domine quamvis rex sis, male tamen imperas et regis: masculos namque masculis coniunxisti, sciens quod masculi non gignunt". (Ó Senhor, embora sejas rei, tu reinas e governas mal: pois uniste machos com machos, sabendo que os machos não podem dar à luz.)

vínculo que se forma corresponde, em todos os aspectos, à primitiva relação infantil, e a tendência é repetir com o médico todas as experiências da infância. Em outras palavras, a perturbação neurótica do seu ajustamento passa a ser *transferida* ao médico[14]. Quem primeiro reconheceu e descreveu este fenômeno foi Freud, que também o designou como "neurose de transferência"[15].

358 Este vínculo pode ser tão intenso, que até poderíamos falar de uma *ligação*. Quando duas substâncias químicas se ligam, ambas se alteram. O mesmo também se dá com a *transferência*. Freud acertou quando reconheceu o enorme valor terapêutico dessa ligação, por produzir um *mixtum compositum* entre a saúde mental do médico e o estado de equilíbrio alterado do paciente. A técnica freudiana preconiza aliás que se evite, na medida do possível, esse envolvimento, o que é perfeitamente compreensível do ponto de vista humano. Em determinados casos, porém, tal procedimento pode prejudicar consideravelmente o efeito terapêutico. É inevitável que o médico seja de certa forma influenciado, e que a sua saúde nervosa sofra alguma per-

---

14. Freud diz a este respeito (50, p. 472): "A parte decisiva do trabalho é realizada quando, na transferência, se recriam os antigos conflitos na relação com o médico, em que o paciente pode reviver seu comportamento de outrora. A doença própria do paciente é substituída pela doença da transferência que é produzida artificialmente, e os diversos objetos irreais da libido são substituídos por um único objeto, igualmente fantástico, o da pessoa do médico". A afirmação de que a transferência sempre é criada artificialmente pode ser contestada, e com razão, porquanto esse fenômeno também ocorre independentemente de qualquer tratamento, e até com bastante frequência, como um fato natural. Quase toda relação mais ou menos íntima entre seres humanos implica fenômenos de transferência, sejam eles favoráveis ou molestos.

15. "Se o paciente se prontificar pelo menos a respeitar as condições indispensáveis à realização do tratamento, somos em geral bem-sucedidos em nossa tentativa de dar na transferência um novo significado a todos os sintomas da doença, e de substituir a sua neurose comum por uma neurose de transferência..." (FREUD, 46, p. 117s.). O autor exagera aqui um pouco a importância do seu papel. Nem sempre a transferência é produzida pelo médico. Muitas vezes ela já está aí, em toda sua pujança, antes mesmo que ele abra a boca. A maneira de Freud conceber a transferência como uma "doença artificial", como uma "neurose recriada e transformada", uma "nova neurose artificial" (50, p. 462), é válida na medida em que a transferência de um paciente neurótico também é neurótica. Mas esta neurose não é "nova" nem "artificial" nem "criada"; é a mesma neurose de antes, sendo que a única novidade é que agora o médico está envolvido nela, mas mais como vítima do que como seu causador.

turbação ou dano[16]. Ele "assume", por assim dizer, o mal do paciente, compartilhando-o com ele. Assim sendo, por princípio, o médico está comprometido, e nem poderia deixar de estar[17]. A grande importância que Freud atribuía ao fenômeno da transferência ficou clara para mim, por ocasião de nosso primeiro encontro pessoal, no ano de 1907. Após várias horas de entrevista, fizemos uma pausa. Bruscamente perguntou-me: "E o que o senhor pensa da transferência?" Respondi com a mais profunda convicção, que era o alfa e o ômega do método analítico, ao que ele retrucou: "Pois então o senhor entendeu o essencial".

359 A enorme importância da transferência tem dado ensejo ao equívoco de se supor que ela é indispensável à cura, sendo portanto uma exigência. No entanto é tão impossível exigir isso, como exigir que se tenha fé. A fé só tem valor quando espontânea. Uma fé que se obtém à força não passa de crispação. Esquece quem acredita que a transferência tem que ocorrer necessariamente, que este fenômeno é apenas um dos fatores terapêuticos e que, além disso, *Übertragung* (transferência) é o termo alemão para *Projektion* (projeção), fenômeno impossível de se exigir[18]. Quanto a mim, sempre fico satisfeito quando a

---

16. Freud já conhecia o fenômeno que chamamos de "contratransferência". Quem está familiarizado com a sua técnica sabe que esta tende a deixar a pessoa do médico, na medida do possível, fora do alcance do efeito da mesma. Um dos recursos é o médico sentar-se atrás do paciente e outro dar a impressão de que a transferência é produto de sua técnica, quando, na realidade, se trata de um fenômeno inteiramente natural, que tanto pode ocorrer com ele como com o professor, o padre, o médico que dele trata somaticamente e – *last but not least* – com o próprio cônjuge. Freud (op. cit.) utiliza o termo "neuroses de transferência" também para designar coletivamente a histeria, a histeria de angústia e a neurose compulsiva.

17. Tais efeitos sobre o médico ou a enfermeira, dependendo das circunstâncias, podem ir muito longe. Sei de casos em que em situações-esquizofrênicas-limite foram assumidos breves intervalos psicóticos, acontecendo que precisamente neste momento os pacientes gozam de um bem-estar particular. Pude observar até um caso de paranoia induzida em um médico que fazia o tratamento analítico de uma paciente com mania de perseguição latente em estágio inicial. Isso nada tem de espantoso, uma vez que certos distúrbios psíquicos podem ser altamente contagiosos, quando o próprio médico possui uma predisposição latente.

18. Freud (47, p. 123) diz a propósito dessa exigência: "Não consigo imaginar técnica mais absurda. Deste modo priva-se o fenômeno do caráter convincente da espontaneidade e a si mesmo se preparam obstáculos difíceis de remover". O próprio Freud subli-

transferência transcorre de maneira suave ou praticamente imperceptível. Nestes casos, ficamos pessoalmente muito menos absorvidos e podemos contentar-nos com outros fatores terapêuticos eficazes. Entre estes últimos figura em lugar de destaque o *insight* do paciente, além de sua boa vontade e também a autoridade do médico, a sugestão[19], o bom conselho[20], a compreensão, o interesse, o modo de encorajar etc. É evidente que não se trata aqui de casos graves.

360 A análise minuciosa do fenômeno da transferência nos dá um quadro complicadíssimo, mostrando traços tão pronunciados, que é fácil cair na tentação de escolher um deles como sendo o principal e depois explicar: "É só isso aí...!" Quando digo isso, refiro-me, antes de mais nada, ao aspecto *erótico*, isto é, *sexual* da fantasia da transferência. Não se pode negar a existência deste aspecto, mas nem sempre ele é o único, o mais importante. Outro aspecto é, sem dúvida, a *vontade de poder* (descrita por Adler), o qual coexiste manifestamente com a sexualidade, sendo por vezes difícil detectar qual dos dois é o instinto predominante. Estes dois aspectos em si já constituem uma possibilidade de conflito e bloqueio.

361 Existem contudo outras formas de *concupiscentia* instintiva, estas baseadas na "voracidade", no desejo de possuir; e outras ainda que provêm da negação instintiva dos desejos, o que faz com que a vida se apresente fundada no medo ou na autodestruição. Qualquer *abaissement du niveau mental* (rebaixamento do nível mental), ou seja, qualquer debilidade de ordem hierárquica do eu é suficiente para mobilizar tais tendências e desejos instintivos, causando assim uma dissociação da personalidade, em outras palavras, uma multiplicação dos centros de gravidade da personalidade. (Na esquizofrenia

nha aqui a "espontaneidade" da transferência, contradizendo seus pontos de vista citados acima. Todavia os que "exigem" a transferência podem alegar a seguinte frase ambígua de seu mestre: "Quando nos aprofundamos na teoria da técnica analítica, chegamos à conclusão de que a transferência é algo que se tem que exigir necessariamente" (48, p. 120).

19. As sugestões acontecem *eo ipso* (espontaneamente), sem que o médico possa impedi-las e sem que tenha de fazer o menor esforço para tal.

20. Os "bons conselhos" são em geral recursos suspeitos, mas não perigosos devido à sua relativa ineficácia. São próprios da "persona medici" e correspondem ao que o público espera dela.

produz-se até uma múltipla fragmentação da personalidade.) Esses componentes dinâmicos devem ser considerados como pertencentes ou não pertencentes à personalidade, isto é, como vitais e decisivos ou meras síndromes, segundo seu grau de preponderância. Muito embora os instintos mais fortes tenham incontestavelmente de ser vividos concretamente, o que geralmente conseguem, nem que seja à força, eles não podem ser qualificados de exclusivamente biológicos, visto que a sua vivência concreta expõe a personalidade às mais fortes modificações. Nos tipos de temperamento espiritual, a própria atividade concreta do instinto assume por assim dizer um caráter simbólico. Deixa de ser uma pura satisfação da impulsividade instintiva e se liga ou se complica com "significados". Em se tratando de simples processos sindrômicos instintivos, sem a mesma exigência de concretização dos primeiros, o que prevalece é a sua satisfação simbólica. Os exemplos mais expressivos dessas complicações encontramo-los certamente na fenomenologia erótica. A Antiguidade já conhecia a escala erótica das quatro mulheres: Chawwa (Eva), Helena (de Troia), Maria, Sofia; uma sequência que se repete de maneira alusiva no *Fausto* de Goethe, ou seja, na figura de *Gretchen*, enquanto personificação de uma relação puramente instintiva (Eva); de *Helena*, enquanto figura da *anima*[21]*, de Maria*, enquanto personificação de uma relação celestial, isto é, religiosa e cristã, e do *Eterno-Feminino* (Sofia), enquanto expressão da "sapientia" alquímica. Pela denominação, deduz-se que se trata de quatro estágios do eros heterossexual, ou seja, da imagem da *anima* e, consequentemente, de quatro estágios culturais do Eros. O primeiro grau da Chawwa, Eva, Terra é apenas biológico, em que a mulher=mãe não passa daquilo que pode ser fecundado. O segundo grau ainda diz respeito a um Eros predominantemente sexual, mas em nível estético e romântico, em que a mulher já possui certos valores individuais. O terceiro grau eleva o Eros ao respeito máximo e à devoção religiosa, espiritualizando-o. Contrariamente a Chawwa, trata-se da maternidade espiritual. O quarto grau explicita algo que contraria as expectativas e ainda supera esse terceiro grau dificílimo de ser ultrapassado: é a *sapientia*. Mas

---

21. Helena (Selene) de Simão Mago é um excelente exemplo.

como a sabedoria consegue sobrepujar o que há de mais santo e puro? A resposta pode estar na verdade elementar de que não raro algo que é menos significa mais. Este grau representa a espiritualização de Helena, portanto, do próprio Eros. Daí o paralelo, no Cântico dos Cânticos, entre a *Sapientia* e a Sulamita.

362 Existem não só diferentes instintos que não podem ser reduzidos uns aos outros, sem serem violentados, como também diferentes planos em que os mesmos podem ser vividos. Nesse estado de coisas que na verdade não é simples, não se admira que a transferência – que em parte também pode ser incluída entre os processos instintivos – seja uma situação ou um processo dificílimo de interpretar e avaliar. Ora, uma vez que os instintos e seus conteúdos específicos de fantasia são parcialmente concretos e parcialmente simbólicos, ou seja, não pertencentes à personalidade, ou então são ora um, ora outro, a projeção dos mesmos não pode deixar de ter o mesmo caráter paradoxal. A transferência está longe de ser um fenômeno claro e preciso e em hipótese alguma se consegue descobrir de antemão tudo o que ela significa. O mesmo pode ser dito de seu conteúdo específico, o *incesto*. Como se sabe, o conteúdo de fantasia do instinto pode ser interpretado redutivamente – ou seja, *semioticamente* como uma autorrepresentação concreta do instinto, ou então *simbolicamente* como o sentido espiritual do instinto natural. No primeiro caso, o processo instintivo deve ser entendido como pertencente, no segundo, como não pertencente à personalidade.

363 No caso concreto, é muitas vezes quase impossível dizer o que é espírito e o que é instinto. Ambos constituem uma mescla insondável, um verdadeiro magma na profundeza primordial do caos primitivo. Quando deparamos com tais conteúdos, compreendemos imediatamente por que o equilíbrio psíquico se encontra perturbado no neurótico e o sistema psíquico, despedaçado no esquizofrênico. Desses conteúdos emana um fascínio que não só se apossa do paciente, se dele já não se apossou, mas também pode exercer indutivamente uma influência sobre o inconsciente do médico, que no início não passa de um espectador indiferente. Tais conteúdos inconscientes e caóticos são uma carga pesada para o doente; na realidade eles existem em toda parte, mas é só nele que despertam e se tornam ativos, isolando-o numa solidão interior incompreendida, incompreensível e sem-

pre mal interpretada. Lamentavelmente é fácil demais livrar-se de um tal estado, sem sintonizar-se com ele, ficando totalmente de fora, com um pronunciamento qualquer a respeito ou fazendo-o enveredar por falsos caminhos. O próprio paciente já deve ter feito o mesmo inúmeras vezes e dado ensejos mil a interpretações errôneas. Inicialmente lhe parece que a chave do problema são os pais. No entanto, depois de romper esse vínculo e a respectiva projeção, a carga toda recai sobre o médico, a quem é então dirigida a pergunta: "Que fazes *tu* com a transferência?"

364 Pelo fato de debruçar-se com interesse, compreensão e solicitude sobre o sofrimento psíquico do paciente, o médico fica exposto aos conteúdos do inconsciente que o oprimem e consequentemente à ação indutiva dos mesmos. Começa a "preocupar-se" com o caso. De novo é fácil isso ocorrer devido a uma simpatia ou antipatia pessoais, passando despercebido que se explica *ignotum per ignotius* (o ignorado pelo que o é mais ainda). O que ocorre na realidade é que tais sentimentos pessoais – no caso de se manifestarem intensamente – são regidos por aqueles conteúdos inconscientes ativados. Estabeleceu-se uma ligação inconsciente e esta passa a assumir, na fantasia do paciente, todas aquelas formas e dimensões já fartamente documentadas na literatura especializada. O fato de o paciente transmitir ao médico um conteúdo ativado do inconsciente também constela neste último o material inconsciente correspondente, através da ação indutiva regularmente exercida em maior ou menor grau pelas projeções. Médico e paciente encontram-se assim numa relação fundada na inconsciência mútua.

365 Obviamente não é fácil para o médico tomar consciência de uma eventualidade desse tipo. Resistimos naturalmente contra o fato de admitir que possamos ser afetados, no mais íntimo de nós mesmos, por um paciente "qualquer". Quanto mais inconsciente o caso, porém, maior a tentação do médico de assumir uma postura *apotrópica*, isto é, de recusá-lo. Para tanto a *persona medici*, por detrás da qual nos ocultamos, pode ser – ou parece ser – um instrumento ideal. A rotina, o "já saber de antemão" são inseparáveis da *persona*, requisitos apreciadíssimos pelo clínico experiente, como aliás por toda autoridade infalível. Esta falta de percepção, porém, não nos é propícia, visto que com a contaminação inconsciente nos é oferecida uma

possibilidade terapêutica de inestimável valor, por realizar a transferência da doença para quem está tratando dela. Conta-se evidentemente com o pressuposto de que o médico tenha melhores condições de tomar consciência dos conteúdos constelados, pois, de outra forma, ambos os lados ficariam aprisionados na mesma inconsciência. A maior dificuldade nesse processo é que não raro são ativados conteúdos no médico, que normalmente poderiam permanecer latentes. Pode ser que ele seja tão normal, que poderia prescindir de tais posições inconscientes como compensação à sua situação consciente. Pelo menos é o que muitas vezes parece. Mas se isso se confirma num sentido mais elevado é de se questionar. Provavelmente não abraçou a profissão de psiquiatra, nem se interessou pelo tratamento de neuroses psíquicas sem motivo. Não poderia dedicar-se a isso, sem algum conhecimento introspectivo de seus próprios processos inconscientes. Essa atração pelo inconsciente também não deve ser atribuída exclusivamente a um interesse e opção livres, mas a uma predisposição inata determinada pelo destino, que lhe infundiu a propensão para a profissão de médico. Quanto maior o número de destinos humanos que conhecemos e tivemos a oportunidade de examinar em suas motivações secretas, tanto mais impressionante a evidência da intensidade com que atuam os motivos inconscientes e da limitação de nossa escolha livre e intencional. O médico sabe, ou pelo menos deveria sabê-lo, que não se lançou nesta carreira por acaso e o psicoterapeuta, de modo especial, deve compreender que as infecções psíquicas, ainda que lhe pareçam supérfluas, no fundo são fenômenos fatalmente associados ao seu trabalho, correspondendo, por conseguinte, à disposição instintiva de sua vida. A compreensão deste fato redunda concomitantemente na atitude correta em relação ao paciente. Assim sendo, o paciente passa a dizer-lhe respeito pessoalmente, e isso constitui a base mais propícia ao tratamento.

366 A transferência já era designada como *rapport* na fase antiga pré-analítica da psicoterapia e mesmo antes, pelos médicos românticos. Constitui a base para a atuação terapêutica em seguida à dissolução das antigas projeções do paciente. Durante esse trabalho também se constata que os próprios critérios do médico podem ser anuviados por projeções, todavia num grau mais atenuado, pois de outro modo a terapia seria impossível. Espera-se, e com razão, que o médico este-

ja no mínimo a par dos efeitos do inconsciente sobre a sua pessoa e também que todo aquele que se dispõe a dedicar-se à psicoterapia se submeta previamente a uma *análise didática*; mas mesmo assim, nem a melhor preparação conseguirá instruí-lo acerca da totalidade do inconsciente. "Esvaziar" por completo o inconsciente é impossível, pela simples razão de as suas forças criativas serem capazes de criar novas formas incessantemente. A consciência, por mais abrangente que seja, é e continua sendo o círculo menor contido dentro do círculo maior do inconsciente, a ilha rodeada pelo oceano; e assim como o mar, o inconsciente também gera uma multiplicidade infinita de seres vivos em constante renovação e cuja riqueza é impossível abarcar por inteiro. Por mais instruídos que estejamos quanto à importância, aos efeitos e às características dos conteúdos inconscientes, jamais lhes penetraremos a profundidade e as possibilidades totalmente, pois são suscetíveis de variar ao infinito e sua potência a rigor não pode ser diminuída. A única maneira possível de tratá-los na prática consiste em assumir uma atitude consciente que permita a cooperação do inconsciente em vez de sua oposição.

367 Mesmo o psicoterapeuta mais experiente terá que descobrir incessantemente que um laço e uma ligação que lhe dizem respeito se criaram a partir de um inconsciente comum. E mesmo que julgue possuir todas as noções e conhecimentos necessários acerca dos arquétipos constelados, por fim ele será obrigado a reconhecer que existem muitas coisas que sua cultura escolar nem sonhava que pudessem existir. Todo caso novo, que exige uma terapia profunda, implica trabalho pioneiro e o menor traço de rotina acaba revelando-se como um caminho errado. Vê-se por aí que as formas superiores de psicoterapia são uma atividade extremamente exigente que às vezes levantam problemas, verdadeiros desafios não só à inteligência e à compaixão, mas ao homem como um todo. O médico vê-se tentado a exigir esse compromisso total do paciente. No entanto ele tem que estar bem consciente de que uma tal exigência só será eficaz na medida em que ele souber que o mesmo é exigido dele.

368 Já mencionei acima que em geral os conteúdos que chegam à transferência eram antes projetados nos pais ou em outros membros da família. Pelo fato de o aspecto erótico ou a substância propriamente sexual (além dos outros fatores de que tratamos acima) estar raramente ausente nesses conteúdos, o mesmo é provido de um cará-

ter nitidamente incestuoso, o que levou Freud a formular sua teoria do incesto. A transferência exógama para o médico não altera coisa alguma. Pela projeção o mesmo passa a ser incluído nessa estranha atmosfera incestuosa familiar. Daí resulta necessariamente uma intimidade irreal que atinge da forma mais constrangedora tanto o médico como o paciente e suscita resistências e dúvidas de ambos os lados. Não tem o menor sentido recusar veementemente essas constatações originariamente feitas por Freud, porque se trata de uma realidade empiricamente constatável e tão universalmente confirmada, que só os ignorantes ainda conseguem contestá-la. No entanto, a interpretação desse fato continua sendo um assunto extremamente controvertido, devido à própria natureza do objeto. Trata-se de um instinto incestuoso genuíno ou de uma variante patológica? Ou será o incesto um daqueles subterfúgios (*arrangements*) da vontade de poder (Adler)? Ou trata-se ainda de uma regressão da libido normal[22] a estágios infantis por medo de uma tarefa de vida que lhe parece impossível?[23] Ou será a fantasia incestuosa realmente apenas simbólica, tratando-se, neste caso, de uma reativação do arquétipo incestuoso que desempenha um papel tão importante na história do espírito?

369 Cada uma dessas interpretações fundamentalmente divergentes entre si pode ser sustentada por argumentos relativamente satisfatórios. Escandaliza mais sem dúvida a que considera o incesto como um instinto autêntico. No entanto, se levarmos em conta a existência por assim dizer universal do tabu do incesto, fica justificada a observação de que, de um modo geral, o que não se deseja nem se quer também não precisa ser proibido. A meu ver, cada uma dessas interpretações é até certo ponto justificável, posto que os casos concretos apresentam em maior ou menor grau todos aqueles matizes de significado. Ora é um, ora outro dos aspectos que predomina. Mas também não quero

---

22. Como se sabe, não concebo a libido no sentido original de Freud como "appetitus sexualis", mas sim no de um "appetitus" que pode ser definido como *energia psíquica*. Cf. minha exposição sobre o assunto em *Über psychische Energetik und das Wesen der Traume*, 78. Edição ampl. 1948, p. 51 [*A energia psíquica*. OC, 8/1].

23. Propus este modo de encarar o fato como explicação de certos processos. Cf. *Versuch einer Darstellung der psychoanalytischen Theorie*, 85 [OC, 4].

afirmar que a enumeração que apresentei acima não possa ser completada por outros pontos de vista.

370 Na prática, a maneira como se encara o aspecto incestuoso é da maior importância. A explicação há de variar de caso para caso, de acordo com o estágio do tratamento e a capacidade de compreensão e a maturidade de julgamento do paciente.

371 A ocorrência do aspecto incestuoso não representa apenas uma dificuldade intelectual, mas, muito mais, uma situação terapêutica que se complica no plano afetivo. Neste aspecto incestuoso escondem-se os sentimentos mais secretos, mais constrangedores, mais intensos e cheios de ternura, mais pudicos e vergonhosos, angustiantes e despropositados, os sentimentos mais imorais e ao mesmo tempo mais sagrados, que constituem a multiplicidade indescritível e inexplicável das formas de relacionamento humano e as revestem de compulsividade. Como os tentáculos do octópode eles se enroscam invisivelmente nos pais e nos filhos e, numa situação de transferência, também no médico e no paciente. Esta força compulsiva se traduz pelo caráter irreversível e obstinado do sintoma neurótico e pela maneira desesperada de se agarrar ao mundo infantil ou ao médico. "Possessão" é sem dúvida alguma o termo que mais adequadamente define esse estado.

372 O forte efeito dos conteúdos inconscientes permite tirar conclusões quanto à energia dos mesmos. Todos os conteúdos inconscientes, quando ativados (isto é, quando se tornam manifestos) possuem, digamos assim, uma energia específica, graças à qual eles podem manifestar-se universalmente (o tema do incesto por exemplo). Mas esta energia, em circunstâncias normais, não é suficiente para fazer com que o conteúdo inconsciente irrompa no consciente. Isso requer uma certa condição por parte do consciente. É necessário que este apresente um déficit sob a forma de uma perda de energia. A energia perdida vai aumentar no inconsciente o valor psíquico de certos conteúdos compensatórios. O *abaissement du niveau mental*, a perda de energia do consciente, é um fenômeno que se manifesta da maneira mais drástica nas "perdas de alma" dos primitivos. Estes possuem, aliás, interessantes métodos psicoterapêuticos para apossar-se de novo da alma perdida. Não cabe aprofundar-nos aqui sobre este fe-

nômeno; por isso, contentemo-nos com esta alusão[24]. O homem civilizado apresenta manifestações análogas. Também lhe acontece perder repentinamente toda disposição e iniciativa, sem saber por quê. A descoberta da causa verdadeira nem sempre é fácil e desemboca regularmente em discussões bastante delicadas sobre os fundamentos psíquicos. A atividade vital pode ficar paralisada por omissões de todo tipo, por deveres negligenciados, por tarefas eternamente proteladas, por obstinações deliberadas, de tal forma que uma determinada quantidade de energia, que não tem mais utilização no consciente, reflui para o inconsciente onde vai ativar certos conteúdos (compensatórios) e isso com tal intensidade, que começa a exercer uma ação coercitiva sobre o consciente. (Daí a frequente coincidência de uma neurose compulsiva com uma atitude de extrema negligência no cumprimento dos deveres.)

373 Esta é uma das maneiras possíveis de se produzir uma perda de energia. A outra consiste numa perda não ocasionada por um mau funcionamento do consciente, mas por uma ativação *espontânea* dos conteúdos inconscientes que afeta o consciente secundariamente. Na vida humana existem os momentos de virar a página. Aparecem tendências e interesses até então não cultivados; ou se anuncia uma mudança da personalidade (chamada mudança de caráter). Durante o período de incubação de tais mudanças é frequente verificar-se uma perda de energia do consciente: a nova evolução retirou do consciente a energia de que necessitava. É no período que precede as psicoses que essa baixa de energia aparece mais nitidamente, ou, então, na calma e no vazio que antecedem as novas criações[25].

374 A considerável força dos conteúdos inconscientes é sempre sinal de uma fraqueza correlativa do consciente e de suas funções. É como se o consciente ameaçasse desfalecer. Semelhante perigo representa para o primitivo uma fatalidade "mágica" das mais temidas. É perfeitamente compreensível, portanto, que essa angústia secreta também

---

24. Remeto o leitor aos estudos de Frazer, 44, p. 54s.

25. Pode-se observar o fenômeno em escala menor, mas nem por isso menos clara, na forma da angústia e da depressão que precedem determinados esforços psíquicos, tais como um exame, uma conferência, uma entrevista importante etc.

existe no homem civilizado. Nos casos graves, é o medo secreto da doença mental; nos menos graves, o medo do inconsciente, que no homem normal se trai por sua resistência aos pontos de vista psicológicos. Esta resistência pode ser expressa das formas mais grotescas, sobretudo quando se trata de negar toda tentativa de explicação psicológica de uma obra de arte, ou em questões de filosofia e religião, como se elas não dissessem respeito à alma humana, ou pelo menos não tivessem que lhe dizer respeito. O médico conhece bem essas zonas defendidas, que sempre aparecem nas consultas: lembram as posições insulares a partir das quais o neurótico se defende contra o polvo (octópode). ("Happy neurosis island" como um paciente meu definia seu estado de consciência!) Mas o médico sabe perfeitamente que o doente precisa de uma ilha e que, sem ela, estaria perdido. É o refúgio de sua consciência, o último baluarte contra os tentáculos do inconsciente que ameaçam agarrá-lo. O mesmo acontece com as áreas tabu das pessoas normais, áreas que não podem ser tocadas pela psicologia. No entanto, assim como jamais se ganhou guerra alguma com táticas meramente defensivas, para sair do estado de guerra será preciso entabular conversações com o inimigo, a fim de saber quais as suas condições. É esta a intenção do médico ao oferecer sua mediação. Seu propósito não é perturbar o idílio insular um tanto duvidoso, nem derrubar as trincheiras protetoras. Muito pelo contrário, ele depende da existência de um ponto estável em que se apoiar, que lhe evite o trabalho de ir pescá-lo primeiro no meio do caos, o que sempre é tremendamente difícil. Ele sabe que a ilha é estreita demais e a vida nela um tanto pobre e ainda por cima atormentada por todo tipo de desgraças imaginárias, porque uma parcela grande demais de vida ficou do lado de fora. Com isso apareceu um monstro assustador que não foi criado, mas simplesmente despertou de seu sono. O médico também sabe que o animal aparentemente perigoso está para com a ilha numa relação secreta compensatória e que é capaz de lhe fornecer tudo o que falta nela.

375 Mas a transferência modifica a figura psíquica do médico e isso lhe passa despercebido inicialmente: ele é afetado e, tal como o paciente, dificilmente consegue diferenciar-se daquilo que o possui. Surge então de ambos os lados uma confrontação direta com as trevas

que ocultam o elemento demoníaco. Esse encruzamento paradoxal entre o positivo e o negativo, a confiança e o medo, a esperança e a desconfiança, a atração e a resistência caracteriza a relação no seu início. É o νεῖκος καὶ φιλία (ódio e amor), dois elementos que os alquimistas compararam ao caos originário do universo. O inconsciente ativado apresenta-se como uma barafunda de opostos desencadeados e exige que se tente reconciliá-los. No dizer dos alquimistas, isso dará origem ao grande remédio universal, a *medicina catholica*.

376 Atente-se para o fato de que na alquimia não raro a *nigredo*, ou seja, o obscuro estado inicial, já é produto de uma operação anterior, não constituindo, portanto, pura e simplesmente o ponto de partida[26]. O paralelo psíquico da *nigredo* é assim o resultado de uma conversa preliminar e introdutória que em dado momento – muitas vezes este momento sobrevém depois de uma longa espera – toca o inconsciente, estabelecendo a identidade inconsciente[27] entre o médico e o paciente. Este momento *pode* ser percebido e registrado conscientemente, mas ele ocorre com frequência fora da consciência e a ligação que se cria só é reconhecida mais tarde e de modo indireto pelos seus efeitos. Pode acontecer que em tais momentos apareçam sonhos, avisando que a transferência se produziu. Por exemplo, um sonho pode falar do incêndio que irrompeu no porão, outro, do ladrão que entrou sorrateiramente, do pai que morreu ou então de uma situação erótica ou ambígua qualquer[28]. No momento em que ocorre um sonho desse tipo pode começar eventualmente uma estranha contagem de tempo in-

---

26. Quando a nigredo é identificada com a "putrefactio", ela não figura no início, como por exemplo na série de gravuras do *Rosarium Philosophorum* (2, XIII, p. 254). Em Mylius (121, p. 116) a nigredo aparece somente no V. estágio da obra, ou seja, ao mesmo tempo que a "putrefactio, quae in umbra purgatorii celebratur" (putrefação celebrada na sombra do purgatório), e mais adiante (p. 118) encontra-se a frase que contradiz a anterior: "Et haec denigratio est operis initium, putrefactionis indicium". (E esta nigredo *é* o início da obra, o indício da putrefação) etc.

27. Identidade inconsciente é o mesmo que a "participation mystique" descrita por LÉVY-BRUHL, 108.

28. Há uma figura ilustrando este momento, na forma de um relâmpago e de um "nascimento da pedra" em *Zur Empirie des Individuationsprozesses*, 77, fig. 2.

consciente, possível de se estender por meses e até mais. Gostaria de dar um exemplo prático deste fato, que já observei frequentemente:

377 No decorrer do tratamento de uma senhora de mais de 60 anos anotei em data de 21 de outubro de 1938 a seguinte passagem de sonho: "*Um bebê lindo, uma menininha de 6 meses, brinca na cozinha junto aos avós e a mim, sua mãe. Os avós estavam de pé, à esquerda*; *e a criança em cima de uma mesa quadrada, no meio da cozinha. Eu estou de pé diante da mesa e brinco com o bebê. A senhora de idade diz que custa acreditar que conheçamos a criança há apenas seis meses. Respondo que isso não é tão estranho assim, pois muito tempo antes de seu nascimento já a conhecíamos e amávamos*".

378 É evidente que se trata de uma criança fora do comum, de um filho de herói ou de uma criança divina. Não se menciona o pai, e esta circunstância faz parte da imagem[29]. A cozinha como lugar da ação designa o inconsciente. A mesa quadrada é a quaternidade, como base clássica dessa criança excepcional[30]. Na realidade ela é símbolo do Si-Mesmo e este tem sua expressão simbólica na quaternidade. O Si-Mesmo é em si atemporal e preexiste a qualquer nascimento[31]. A sonhadora que sofreu forte influência da Índia e conhece bem os Upanixades ignora por outro lado o simbolismo cristão medieval que prevalece aqui. A idade precisa da criança me faz pedir à sonhadora

---

29. Trata-se do tema conhecido no gnosticismo do "pai desconhecido". Cf. BOUSSET, 27, cap. II, p. 58-91.

30. Compare-se com a visão da fonte tripla de Niklaus von der Flüe, que jorra em um recipiente definido como quadrado (LAVAUD, 104, p. 67. • STOECKLI, 152, p. 19). Num tratado gnóstico lê-se: "In the second Father (hood) the five trees are standing and in their midst is a trapeza (τράπεζα). Standing on the trapeza is an Only-begotten word (λόγος μονογενής)" (Cf. BAYNES, 22, p. 70). A palavra trapeza é uma abreviação de τετράπεζα = uma mesa ou estrado de quatro pés (op. cit., p. 71). Comparar com IRENEU, 70, III, 11, onde as "quatro versões do Evangelho" são comparadas aos 4 querubins da visão de Ezequiel, às 4 regiões do mundo e aos 4 ventos; "ex quibus manifestum est, quoniam qui est omnium artiíex Verbum, qui sedet super Cherubim et continet omnia, dedit nobis quadriforme Evangelium, quod uno spiritu continetur (pelo que se torna manifesto que aquele que é o autor de todas as coisas, o Verbo que está sentado acima dos querubins e a tudo contém, deu-nos o Evangelho quadriforme, que é contido num único espírito). Quanto à cozinha, cf. LAVAUD, 104, p. 66; e STOECKLI, 152, p. 18.

31. Não se trata de uma afirmação metafísica, mas de uma constatação psicológica.

que pesquise em seus apontamentos o que sucedeu seis meses atrás, no plano inconsciente. Em data de 20 de abril de 1938 ela anotara o seguinte sonho:

379 *"Contemplo juntamente com outras mulheres um quadrado tecido com figuras simbólicas. Logo em seguida, algumas mulheres e eu nos encontramos sentadas diante de uma árvore maravilhosa, crescida de forma magnífica. À primeira vista me parece um tipo de conífera; depois penso no próprio sonho que se trata de uma 'árvore do macaco' (Affenbaum = Araucária). Seus galhos sobem para o céu como se fossem velas (confusão com o cactus candelabro). Nesta árvore está inserida uma árvore de Natal, de tal forma que a princípio não se veem duas árvores, mas uma só"*. Assim que acordou, escreveu o sonho. A imagem da árvore ainda estava bem viva dentro dela. Nisso teve a visão de uma minúscula *criancinha dourada*, deitada ao pé da árvore (tema do parto da árvore!). Deu, portanto, continuidade ao sentido do sonho. Ele deve representar o nascimento da criança divina ("dourada").

380 Mas o que aconteceu nove meses antes do dia 20 de abril de 1938? No período entre os dias 19 e 22 de julho de 1937 ela tinha pintado um quadro, mostrando à esquerda um monte de pedras coloridas (preciosas), lapidadas. Acima delas uma cobra prateada, de asas e coroa. No centro do quadro, a figura de uma mulher nua, de cuja região genital sobe a mesma cobra para a região do coração, onde gera uma estrela de ouro de cinco pontas, que cintila nas mais variadas cores. À direita, desce um pássaro colorido trazendo um ramo no bico. Nesse ramo há cinco flores, dispostas em *quaternio*, uma amarela, as outras azul, vermelha e verde respectivamente. A de cima, porém, é dourada: uma inconfundível estrutura de mandala[32]. A cobra representa o Kundalini subindo sibilante. Na ioga, isso corresponde ao momento do início do processo que vai terminar com a deificação no si-mesmo divino (da sizígia Shiva-Shakti)[33]. Manifestamente é este o momento da concepção simbólica, caracterizado no quadro não só em sua forma tântrica, mas também cristã, através do

---

32. Acerca desse pássaro levando o ramo florido, cf. adiante as gravuras do *Rosarium*.

33. AVALON, 19, p. 345s.

pássaro, na medida em que se trata de uma contaminação da alegoria da concepção com a pomba de Noé e o ramo de oliveira.

381 Este caso e sobretudo o quadro que acabamos de mencionar são um exemplo típico do gênero de simbolismo que marca o início de uma transferência. A pomba de Noé e seu significado clássico de reconciliação, a *incarnatio Dei*, ou a união de Deus com a matéria que dá origem ao mediador, o caminho da cobra ou *sushumna*, representando a linha mediana entre a linha solar e a da lua, tudo isso não passa de um grau preparatório e antecipação de um programa ainda por realizar e que culminará na meta da *unificação dos opostos*. Ora, a união dos opostos é uma analogia das bodas *reais* dos alquimistas. Os fenômenos precursores têm o sentido de um confronto ou colisão entre os diversos opostos, e as denominações de *caos* e *negrume* são bem apropriadas. Isso pode ocorrer logo no início do tratamento, como dissemos acima, ou então após um longo período de confronto, ou seja, de um estágio de *rapprochement* (de aproximação). Esta última alternativa dá-se sobretudo nos casos em que o paciente apresenta violentas resistências acompanhadas de angústia em relação aos conteúdos ativados do inconsciente[34]. Tais resistências têm sua razão de ser e justificam-se profundamente, por isso não podem, em hipótese alguma, ser atropeladas mediante a persuasão ou qualquer outro método extorsivo. Nem devem ser minimizadas, desvalorizadas ou ridicularizadas, mas sim levadas a sério, como mecanismos de defesa de importância vital contra a prepotência dos conteúdos com os quais

34. Como é sabido, Freud considera o problema da transferência do ponto de vista de uma psicologia personalista, ignorando os conteúdos coletivos de natureza arquetípica característicos e essenciais da transferência. Isso se explica por sua postura, sobejamente conhecida, que é negativa em relação à realidade psíquica dos produtos arquetípicos, por ele rejeitados como "ilusão". Tal visão de mundo preconceituosa impede-o de aplicar rigorosamente o princípio fenomenológico, sem o que é simplesmente impossível levar a cabo uma investigação objetiva da psique. Contrariamente a Freud, o meu modo de encarar o problema da transferência inclui o seu aspecto arquetípico, o que confere uma imagem totalmente diversa ao fenômeno. A abordagem racional do problema por Freud é sem dúvida perfeitamente lógica dentro do pressuposto de uma orientação puramente personalista, mas é insuficiente tanto do ponto de vista prático como do teórico, uma vez que essa orientação não leva em conta as implicações evidentes dos dados arquetípicos.

está sendo difícil lidar. Via de regra, podemos considerar que *a debilidade do ponto de vista consciente é proporcional à força da resistência.* Nos casos em que existem fortes resistências é preciso observar antes de mais nada e com o maior cuidado o *rapport* consciente com o paciente. E, se for o caso, reforçar de tal maneira sua atitude consciente que, futuramente, diante da evolução do caso, não nos acusemos de grave imprudência. Isso tem que ser feito, porque nunca se deve antecipar a certeza de que o consciente frágil do paciente seja capaz de suportar os assaltos do inconsciente. Pois bem, temos que prosseguir com o reforço da posição consciente ("repressora" segundo Freud), até o paciente ter condições de deixar emergir espontaneamente a "coisa reprimida". Caso se trate de uma psicose latente[35], não diagnosticável *a priori*, poderemos com este procedimento cauteloso evitar a irrupção devastadora do inconsciente ou preveni-la a tempo. Em todo caso, a consciência do médico está tranquila, pois fez tudo o que estava em seu poder para evitar um desfecho fatal[36]. Não é supérfluo acrescentar que o reforço consequente da atitude consciente possui por si só grande valor terapêutico e basta muitas vezes para se obterem resultados satisfatórios. Acreditar que a análise do inconsciente seja *a* panaceia, devendo ser utilizada em qualquer circunstância, é um preconceito perigoso. A análise do inconsciente é algo como uma intervenção cirúrgica, devendo-se recorrer ao bisturi unicamente nos casos em que todos os outros meios falharam. Quando o inconsciente não importuna, é melhor deixá-lo em paz. É preciso que fique claro para o leitor que não estou retratando a rotina diária do psicoterapeuta com as minhas explicações sobre a transferência e seus problemas. Descrevo apenas os processos que ocorrem em caso de ruptura (não inevitável) da resistência normal que o consciente exerce em relação ao inconsciente.

---

35. Estatisticamente, a proporção dos casos de psicose latente em relação aos de psicose manifesta deve ser aproximadamente igual à dos casos de tuberculose latente em relação aos de tuberculose manifesta.

36. A intensa resistência a uma solução racional da transferência mencionada por Freud não raro é devida ao fato de a forma da transferência acentuadamente sexual encobrir conteúdos do inconsciente coletivo que se opõem a qualquer tentativa de solução racional. Ou então – quando esta solução é bem-sucedida – se produz uma cisão do inconsciente coletivo, cisão esta que a longo prazo *é* sentida como uma perda.

382 Os casos em que o problema arquetípico da transferência se tornam agudos nem sempre são os chamados "casos difíceis", isto é, casos de doença grave. Não que estes estejam sempre excluídos, mas muitas vezes se trata de neuroses "leves" ou simplesmente de pessoas com dificuldades psíquicas, cujo diagnóstico seria embaraçoso fazer. Por curioso que pareça, são justamente estas pessoas que colocam ao médico os problemas mais difíceis de resolver. Sofrem terrivelmente, mas nem por isso desenvolvem uma sintomatologia neurótica que permita designá-las como doentes. Podemos definir este estado apenas como o de um sofrimento intenso, como uma *passio* (paixão) da alma e não como um *morbus animi* (doença da alma).

383 Verifica-se que o conteúdo inconsciente constelado se opõe à relação de confiança estabelecida entre o médico e o paciente em nível consciente, pelo fato de criar, por meio de suas projeções, uma atmosfera ilusória que sempre gera mal-entendidos e interpretações errôneas, ou, ao contrário, simula uma harmonia simplesmente estupenda. Este último caso preocupa mais que o primeiro. O primeiro caso pode, na pior (ou até na melhor) das hipóteses comprometer totalmente o tratamento, o segundo requer um esforço imenso para se descobrirem pontos de discórdia. Em ambos os casos, a constelação do inconsciente se revela como fator preocupante. A situação torna-se confusa, o que, aliás, é característico do conteúdo inconsciente: este é escuro e preto – *nigrum*, *nigrius nigro* (preto mais preto que o preto)[37] – como dizem com razão os alquimistas e, além disso, carregado de perigosas tensões entre polos opostos, ou seja, da *inimicitia elementorum* (inimizade dos elementos). Encontramo-nos num caos sem transparência, sendo que este caos é um dos sinônimos da enigmática *prima materia*. A constituição desta última e a do inconsciente é a mesma em todos os aspectos, só que neste último caso não se manifesta na substância química, como na alquimia, mas no próprio ser humano. Aliás, no alquimista, também surgiu do ser humano, conforme demonstrei no livro *Psicologia e alquimia*[38]. Essa "prima materia", ou *lapis philosophorum*, há séculos procurada e nunca encontrada, está no próprio homem, como intuíam acertadamente alguns

37. Cf. LULLIUS, 3, II, p. 790s. • MAJER, 113, p. 379s.

38. OC, 12, § 342s.

alquimistas. Apenas, ao que tudo indica, este conteúdo nunca vai ser descoberto e integrado diretamente, mas só através da projeção. Em geral, o inconsciente manifesta-se primeiro na projeção. Nos casos em que ele parece irromper diretamente, como nas visões, nos sonhos, iluminações, ou nas psicoses etc., sempre é possível provar que foram precedidos por condições psíquicas onde a projeção aparece nitidamente. Podemos ilustrá-lo com o clássico exemplo de Saulo e sua perseguição fanática aos cristãos, precedendo a aparição de Cristo.

384 O conteúdo evasivo, falaz, deslumbrante que possui o paciente qual um demônio, surge entre o médico e o paciente como se fosse um terceiro parceiro no pacto que continua seu jogo, ora travesso, um verdadeiro saci-pererê, ora deveras infernal. Os alquimistas, muito a propósito, personificaram-no como *Hermes* ou *Mercúrio*, o deus da revelação, sábio, impostor e manhoso e se lamentam porque os fez de tolos, ao mesmo tempo que lhe dão os nomes mais augustos, que o avizinham da própria divindade[39]. Ao fazê-lo, vejam bem, eles se têm na conta de bons cristãos, de cuja sinceridade nem se pode duvidar, e seus tratados iniciam e concluem com piedosas invocações[40]. No entanto, seria faltar imperdoavelmente à verdade, se me limitasse apenas à caracterização negativa desse personagem, como gênio arteiro, com seu inesgotável poder de inventar, propor insinuações e intrigas, sua ambiguidade e não raro com sua indisfarçável malvadez. Ele também é capaz de atuar exatamente no sentido oposto. Isso me faz com-

---

39. Cf. neste contexto meu ensaio *Der Geist Mercurius*, 79.

40. A segunda parte da *Aurora Consurgens*, 2, III, p. 246 tem as seguintes palavras por desfecho: "Habet haec medicina gloriosa, quam omni investiganti fideli et pio praestare dignetur Deus omnipotens, unigenitusque filius Dei dominus noster Jesus Christus, qui cum Patre et Spiritu sancto vivit et regnat unus Deus per infinita seculorum, Amen". (Que tudo isso, que a nossa gloriosa medicina contém, seja concedido a todo aquele que investiga fiel e piedosamente, por Deus Todo-poderoso e pelo filho unigênito de Deus nosso Senhor Jesus Cristo, que com o Pai e o Espírito Santo vive e reina no Deus uno pela infinidade dos séculos. Amém.) Esta conclusão foi provavelmente tirada do Ofertório (oração à commixtio [mistura das substâncias]). Aí está escrito: "... qui humanitatis nostrae fieri dignatus est particeps, Jesus Christus, Filius Tuus, Dominus noster: qui tecum vivit et regnat in unitate Spiritus Sancti Deus per omnia saecula saeculorum. Amen". (... que se dignou participar de nossa humanidade, Jesus Cristo, teu Filho, Nosso Senhor: que contigo vive e reina na unidade do Espírito Santo, Deus por todos os séculos dos séculos. Amém.)

preender por que os alquimistas dotavam o seu Mercúrio das mais elevadas qualidades espirituais, em clamoroso contraste com o lado obscuro de sua natureza. Os conteúdos do inconsciente são na verdade sumamente significativos, porque, afinal de contas, ele é matriz da mente humana e de todas as suas invenções. Por mais belo e repleto de sentido que seja este outro lado totalmente diverso, ele não deixa de contribuir, em certos casos perigosamente, para nos induzir em erro, e isso justamente devido ao seu caráter numinoso. Pensamos involuntariamente nos diabos que Atanásio menciona em sua biografia de Santo Antão, de discurso piedoso e que cantam salmos, leem livros sagrados e – pior ainda – até dizem a verdade. Mas nesse trabalho difícil aprendemos a acolher o que é verdadeiro, belo e bom onde quer que se encontre. E nem sempre está onde o procuramos: pode estar no meio da maior sujeira ou guardado por dragões. *In stercore invenitur* (e encontrado no esterco), diz um ditado dos mestres alquimistas. E nem por isso a coisa encontrada é menos valiosa. Mas a sujeira não é transfigurada, nem o mal diminuído, assim como estes também não reduzem o dom de Deus. No entanto, o contraste é doloroso e o paradoxo desconcertante. Versos tais como estes:

ουρανο ανω	“Céu em cima
ουρανο χατω	Céu embaixo
αστρα ανω	Estrelas em cima
αστρα χατω	Estrelas embaixo
παν ο ανω	Tudo o que está em cima
τοντο χατω	Também está embaixo
ταντα λαβε	Aceita-o
χε εντυχε	E alegra-te”[41]

são de um otimismo demasiado superficial e não levam em conta o sofrimento moral gerado pelo conflito dos opostos e pela importância dos valores éticos.

---

41. KIRCHER, 97, II, Class. X, cap. V, p. 414. Existe uma relação entre este texto e a *Tabula Smaragdina*. Compare-se com RUSKA, 147, p. 217.

385 A elaboração da matéria-prima do conteúdo inconsciente exige do médico uma paciência infinita, perseverança[42], equanimidade, saber e competência; e, do paciente, o uso de todas as suas forças e de toda a sua capacidade de sofrer, o que também não poupa o médico. O significado profundo das virtudes cristãs, sobretudo das mais nobres, torna-se claro inclusive a quem não tem fé, pois pode acontecer que venha a necessitar todas elas para salvar seu ser consciente e sua existência humana desse pedaço de caos. Dominá-lo integralmente, sem violentar-se, representa uma tarefa incomum. Quando a obra é bem-sucedida, parece um milagre. Compreendemos, então, o que levava o alquimista a intercalar em suas receitas um *Deo concedente* (um "se Deus quiser") vindo do fundo do coração, ou a deixar que o seu processo chegasse à maturação e se completasse apenas por um milagre de Deus.

386 Pode parecer estranho ao leitor que um "tratamento médico" dê ensejo a considerações desse tipo. No caso de doença física, nunca podemos afirmar com absoluta certeza que este ou aquele método ou medicamento a curarão infalivelmente, mas mesmo assim existe uma série deles que provavelmente vão surtir os efeitos desejados, sem despertar no médico ou no paciente a necessidade de implorar a intercessão de Deus com um *Deo concedente*. Mas acontece que aqui não estamos tratando do corpo, e sim da *alma*. Isso nos obriga a nos expressarmos numa linguagem diversa da das células orgânicas e das bactérias, numa linguagem adaptada à natureza da alma; e nos obriga também a assumir uma atitude que avalie o perigo e se mostre capaz de enfrentá-lo. E tudo isso tem que ser autêntico, senão, seria ineficaz: se for vazio, prejudica a ambos. O *Deo concedente* não é uma figura de estilo, mas exprime aquele estado de espírito do homem que não tem a presunção de saber tudo, e tem consciência de que o material inconsciente com que está lidando é *algo vivo*, um paradoxal

---

42. O *Rosarium Philosophorum*, 2, XIII, p. 230, reza: "Et scias, quod haec est longissima via, ergo patientia et mora sunt necessariae in nostro magisterio". (E sabei que este caminho é longuíssimo, portanto é necessário ter paciência e perseverança em nosso magistério.) Cf. *Aurora Consurgens*, *34*, I, cap. 10: "Tria sunt necessaria videlicet patientia, mora et aptitudo instrumentorum". (Três coisas são necessárias, a saber, paciência, perseverança e habilidade no manuseio dos instrumentos.) (Kalid minor).

Mercúrio, a respeito do qual um mestre diz: "Et est ille quem natura paululum operata est et in metallicam formam formavit, tamen imperfectum reliquit"[43] (E é aquele que foi pouco elaborado pela natureza que lhe deu forma metálica, mas o deixou inacabado) algo como um ser da natureza, forçando para ser integrado na totalidade do homem. Parece um pedaço da alma primordial, que ainda não sofreu a intervenção da consciência cuja função é dividir e ordenar; parece uma "natureza dupla unificada" (Goethe) de insondável ambiguidade.

387 É realmente impensável – a não ser que se tenha perdido o senso crítico por completo – que a humanidade atual tenha chegado ao mais alto grau de consciência possível de ser atingido. Logo, deve haver um "resto" de psique inconsciente suscetível de evolução e cujo desenvolvimento acarrete uma ampliação da consciência, bem como sua maior diferenciação. Ninguém sabe quais as proporções desse "resto", pois nos faltam parâmetros para medirmos não só as possibilidades de expansão da consciência, como também, e mais ainda, o alcance do inconsciente. Em todo caso, não resta a menor dúvida quanto à existência de uma *massa confusa* de conteúdos arcaicos e indiferenciados, os quais não se manifestam unicamente nas psicoses e neuroses, mas constituem também o *skeleton in the cupboard* (o esqueleto no armário) de inúmeras pessoas que não sofrem de uma patologia propriamente dita. Já estamos de tal forma habituados a que todo mundo tenha suas dificuldades e problemas, que os aceitamos como uma coisa banal, sem nos preocuparmos em saber no fundo o que significam essas dificuldades. Por que nunca estamos satisfeitos? Por que não agimos com bom-senso? Por que não fazemos só o bem e temos que deixar sempre um canto para o mal? Por que falamos ora demais, ora de menos? Por que fazemos bobagens que poderiam ser evitadas se parássemos um pouco para pensar? E, mais ainda, por que há sempre interferências que nos bloqueiam em nossas melhores intenções? E por que existem pessoas que nada disso percebem ou nem são capazes de admitir que é assim mesmo? Por que será, enfim, que esse rebanho humano reunido cria a loucura histórica dos últimos trinta anos? Por que será que um Pitágoras não conseguiu há 2.400

43. (Ros. Phil., 2, XIII, p. 231). O que aparecia ao alquimista sob "forma metálica", apresenta-se ao psicoterapeuta no ser humano.

anos estabelecer uma vez por todas o reino da sabedoria e o cristianismo, o reino de Deus na terra?

388 A Igreja ensina a existência do demônio, princípio do mal, representado com pés de bode, chifres e rabo, como a imagem de um ser meio homem meio animal, de um deus ctônico parecendo fugitivo de uma sociedade de mistérios dionisíacos, ou de um adepto ainda vivo do paganismo pecaminoso e alegre. Essa imagem é ótima. Caracteriza exatamente o aspecto grotesco e sinistro do inconsciente ainda inacessível que por isso mesmo permanece em seu estado primitivo indômito e selvagem. Hoje em dia certamente ninguém mais ousaria afirmar que o homem europeu é um cordeiro, não possuído por diabo algum. Os terríveis documentos do nosso tempo estão aí, à vista de todo mundo. Sua monstruosidade ultrapassa tudo o que nos tempos antigos se esperava conseguir, sem contudo dispor dos meios necessários para tal.

389 Se o inconsciente fosse apenas nefasto, apenas mau – como muitos gostariam que fosse –, a situação seria simples e o caminho bem definido; praticar-se-ia o bem e se evitaria o mal. Mas o que é *bem* e o que é *mal*? O inconsciente não é só natureza e mal, é fonte também dos bens supremos[44]. Não é só escuro, tambem é claro; não é só animal, semi-humano e demoníaco, também é sobre-humano, de natureza espiritual e "divina" (no sentido antigo da palavra). Mercúrio, que personifica o inconsciente[45], é essencialmente *duplex*, de natureza dupla e paradoxal, diabo, monstro, animal e ao mesmo tempo remédio salutar, "filho dos filósofos", *Sapientia Dei* e *donum Spiritus Sancti* (Sabedoria de Deus e dom do Espírito Santo)[46].

390 Este estado de coisas destrói toda esperança de solução fácil. Todas as definições de bem e mal tornam-se discutíveis, podendo ser in-

---

44. Quero frisar expressamente que meu campo não é a metafísica nem discuto problemas de fé, mas sim a psicologia. As experiências religiosas ou a verdade metafísica em si, sejam elas quais forem, tomadas empiricamente, são fenômenos psíquicos antes de mais nada, isto é, manifestam-se como tais e devem, portanto, ser submetidas à crítica, à avaliação e à investigação psicológicas. A ciência tem seus próprios limites.

45. Compare-se com *Geist Mercurius*, 79.

46. Os alquimistas também o comparam a Lúcifer (ao "portador da luz"), ao mais belo anjo de Deus decaído. Cf. MYLIUS, 121, p. 18.

validadas. Enquanto forças morais, o bem e o mal permanecem inabaláveis; enquanto simples realidades, como as concebem o código penal, o Decálogo ou a moral cristã tradicional, ninguém as contesta. No entanto, as colisões de deveres são coisas muito mais sutis e perigosas e uma consciência aguçada que sabe mais dos homens e das coisas já não se baseia mais tranquilamente em parágrafos, conceitos e belas palavras. Inquieta-a o confronto com aquele resto de alma primitiva, prenhe de futuro e necessitado de evolução, e a busca de uma linha diretriz ou um ponto em que fixar-se. Esses *desiderata* podem transformar-se em grande aflição, quando o confronto com o inconsciente atinge este ponto. Uma vez que as únicas forças de salvação visíveis em nosso mundo são aqueles grandes sistemas psicoterapêuticos que chamamos de religiões (dos quais se espera a "salvação da alma"), é natural que muitos se filiem a uma das confissões existentes, numa tentativa justificada, aliás, e não raro bem-sucedida, depois de adquirirem uma nova compreensão do sentido profundo das verdades tradicionais de salvação.

391 Esta solução é normal e satisfatória, na medida em que as verdades dogmáticas fundamentais formuladas pela Igreja cristã exprimem de modo quase perfeito a natureza da experiência interior. O conhecimento dos mistérios da alma que essas verdades contêm é dos mais profundos e é representado por grandes imagens simbólicas. O inconsciente tem, portanto, uma afinidade natural com o conteúdo espiritual da Igreja, sobretudo no que diz respeito à sua forma dogmática, que deve seu aspecto atual às seculares disputas dogmáticas – que tão absurdas parecem ao mundo de épocas posteriores – sendo fruto do esforço apaixonado de muitos grandes homens.

392 Logo, a Igreja ofereceria uma possibilidade ideal àquele que busca dar forma ao caos do inconsciente, se toda obra humana, mesmo a mais refinada, não ficasse incompleta. Acontece que a volta a uma confissão religiosa não é a regra. O que se observa com muito maior frequência é uma compreensão melhor da religião em geral e uma relação mais interior com ela, o que nada tem a ver com a adesão a uma confissão religiosa[47]. Acredito que isso é devido essencialmente ao

47. Compare com *Psicologia e religião* [OC, 11/1].

fato de que, se alguém chega a reconhecer a legitimidade de ambos os pontos de vista, ou seja, dos pontos de vista de ambos os ramos em que se divide o cristianismo, não lhe é possível declarar a validade exclusiva de um deles em detrimento do outro, a não ser que se traia a si mesmo. Como cristão, é necessário que reconheça que pertence a uma cristandade dividida há 400 anos e que a sua fé cristã não o redime, mas, muito pelo contrário, o lança no mesmo conflito e na mesma divisão de que padece o *corpus Christi*. Estes são os fatos. Eles não podem ser mudados pela simples pressão das Igrejas, para que se opte por uma delas, como se estivesse firmemente estabelecido que cada uma detivesse a verdade absoluta. Uma tal tomada de posição já não está de acordo com o homem moderno: ele é capaz de ver no que o protestantismo é superior ao catolicismo e vice-versa. Percebe a dolorosa evidência da pressão das Igrejas sobre ele, para que se comprometa com uma unilateralidade contrária a um saber superior. Isto é, percebe que querem forçá-lo a cometer um pecado contra o Espírito Santo. E até compreende por que as Igrejas são obrigadas a agirem dessa maneira. Sabe que tem que ser assim, para que nenhum dos cristãos festivos imagine que já esteja redimido, tranquilizado e liberto de toda angústia e possa repousar desde já no seio de Abraão. A paixão de Cristo continua, pois, a vida do Cristo no corpo místico, ou seja, a vida cristã, de um lado como do outro, está dividida dentro de si mesma. Quem quiser ser honesto não pode negar esta divisão. Encontramo-nos, portanto, exatamente na mesma situação do neurótico obrigado a reconhecer que está num doloroso conflito consigo mesmo. Suas reiteradas tentativas de simplesmente reprimir o outro lado apenas conseguiram agravar sua neurose. O médico deve aconselhá-lo, portanto, a primeiro aceitar o conflito, juntamente com o sofrimento que o mesmo acarreta inevitavelmente. De outra forma, o conflito jamais poderá ser solucionado. Os europeus esclarecidos (pelo menos os que se interessam pelo problema) são consciente ou meio inconscientemente católico-protestantes ou protestante-católicos. E não são os piores! Não me venham com a conversa de que isso não existe. Conheço-os a ambos; e eles vieram fortalecer a minha esperança no europeu do futuro.

393 No entanto, para o público em geral, o não decidir-se a favor de uma religião depende bem menos de convicções religiosas do que de

uma participação no fenômeno generalizado da indolência espiritual ou da ignorância em matéria de religião. Podemos indignar-nos com a notória falta de espiritualidade dos homens. Mas quando se é médico não se pensa sistematicamente na má vontade da doença ou do paciente, nem que seja questão de qualquer inferioridade moral. Tende-se muito mais a suspeitar que a causa do resultado negativo é o remédio empregado. Embora duvidemos, e com toda razão, de que o homem tenha feito progressos morais consideráveis, ou mesmo apenas perceptíveis, nesses cinco mil anos de cultura que o nosso olhar consegue abranger, não se pode negar que a sua consciência e respectivas funções se tenham desenvolvido. Isso é possível de ser demonstrado. A expansão que a consciência tomou, sobretudo sob a forma do *saber*, nos parece formidável. Mas as suas diversas funções também se diferenciaram, além de se terem colocado à disposição do eu em grau bem maior. Em outras palavras, a *vontade* humana também se desenvolveu. Observamo-lo principalmente quando se compara, em suas particularidades, o nosso estado mental com o dos primitivos. Nossa autoconfiança aumentou consideravelmente em relação ao passado. Até avançamos tão perigosamente, que embora ainda usemos expressões como "se Deus quiser", não sabemos mais o que estamos dizendo, pois na mesma frase somos capazes de acrescentar que "querer é poder". Quem se lembra hoje em dia ainda de pedir a ajuda de Deus? Contamos, isso sim, com a boa vontade do homem, seu senso de responsabilidade, sua consciência do dever, seu bom-senso ou inteligência.

394 Tais transformações da mentalidade humana existem, independentemente do valor que lhes atribuamos. Pois bem, quando a atitude consciente de um indivíduo se modifica sensivelmente, os conteúdos inconscientes constelados pela situação assim criada também se transformam. E quanto mais a situação consciente se afasta de um certo ponto de equilíbrio, tanto mais fortes e eventualmente mais perigosos se tornam os conteúdos inconscientes em busca de equiparação. Por fim, isso resulta numa dissociação: por um lado a consciência individual luta convulsivamente por desvencilhar-se de um adversário invisível (isso quando não chega a pensar que o vizinho é o demônio em pessoa), por outro, vai sucumbindo cada vez mais à vonta-

de tirânica de um contragoverno interior que apresenta todas as características da subumanidade e da sobre-humanidade demoníacas.

395 Quando alguns milhões de pessoas humanas chegam a este estado, o que se produz é uma situação coletiva. Conhecemo-la através do espetáculo quotidiano a que assistimos diariamente nesses últimos dez anos, e que nos serve de lição. Esses acontecimentos do mundo contemporâneo revelam, por sua singularidade, o seu pano de fundo psicológico. A demência destrutiva e devastadora é a reação a esse afastamento da consciência em relação a sua posição de equilíbrio. Existe de fato um equilíbrio entre o eu e o não eu psíquico, uma *religio*, ou seja, um *levar em conta escrupulosamente*[48] a presença das forças inconscientes, que não podemos negligenciar sem correr perigo. Essa virada, resultante da alteração do estado de consciência, vem sendo preparada há séculos.

396 Será que as religiões fizeram um esforço para se adaptarem a essa evolução secular? A sua verdade pode, sem dúvida alguma, ser proclamada *eterna* com toda legitimidade, mas a roupa temporal que as reveste tem que pagar o tributo do que é transitório: deveriam levar em conta a transformação psíquica. A verdade eterna precisa da linguagem humana que se modifica de acordo com o espírito do tempo. As imagens primordiais são susceptíveis de transformações infinitas, mas nem por isso deixam de ser sempre as mesmas. No entanto só serão compreendidas de novo se renovarem a forma de se apresentarem. Elas requerem constantemente novas interpretações, se não quisermos que, devido a uma conceituação obsoleta, elas percam seu poder de atração, a favor da permanente fugacidade do *fugax ille Mercurius*[49], deixando escapar um inimigo utilíssimo, embora perigoso. O que significa "vinho novo em odres velhos"? Onde buscar as respostas às misérias e desgraças de um tempo novo? Onde está o conhecimento da problemática da alma, levantada pelo desenvolvimento da consciência moderna? Jamais em tempo algum se viu uma tal *hybris* do querer e do poder desafiando assim a verdade "eterna".

48. Aqui uso a etimologia clássica de "religio" e não a dos Padres da Igreja.

49. Cf. M. MAJER, 113, p. 386.

397 São estas, além dos motivos de ordem pessoal, as razões profundas que levaram a maior parte da Europa a sucumbir ao neopaganismo, isto é, ao anticristianismo e a instaurar um ideal religioso de poderes terrenos, em oposição ao ideal do amor com bases metafísicas. No entanto, a recusa de aderir a uma religião não significa forçosamente uma atitude anticristã. Às vezes traduz exatamente o contrário, isto é, que o homem está redescobrindo o reino de Deus dentro de seu coração, onde, segundo as palavras de Santo Agostinho, se realiza o *mysterium paschale* "in interioribus ac superioribus suis" (em sua parte interior e superior)[50]. Na realidade, aquela antiga ideia do homem como microcosmo, há muito tempo obsoleta, é uma verdade psicológica ainda a ser descoberta. Antigamente era projetada no corpo, da mesma forma que a alquimia projetava a psique inconsciente na substância química. Mas a coisa é outra, se por microcosmo entendermos o mundo e a natureza interiores, que de forma vacilante se nos desvendam no inconsciente. Esse pressentimento também está contido nas palavras de Orígenes: "Intellige te alium mundum esse in parvo et esse intra te Solem, esse Lunam, esse etiam stellas"[51]. (Entende que és um outro mundo em miniatura; e que o sol, a lua e até as estrelas estão dentro de ti). E da mesma forma que o mundo não é uma multiplicidade de elementos incoerentes, mas repousa inteiramente na unidade do seio de Deus, o homem não deve dissolver-se na multiplicidade contraditória das possibilidades e tendências que o inconsciente lhe aponta, mas sim tornar-se a *unidade que abrange toda essa diversidade*. Orígenes diz com muito acerto: "Vides, quomodo ille qui putatur unus esse, non est unus, sed tot in eo personae videntur esse, quot mores"[52]. (Vês como aquele que parece ser um, não é um, mas tantas pessoas diferentes aparecem nele quantas as suas fantasias.) A possessão pelo inconsciente é justamente esse estar fragmentado em muitos seres e numa multiplicidade; é uma *disiunctio*. Por esta razão, a meta do cristão é, para Orígenes, tornar-se

---

50. *Epistula*, LV, 18, V, 8.

51. *Hom, in Leviticum*, 127, 5, 2.

52. Op. cit.

um homem interiormente unificado[53]. Insistir unilateralmente na comunidade religiosa exterior evidentemente não conduz a essa meta. Pelo contrário, apenas ofereceria *nolens volens* um continente externo à desagregação interior, justamente a comunidade da *Ecclesia*, sem assim transformar realmente a *disiunctio* interior numa *coniunctio*.

398 Esse doloroso conflito que se inicia na *nigredo* ou *tenebrositas*, é descrito pelo alquimista na *separatio* (separação) ou *divisio elementorum* (divisão dos elementos), na *solutio* (dissolução), *calcinatio* (calcinação), *incineratio* (incineração), no despedaçamento de um corpo humano, nos cruéis sacrifícios de animais, decepamento das mãos da mãe ou das patas do leão, na desintegração do noivo em átomos dentro do corpo da noiva etc.[54]. Nesse estado de extrema *disiunctio* opera-se a *transformação* daquele ser, daquela substância ou daquele espírito, que sempre se revela como sendo o misterioso Mercúrio. Em outras palavras, pouco a pouco, da casca de monstruosas formas animais vai surgindo uma *res simplex* (coisa simples) que na realidade é uma e a mesma coisa, apesar de ainda consistir numa dualidade (natureza dupla unificada). Através de inúmeros processos e de formas diferentes, o alquimista tenta superar esse paradoxo ou antinomia, a fim de transformar os dois em um[55]. No entanto, a multiplicidade de seus símbolos e de seus procedimentos simbólicos é uma prova de que o bom êxito continua duvidoso. De fato, são raros os símbolos da meta em que não se percebe imediatamente essa dupla natureza. Tanto o seu *filius philosophorum* como sua *lapis*, sua *rebis* e seu *homunculus* são hermafroditas. O ouro do alquimista é *non vulgi* (não é vulgar), sua lapis é espírito e corpo, e também sua tintura, que é um *sanguis spiritualis* (sangue espiritual)[56]. É compreensível, portanto, que as *nuptiae chymicae* (bodas químicas), o casamento real, ocupe para ele um lugar central, por ser um símbolo da unificação suprema e última, uma vez que esta representa aquela magia analógica que levará a obra a sua perfeição derradeira, unindo pelo amor tudo aquilo que lhe opõe resistência, pois "o amor é mais forte do que a morte".

---

53. *Hom, in librum regnorum*, 128, 1, 4.

54. "Perseguido de um aposento nupcial ao outro" (*Fausto*, I).

55. O mesmo processo na psique individual. Cf. *Psicologia e alquimia*. OC, 12.

56. Cf. *Turba Philosophorum*, org. RUSKA, 148, p. 129, Sermo XIX. O conceito vem do livro *al-Habib* (op. cit., p. 43).

399 Na alquimia, a fenomenologia psíquica – a mesma que o médico pode observar no decorrer do confronto com o inconsciente – não é apresentada apenas em suas linhas gerais, mas muitas vezes também é descrita com assombrosos pormenores. A aparente unidade da pessoa que insiste em dizer: "*Eu* quero, *eu* penso" etc., cinde-se e se desagrega sob o impacto do choque com o inconsciente. Enquanto o paciente podia pensar que outra pessoa (seu pai ou sua mãe, por exemplo) era responsável por suas dificuldades, ele conseguia manter incólume a seus olhos a aparência de sua unidade (*putatur unus esse*! acredita que é um!). Mas assim que percebe que ele próprio possui uma sombra e que traz o inimigo "no próprio peito", o conflito começa, e o que era um torna-se dois. Aos poucos descobre que o "outro" também é uma dualidade e até uma multiplicidade de pares de opostos, e assim o seu eu logo se transforma num mero joguete de muitos *mores* (caprichos), e isso acarreta o "obscurecimento da luz". Em outras palavras, o que ocorre é uma perda de potência do consciente e uma desorientação quanto ao sentido e aos limites de sua personalidade. Essa passagem pode ser tão medonha, que o paciente tenha que agarrar-se ao médico (não que ele deva fazê-lo!), como se este fosse a última realidade. Tal situação é difícil e incômoda tanto para um como para o outro. Não raro o médico então, tal como o alquimista, já não sabe se é ele que está fundindo a arcana substância metálica no cadinho, ou se não é ele próprio que arde no fogo qual salamandra. A indução psíquica é inevitável e faz com que ambos sejam atingidos e transformados pela transformação do terceiro, sendo que o saber do médico é então a única fraca luz a iluminar como uma lamparina bruxuleante a profunda escuridão do que está sucedendo. Nada descreve melhor a situação anímica do alquimista do que a divisão do seu local de trabalho: de um lado o "laboratório", onde manipula retortas e cadinhos, e, de outro, o "oratório", onde implora a Deus a necessária iluminação – "horridas nostrae mentis purga tenebras"[57] (purificai as terríveis trevas de nossas mentes), como cita o autor da *Aurora*.

---

57. "Spiritus alme, / Illustrator hominum / Horridas nostrae / Mentis purga tenebras" (Espírito sublime, / Que iluminas os homens, / Dissipa as trevas / Horrendas da nossa mente). *Hymnus in die Pentecostes*, 125, do monge Notker Balbulus († 1912), de St. Gallen.

400 "Ars requirit totum hominem" (A arte requer o homem inteiro) lê-se num tratado alquímico[58]. O mesmo se aplica plenamente ao trabalho psicoterapêutico. O compromisso real, que ultrapassa toda rotina profissional, é não só exigido em tais casos, como também imperioso, se não se preferir pôr tudo a perder para se esquivar do próprio problema que vai surgindo com força e clareza cada vez maiores. O limite do subjetivamente possível tem que ser atingido de qualquer maneira, pois de outra forma o paciente também não pode perceber os seus próprios limites. Limites arbitrários, porém, de nada valem; os únicos que produzem efeito são os limites reais. Trata-se a bem dizer de um processo de purificação, em que *omnes superfluitates igne consumuntur* (tudo o que é supérfluo é consumido no fogo), e as realidades fundamentais se manifestam. Existe por acaso coisa mais fundamental do que reconhecer: *eu sou isto*? Surge aqui uma unidade que no entanto é, ou era uma multiplicidade. Não se trata mais do eu antigo, com sua ficção e seu aparato artificial, mas de um outro eu, de um eu *objetivo*, que por esta razão é melhor designar por *Si-Mesmo* (*Selbst*). Não se trata mais de escolher entre as ficções a que mais convém, mas de uma série de duras realidades, que juntas formam a cruz que, afinal, cada um de nós tem de carregar, ou formam o destino que nós somos. Esses prenúncios de uma organização futura da personalidade aparecem no sonho ou na "imaginação ativa" – conforme expus em publicações anteriores – sob a forma da *simbologia do mandala*, que os alquimistas também não desconheciam. O aparecimento dos primeiros sinais deste símbolo da unidade não significa de modo algum que essa unidade já tenha sido atingida. Como a alquimia que conhece um grande número de processos e suas múltiplas variações, desde a sétupla destilação até a que é feita mil vezes, desde o *opus unius diei* (obra feita em um só dia), até a viagem sem rumo de dezenas de anos de duração, assim também as tensões resultantes dos pares de opostos psíquicos só vão equilibrar-se paulatinamente. E tal como o produto final da alquimia continua acusando uma cisão essencial, assim também a personalidade unificada jamais perderá por completo a dolorosa sensação da "dupla natureza". A libertação plena dos sofrimentos deste mundo deverá certamente ficar por conta

58. HOGHELANDE, 5, I, p. 139.

da ilusão. Afinal, a vida humana de Cristo, que para nós é simbólica e modelar, não terminou na plenitude da felicidade, mas na cruz. (É interessante constatar que o materialismo racionalista e um certo cristianismo "festivo" se encontram fraternalmente no ideal hedonista.) A meta só importa enquanto ideia; o essencial, porém, é o *opus* (a obra) que conduz à meta: ele dá sentido à vida enquanto esta dura. Correntes "da esquerda e da direita"[59] confluem, e consciente e inconsciente cooperam para que essa meta seja atingida.

401 A *coniunctio oppositorum* (união dos opostos), na figura do sol e da lua, ou na dos pares régios de irmão-irmã ou de mãe-filho, ocupa um lugar de tal importância na alquimia, que às vezes o processo inteiro é representado sob a forma do hierosgamos e dos fenômenos místicos daí decorrentes. A representação mais completa, e ao mesmo tempo a mais simples do gênero, é sem dúvida alguma a série de gravuras do *Rosarium Philosophorum*, datado de 1550, que apresentarei a seguir. O interesse psicológico dessas gravuras justifica um esclarecimento mais pormenorizado das mesmas. Tudo o que o médico observa e experiencia com o paciente no momento do confronto com o inconsciente coincide de fato de maneira espantosa com o significado contido nessas imagens. Isso não deve ter acontecido por um mero acaso, porquanto os antigos alquimistas, que muitas vezes também eram médicos, deviam ter tido oportunidade de sobra de fazer tais experiências. Bastava que eles se preocupassem, como Paracelso, com o bem-estar psíquico do doente, ou indagassem a respeito de seus sonhos (a fim de estabelecer o diagnóstico, o prognóstico e a terapia). Desse modo puderam coletar experiências de ordem psicológica, e isso não só junto ao paciente, mas muito provavelmente também junto a si mesmos, ou seja, através da descoberta de seus próprios conteúdos inconscientes ativados pela indução[60]. Da mesma forma que hoje o inconsciente se exprime por imagens em séries, como as que os pacientes desenham muitas vezes espontaneamente, é bem provável que as imagens originais, como por exemplo as do *Codex*

59. "Porquanto a harmonia da sabedoria inclui forças da direita e da esquerda", Acta S. Joannis, 7, § 98, p. 200: ... χαὶ ἁρμονία σοφίας σοφία δὲ οὐασ ἐν ἁρμονιᾳ ὑπάρχουσιν δεξιοὶ χαὶ ἀριστεροὶ δυνάμεις, ἐξουσίαι, ἀρχαὶ χαὶ δαίμονες, ἐνέργειαι...

60. Hieronymus Cardanus, 29, é um excelente exemplo no que concerne à observação dos próprios sonhos.

Alchem. Rhenovacensis, 34, e outras, tenham surgido de forma análoga. Em outras palavras, essas imagens seriam a sedimentação das impressões interiores colhidas no decorrer do trabalho, mas interpretadas e modificadas, evidentemente, por meio de elementos tradicionais[61]. Podemos observar, aliás, que além das reproduções espontâneas de representações arcaicas ou mitológicas, muitos dos motivos das séries modernas dessas imagens são tirados dos temas tradicionais. Devido a essa relação estreita entre a imagem e seu significado psicológico, não julgo inoportuno estudar uma série de gravuras medievais à luz dos conhecimentos atuais ou mesmo utilizá-las como fio condutor para a apresentação desses mesmos conhecimentos. De fato, essas configurações bizarras da Idade Média continham em germe a antecipação de muitas coisas que só nos séculos subsequentes puderam ser reconhecidas de forma mais nítida.

---

61. Cf. meu ensaio *Bruder Klaus*, 76, bem como LAVAUD, 104, cap. III, "La grande vision", no que diz respeito ao trabalho de reinterpretação.

A série de gravuras do Rosarium Philosophorum como fundamento para a apresentação dos fenômenos da transferência

"Invenit gratiam in deserto populus..."
(O povo recebeu a graça no deserto...)
JEREMIAS 31,2.

1. *A fonte de mercúrio*[1]

402 Esta gravura conduz diretamente ao centro do simbolismo alquímico e tenta representar o fundamento misterioso do *opus* (obra). É uma *quaternidade quadrada*, determinada pelas quatro estrelas dispostas nos quatro cantos. Estas quatro estrelas são os quatro elementos. Há uma quinta estrela, no meio da borda superior, que significa a quinta natureza, o uno dos quatro, a quinta *essentia*. A cisterna embaixo é o *vas hermeticum* (vaso hermético), o lugar onde se opera a transformação. Seu conteúdo é o chamado *mare nostrum* (nosso mar), a *aqua permanens* (água eterna), a ὕδωρ θεῖον (água divina). É um *mare tenebrosum* (mar tenebroso), o caos. O vaso também é designado por útero[2], no qual está sendo gestado o *foetus spagyricus* (feto espagírico) (o homunculus)[3]. Em oposição ao quadrado, a cisterna deve ser concebida de forma circular, por ser a matriz da forma perfeita, na qual o quadrado, imperfeito ainda, deve transformar-se. No quadrado, os elementos são de fato inimigos entre si, afastam-se uns dos outros, razão por que devem ser unificados no círculo. A este propósito corresponde a inscrição que se lê na borda da fonte (depois de elucidadas as abreviações): "Unus est Mercurius mineralis, Mercurius vegetabilis, Mercurius animalis" (O Mercúrio mineral, o Mercúrio vegetal e o Mercúrio animal é um só) (*vegetabilis* poderia ser

1. As gravuras foram tiradas da primeira edição do *Rosarium Philosophorum*, de Frankfurt, 1550, 142. Como falta a paginação usual nesta edição, remetemos o leitor às gravuras correspondentes do Rosarium Philosophorum in *Artis Auriferae* (1593), 2, XIII. Todas as citações também são dessa edição, exceto o poema no § 528 (N. dos orgs.).

2. O *Consilium Coniugii* diz (1, II, p. 147): "Et locus generationis, licet sit artificialis, tamen imitatur naturalem, quia est concavus, conclusus etc." (E o local da geração, embora seja artificial, imita o natural, por ser côncavo, fechado etc.). À p. 204 lê-se: "Per matricem, intendit fundum cucurbitae". (Por matrix ele entende o fundo da cabaça.)

3. Cf. *Turba philos.*, org. RUSKA, 148, p. 163.

traduzido por vivente e *animalis* por animado [provido de alma] ou mesmo por anímico, no sentido de psíquico)[4]. Na borda externa da fonte encontram-se seis estrelas, representando, juntamente com o *Mercurius*, os sete planetas ou metais. Todos eles estão por assim dizer contidos no *Mercurius*, uma vez que ele é o *pater metallorum* (pai dos metais). Enquanto personificação, ele é a unidade dos sete planetas, um *anthropos* cujo corpo é o mundo, tal como Gayomart, de cujo corpo fluem os sete metais para o interior da terra. Por força de sua natureza feminina, ele também é a mãe dos sete, e não apenas dos seis, por ser igualmente pai e mãe de si mesmo[5].

403 Do "mar" sobe a fonte de Mercurius *triplex nomine* (de nome tríplice), o que se refere justamente às três maneiras sob as quais aparece o Mercúrio[6]. Ele jorra através de três canos e é designado por "lac virginis" (leite de virgem), *acetum fontis* (vinagre de fonte) e

---

4. Compare com Hortulanus (RUSKA: *Tabula Smaragdina*, 147, p. 186): "Unde infinitae sunt partes mundi, quas omnes philosophus in três partes dividit scil. in partem Mineralem Vegetabilem et Animalem... Et ideo dicit habens tres partes philosophiae totius mundi, quae partes continentur in único lapide scil. Mercúrio Philosophorum" (Eis por que infinitas são as partes do mundo, que o filósofo divide em três reinos, a saber, o mineral, o vegetal e o animal... E por isso ele [Hermes] diz possuir as três partes da filosofia de todo este mundo, partes estas que estão contidas na pedra única, ou seja, no Mercúrio dos filósofos). Cap. 13: "Et ideo vocatur lapis iste perfectus, quia in se habet naturam mineralium et vegetabilium et animalium. Est enim lapis triunus et unus, quatuor habens naturas" (Eis por que essa pedra é chamada perfeita, por conter a natureza mineral e vegetal e animal em si. Na verdade a pedra é triuna e una, pois possui as quatro naturezas).

5. Cf. a esse respeito a doutrina do increatum, *Psicologia e alquimia* [OC, 12, § 430s.]

6. Segundo uma citação de Rosinus no *Ros. Phil.* (2, XIII, p. 249): "Triplex in nomine, unus in esse". (Tríplice no nome e uno no ser.) Compare-se com a fonte tripla de Deus na visão do Bruder Klaus (LAVAUD, 104, p. 66). A passagem de Rosinus (que no entanto é uma citação de Rhases) diz: "Lapis noster cum mundi creato(re) nomen habet, qui est trinus et unus", *2, IV*, p. 300. (A nossa pedra e o criador do mundo têm um nome em comum, o qual é trino e uno.) SENIOR (160, p. 45) diz: "Aes nostrum est sicut homo, habens spiritum, animam et corpus. Propterea dicunt sapientes: Tria et Tria sunt unum. Deinde dixerunt: in uno sunt tria". (O nosso mineral é como o homem, pois tem espírito, alma e corpo. Eis por que os sábios dizem: Três e Três são Um. E ainda diziam: No uno estão os três.) Cf. tb. Zósimo in: BERTHELOT, 26, III, vi, 18. A fonte mercurial lembra a πεγή μεγάλη dos perates (que moram nos confins do mundo) (HIPPOLYTUS, 65, V, 12, 2), que é uma das três partes em que se divide o mundo. Às três partes correspondem três deuses (λόγοι), três espíritos (νοῖ), três seres humanos. Frente a esta tríade aparece um Cristo, dotado de todas as qualidades da tríade, ele próprio de natureza triádica, vindo de cima, da ἀγεννησία (não nascimento), anterior à divisão. (Tenho preferência aqui pela versão de Bernays πρὸ τῆς, por corresponder melhor ao sentido. Cf. 65, p. 105).

ROSARIVM

Wyr sindt der metall anfang vnd erste natur/
Die kunst macht durch vns die höchste tinctur.
Keyn brunn noch wasser ist meyn gleych/
Ich mach gesund arm vnd reych.
Vnd bin doch jzund gyftig vnd dötlich.

Succus

Figura 1

aqua vitae (água da vida), que são três dos inúmeros smônimos de Mercurius. A unidade de Mercurius que acabamos de ressaltar revela-se como tríade. É uma trindade, triunus ou trinus, conforme se destaca frequentemente, analogia ctônica, inferior e até infernal da Trindade celeste, do mesmo modo que Dante atribui tricefalidade ao demônio[7]. É esta a razão pela qual se representa muitas vezes o Mercurius por uma serpente tricéfala. Um pouco acima dos três canos estão o sol e a lua, acólitos e pais inevitáveis da transformação mística, e, bem acima deles, a estrela da quintessência, como símbolo da unidade dos quatro elementos hostis entre si. Depois vem a *serpens bifidus* (serpente bífida), a serpente cindida (ou bicéfala), o *binarius* (o número dois) fatídico, que designa o diabo em Dorneus[8]. Esta serpente é a *serpens mercurialis*[9], a *natura duplex* (natureza dupla) de Mercurius. Suas cabeças cospem fogo e deste saem as *duo fumi* (as duas colunas de fumaça) de Maria (a copta ou a judia)[10]. São dois vapores que se precipitam e de novo reiniciam o processo[11], e assim, em sucessivas sublimações ou destilações, vão purificando os "mali odores" (maus odores), o *foetor sepulcrorum* (fedor sepulcral)[12] e o negrume da origem que lhe é inerente.

404 Essa estrutura mostra a tetrameria (estrutura quadripartida) do processo de transformação, que os gregos já conheciam. Este processo inicia com os quatro elementos separados (estado do caos), sobe em direção aos três modos de manifestação do *Mercurius* nos mundos inorgânico, orgânico e anímico (estado da ascensão), atinge em seguida a forma de sol e *luna* – por um lado a dos metais preciosos

---

7. Em Al-Iraqi, a lapis chama-se diretamente "al-shaitan", satanás (HOLMYARD, 67, p. 417s.).

8. Também "triplex nomine", como mostra a inscrição "animalis, vegetabilis, mineralis".

9. *Psicologia e alquimia*. OC, 12.

10. "Ipsa sunt duo fumi complectentes duo lumina" (Estas são as duas colunas de fumaça que encobrem os dois astros), 2, V, p. 321.

11. O mesmo tema em forma de folhas caindo da árvore cujas raízes estão no fogo, no frontispício do Poliphilo. Cf. fig. 4 em *Psicologia e alquimia*. OC, 12.

12. Cf. *Aurora Consurgens*, 34, I, cap. 4: "Odores et vapores mali mentem laborantis inficientes" (Maus odores e vapores que intoxicam a mente do adepto). E ainda MORIENUS, 2, XII, p. 34: "Hie enim est odor, qui assimilatur odori sepulcrorum..." (Na realidade este é o odor que se assemelha ao odor dos sepulcros...).

ouro e prata, por outro, a da natureza luminosa dos deuses capazes de superar pelo amor (φιλία), o ódio (νεῖχος) dos elementos – e, finalmente, a natureza una e indivisível (incorruptível, etérea, eterna) da anima (alma), da *quinta essentia*, da *aqua permanens* (água eterna), da *tinctura* ou da *lapis philosophorum* (pedra filosofal). Essa passagem progressiva do quatro para o três, para o dois e o um, constitui o que se chama o *Axioma de Maria* e é encontrada sob diversas formas em toda a alquimia, a modo de um *leitmotiv*. Descartando as numerosas explicações "químicas" do processo, chegaremos ao seu fundamento simbólico: o estágio inicial da totalidade é caracterizado por quatro direções opostas entre si (inimigas umas das outras); quatro é de fato o número mínimo que determina o círculo de maneira natural e evidente. A redução desse número tende para a unidade final. No decorrer do processo cria-se primeiro o três, número masculino; dele surge o dois, número feminino[13]. O *masculino* e o *feminino* constelam infalivelmente a ideia da união sexual como meio de gerar o Um, que também é designado por *filius regius* (filho do rei) ou por *filius philosophorum* (filho dos filósofos).

405 No fundo, a nossa gravura simbólica ilustra nada mais nada menos do que o método e a filosofia alquímicos. Mas estes não se apoiam na natureza da matéria tal como a conheciam os antigos mestres; muito pelo contrário, só podem proceder da psique inconsciente. Decerto os alquimistas também especularam em nível consciente, mas isso não impede de modo algum a projeção inconsciente. De fato, toda vez que o espírito humano se afastar, em suas pesquisas, da observação rigorosa da realidade presente, enveredando por caminhos próprios, o *spiritus rector* (o espírito-guia) inconsciente toma as rédeas em suas mãos e o conduz ao fundo imutável de sua natureza, ou seja, aos arquétipos, que são assim levados a se projetarem por meio dessa regressão.

406 A *quaternidade* é um dos arquétipos mais universais, um dos esquemas de estrutura mais úteis para as funções de orientação da consciência[14]. Ela é por assim dizer o retículo no telescópio do nosso

13. A interpretação dos números ímpares como masculinos e dos pares como femininos é de aceitação geral na alquimia, e já vem desde a Antiguidade.

14. Compare-se com *Psychologische Typen*, 86 [*Tipos psicológicos*. OC, 6]. Diagramas neste sentido em JACOBI, 72, p. 19, 24, 28, 30.

entendimento. A *cruz* determinada pelos quatro ângulos também não é de menor universalidade, e, além disso, possui para o homem ocidental um significado religioso e moral dos mais elevados. Da mesma forma o *círculo* enquanto símbolo de perfeição e do ser completo é uma expressão universal do céu, sol, Deus, e da imagem primordial do homem e da alma[15]. O quatro, enquanto o menor dos números múltiplos, representa o estado plural do homem que não alcançou a unidade interior, logo o estado de ausência de liberdade, o de desunião consigo mesmo, de desagregação, o de ter pedaços arrancados em diversas direções, em suma, uma situação de tortura, irredenta, que aspira à unificação, à reconciliação, à redenção, à cura ou a tornar-se uma totalidade.

407 A *tríade* aparece como *masculina*, como determinação ativa e ação (alquimicamente como o jorrar da fonte). Em relação a ela, a *díade é feminina*, isto é, é um *patiens* (passivo) receptivo, feito para conceber, ou uma substância a ser formada (alquimicamente *informatio* é o dar forma a, e *impraegnatio*, o fecundar). Psicologicamente, a tríade corresponde à necessidade (desejo, instinto), à agressividade, à decisão da vontade. A díade, porém, corresponde à reação do sistema psíquico como um todo ao estímulo ou à decisão da consciência. Esta decisão, por si só, resultaria em nada, se não fosse capaz de superar a inércia do ser em seu conjunto e de vencer todas as resistências como a preguiça, e outras, que sempre existem. O entusiasmo, a continuidade e o executar dão origem à *ação* e é só nela que o homem aparece como totalidade vivente e como unidade ("No princípio era ação")[16]. O que se pressupõe aqui é evidentemente uma ação que seja o produto maduro de um processo que abranja a totalidade psíquica e não meramente o de uma luta ou impulso repressor dessa totalidade. Movemo-nos aqui num domínio que nos é familiar e que nos é apresentado, através de magníficas imagens, pela derradeira e maior obra alquímica, o *Fausto*. Goethe descreve precisamen-

---

15. A alma representada por um quadrado ou círculo, ou uma esfera: cf. *Psicologia e alquimia* [OC, 12, § 109 e 439, nota 44].

16. O que foi dito acima não deve ser interpretado no sentido moral, mas apenas no sentido psicológico. A "ação" não é, *eo ipso*, a essência do processo da vida anímica, mas apenas uma parcela, ainda que importante, do mesmo.

te a experiência do alquimista, que descobre o que ele projetou em sua retorta: sua própria obscuridade, seu estado irredento, sua paixão, todo seu ser tendendo para a meta de ser o que realmente ele é, e para o que sua mãe o pôs no mundo, isto é, para que após a *peregrinatio* por uma longa vida entremeada de mil descaminhos, se torne o *filius regius* (filho régio), o filho da Mãe suprema. Podemos reportar-nos também à obra precursora do *Fausto*, de Christian Rosencreutz, intitulada *Bodas Químicas* (*Chymische Hochzeit*), datada de 1616[17], que com certeza serviu de modelo a Goethe. Trata-se aí, no fundo, da mesma coisa, justamente do *Axioma de Maria*, a saber, da transformação de Rosencreutz, que parte de seu estado inicial não iluminado, até chegar a discernir seu parentesco com a "realeza". Coerente com a época (a obra foi escrita no início do século XVII!), o processo inteiro encontra-se num estado muito mais acentuado de projeção. E à retirada da projeção para a pessoa do herói – que leva à condição de super-homem no *Fausto*[18] – aqui só se faz uma tímida alusão. No entanto, em sua essência, o processo psicológico é o mesmo, ou seja, o do discernimento dos poderosos conteúdos que a alquimia pressentia nos segredos da matéria.

408 O texto do *Rosarium* que acompanha a gravura da fonte mercurial preocupa-se principalmente com a "água" da arte, isto é, com o *Mercurius*. Para evitar repetições, remeto o leitor a minha palestra *Der Geist Mercurius* (O espírito Mercurius), 79. Mencionarei apenas que essa substância líquida, com todas as suas propriedades paradoxais, representa justamente o inconsciente que nela se encontra projetado. O "mar" é o seu estado estático, a "fonte", sua ativação, e o "processo", a sua transformação. A integração dos conteúdos inconscientes é expressa na ideia do remédio, da *medicina catholica s. universalis*, na do *aurum potabile* (ouro potável), do *cibus sempiternus*

17. Aliás, Johann Valentin Andreae, autor da *Chymische Hochzeit* (Bodas químicas), também escreveu um drama fáustico em latim intitulado: "Turbo sive moleste et frustra per cuncta divagans ingenium", 145. História de um homem que tudo sabe e acaba se frustrando e que encontra sua salvação na contemplação de Cristo. O autor era teólogo em Württemberg e viveu de 1586 a 1654.

18. Elaborei minuciosamente esse processo psicológico em *Die Beziehungen zwischen dem Ich und dem Unbewussten*, 75, p. 83s. e 184s. [*O eu e o inconsciente*. OC, 7, § 224s. e 380s.].

(alimento eterno), dos frutos salutares da árvore filosofal, do *vinum ardens* (vinho quente) e de outros mais. Alguns sinônimos são nitidamente negativos, mas nem por isso menos característicos, como *succus lunariae s. lunatica*[19] (suco da planta Lunária etc.), *aqua Saturni* (Saturno, um maleficus!), veneno, escorpião, dragão, filho do fogo, *urina puerorum s. canis* (urina de menino ou de cachorro), enxofre, diabo etc.

409 Muito embora o texto não diga explicitamente que a água da fonte mercurial sobe da cisterna e nela retomba, descrevendo portanto um circuito fechado, esta não deixa de ser a propriedade essencial do *Mercurius*, que é a tal serpente que se fecunda a si mesma, se mata, se devora e se faz nascer de novo. Convém lembrar neste contexto que o lago redondo, sem escoamento, cujas águas se renovam incessantemente através de uma fonte que sobe em seu centro, representa em *Nicolaus Cusanus* uma *alegoria de Deus*[20].

2. *O rei e a rainha*

410 O *arcanum artis* (segredo da arte), ou seja, a *coniunctio solis et lunae* (união de sol e lua), como união suprema dos opostos inimigos, que não estava representada na primeira gravura, passa a ser descrita pormenorizadamente através de uma série de imagens, segundo a sua importância. O rei e a rainha, o noivo e a noiva aproximam-se para celebrar o noivado ou as bodas. O aspecto incestuoso revela-se pela relação irmão-irmã de Apolo e Diana. De fato, cada um dos membros do casal encontra-se respectivamente de pé sobre sol e *luna*, o que indica a natureza solar do rei e a natureza lunar da rainha, segundo a hipótese astrológica sobre a importância da posição do sol para o homem e a da lua para a mulher. Uma certa reserva, simbolizada pelas vestimentas formais da corte, dá o caráter desse primeiro encontro. Eles se dão a mão *esquerda*; provavelmente isso não se deve ao acaso,

---

19. Alusão à doença mental. A "afflictio animae" é mencionada em Olimpiodoro (BERTHELOT, 26, II, IV, 75), MORIENUS (2, XII, p. 18), MICHAEL MAJER (113, p. 568 e na alquimia chinesa (WEI PO-YANG, 158, p. 241s.).

20. Deus é fonte, rio e mar, cursos da mesma água. A triunidade é uma vida "qui va de même au même, en passant par le même". VANSTEENBERGHE, 154, p. 296s.

PHILOSOPHORVM.

Nota bene: In arte noſtri magiſterij nihil eſt celatū à Philoſophis excepto ſecreto artis, quod non licet cuiquam reuelare, quod ſi fieret ille maledicereretur, & indignationem domini incurreret, & apoplexia moreretur. Quare omnis error in arte exiſtit, ex eo, quod debitam

Secretum artis

C ij

Figura 2

pois contraria os costumes estabelecidos. É que se trata de um segredo a ser guardado ansiosamente; é o "caminho da mão esquerda", para usar a expressão com que o tantrismo indiano designa seu culto de Shiva e Shakti, que de certa forma lhe é semelhante. O lado esquerdo (*sinister*!) é o lado sombrio, do inconsciente. A "esquerda" é desfavorável e desajeitada. O lado esquerdo é o do coração; dele saem não só o amor, mas com ele também os maus pensamentos, ou seja, as contradições morais da natureza humana, que encontram sua nítida expressão na vida dos afetos. Poder-se-ia interpretar, portanto, o toque da mão esquerda como uma alusão à natureza impulsiva da relação, isto é, ao caráter duvidoso da mesma, por se tratar de um misto de amor "celeste e terreno", complicado ainda pelo incesto subentendido. Diante dessa situação melindrosa, e não obstante tão inteiramente humana, o gesto das mãos *direitas* atua de forma diretamente compensatória. Estas seguram uma figura composta de cinco (4+1) flores. Cada uma das duas mãos segura um ramo com duas flores. Esta quaternidade simboliza de novo os quatro elementos, sendo que dois deles representam os elementos ativos – o fogo e o ar – e os outros dois, os elementos passivos – a água e a terra. Os primeiros são atribuídos ao homem e os segundos, à mulher. Do alto desce a quinta flor, única, representando, provavelmente a quinta *essentia*; a pomba do Espírito Santo a traz em seu bico (analogia à pomba de Noé e o ramo de oliveira da reconciliação). O pássaro procede da estrela da quintessência (cf. fig. 1).

411 A união pela mão *direita* representa o segredo propriamente dito, pois é efetuada, conforme mostra a gravura, graças ao *donum Spiritus Sancti* (dom do Espírito Santo), que é a arte régia. Acresce-se, ao significado "sinistro" do contato das mãos esquerdas, uma união, vinda de cima, das duas quaternidades, modos masculino e feminino sob os quais aparecem os quatro elementos, na figura de uma ogdôada constituída de cinco flores e três ramos. O três e o cinco são números masculinos, que indicam ação, determinação, resolução e movimento. A distinção do cinco em relação ao quatro é marcada pelo fato de ser a pomba que o traz. Os três ramos correspondem ao "jorrar" do *Mercurius triplex nomine* (de nome tríplice), ou seja, aos três

canos da fonte. Aqui se trata, por conseguinte de novo de uma recapitulação abreviada do *opus*, logo daquele mesmo sentido mais profundo que já se tornara manifesto na primeira gravura. O texto que acompanha a fig. 2 começa significativamente com as seguintes palavras: "Note bem: na arte do nosso magistério nada foi ocultado pelos filósofos, exceto o segredo da arte, que não é permitido revelar a quem quer que seja. Se tal fizesse, ele (o traidor) seria amaldiçoado; atrairia sobre si a ira do Senhor e morreria de apoplexia. Porquanto todo erro na arte provém do fato de não se partir da matéria adequada[1]. Por isso utilizamos a venerável natureza; pois é dela, por ela e nela que é gerada nossa arte, e *não de outra coisa qualquer*: assim sendo, o nosso magistério é obra da natureza e não do artífice"[2].

412 Se dermos ao medo do castigo em caso de traição o sentido que parece ter, então deve tratar-se provavelmente de algo perigoso para a alma, isto é, de um típico *peril of the soul*. O *quare* causal com que principia a frase seguinte só pode estar se referindo ao segredo que não pode ser revelado. Consequentemente, como a *prima materia* (matéria-prima) é desconhecida, os que ignoram o segredo caem em erro, e isso porque, conforme se lê na frase seguinte, eles escolhem algo de arbitrário e artificial e não a pura e simples natureza. A ênfase dada à *venerabilis natura*[3] faz com que se pressinta algo daquela paixão da pesquisa que finalmente deu origem ao conhecimento moderno da natureza, mas que tantas vezes se mostrou adversa ao princípio da fé. O culto da natureza, herdado da Antiguidade, contradizia mais ou menos veladamente a visão do mundo da Igreja e de certa forma orientava corações e sentidos para o "caminho da mão esquerda". Que sensação a de Petrarca Subindo o Monte Ventoux! Agostinho já prevenia em suas *Confissões*: "Et eunt homines admirari alta montium et

---

1. "Debita materia" significa a matéria-prima do processo.

2. *Ros. Phil.*, 2, XIII, p. 219. "Nota bene: In arte nostri magisterii nihil est celatum a Philosophis excepto secreto artis, quod non licet cuiquam revelare: quodsi fieret, ille maledicetur et indignationem Domini incurreret et apoplexia moreretur. Quare omnis error in arte existit ex eo quod debitam materiam non accipiunt. Igitur venerabili utimini natura, quia ex ea et per earn et in ea generatur ars nostra et non in alio: et ideo magisterium nostrum est opus naturae et non opificis".

3. Compare-se com RUSKA. *Turba*, 148, Sermo XXIX, p. 137.

ingentes fluctus maris et latissimos lapsus fluminum et oceani ambitum et gyros siderum et relinquunt seipsos...” (E os homens vão admirar as alturas das montanhas, os ingentes fluxos das marés, as largas correntezas dos rios, a extensão dos oceanos, o curso dos astros, e de si próprios eles se descuidam...)[4].

413 No entanto, a ênfase exclusiva na natureza como único fundamento da arte contrasta visivelmente com as repetidas afirmações de que ela é um dom do Espírito Santo, um *arcanum* (segredo) da *sapientia Dei* (sabedoria divina) etc., donde se deveria concluir que a ortodoxia dos alquimistas era inabalável. De um modo geral, creio que não se pode pôr em dúvida essa ortodoxia. Muito pelo contrário, a fé na iluminação do Espírito Santo até parece ter sido uma necessidade psíquica toda especial, diante da obscura ameaça do segredo da natureza.

414 Ora, quando um texto que insiste tanto na pura natureza é explicado ou elucidado por uma ilustração como a da fig. 2, é de se supor que a relação entre o rei e a rainha tenha sido interpretada num sentido que corresponda à natureza. A inevitável meditação e especulação acerca do segredo da *coniunctio* (união) não devem ter deixado de tocar a fantasia erótica, e isso pela simples razão que tais imagens simbólicas procederam justamente de conteúdos inconscientes desse tipo, meio espirituais e meio sexuais, e também devem evocar a penumbra dessa esfera, porquanto a luz nasce da noite indiferenciada e só dela. É este o ensinamento da natureza e da experiência natural; mas o espírito crê na *lumen de lumine*[5] (luz da luz). De uma forma ou de outra, o artista estava implicado nesse jogo inconsciente da projeção e não podia deixar de sentir esse fenômeno misterioso como uma coisa tremendamente angustiante e assustadora (um *tremendum*). O próprio Agrippa Von Nettesheim, conhecido por suas irreverentes blasfêmias, costumava refrear-se visivelmente em sua crítica da *Alkumistica*[6]. Depois de apresentar vários aspectos dessa arte duvidosa, ele acrescenta: “Permulta adhuc de hac arte (mihi tamen non ad mo-

---

4. 17, X, VIII.

5. Cf. *Aurora Consurgens*, 34, I, onde às parábolas “Da terra negra...”, “Do dilúvio e da morte...”, “Do cativeiro na Babilônia...”, se segue a da “fé filosófica” com a confissão da lumen de lumine. Cf. tb. AVICENA, 5, XIII, p. 990.

6. Uma deformação de “alchymia”.

dum inimica) dicere possem, nisi iuratum esset (quod facere solent, qui mysteriis iniciantur) de silentio". (Poderia dizer muitas coisas mais sobre ela [de que não sou de todo inimigo], se eu não tivesse jurado guardar silêncio [o que costumam fazer os que se iniciam em seus mistérios][7].) Esse comedimento em Agrippa, tão inesperado, nos dá o que pensar: denota receio, pois um ponto dentro dele foi tocado pela arte régia[8].

415 Não é necessário imaginar o segredo da arte como algo sombrio. A natureza desconhece a sujeira moral: ela é suficientemente assustadora em sua verdade. Basta pensar num único aspecto da *coniunctio* que se busca: o de ela não ser uma união legítima, mas que ela é e sempre foi – por princípio, ousaríamos dizer – um incesto. O medo que cerca esse complexo – o "medo do incesto" – é característico e já foi ressaltado por Freud. A ele vem aliar-se ainda o receio da compulsão inerente à maioria dos conteúdos inconscientes.

416 O contato da mão esquerda e a união em cruz das mãos direitas "mediante a flor" – *sub sigillo* do segredo da arte – tudo isso é uma

---

7. *De incertitudine et vanitate scientiarum*, 10, cap. XC, p. 422.

8. Posteriormente Agrippa (op. cit.) acrescenta algumas referências à "lapis": "Denique de illo único solo, praeter quod non est aliud, ubique tamen reperies, benedicto sacratissimi philosophorum lapidis subiecto, videlicet, pene nomen rei effutivi, cum periurio sacrilegus futurus, dicam tamen circumlocutione sed obscuriore, ut non nisi filii artis et qui huius mysterii initiati sunt, intelligant. Res est quae substantiam habet, nec igneam nimis, nec prorsus terream..." (Acerca daquele sujeito único e abençoado, afora o qual não existe outro, ainda que o encontres em toda parte, acerca daquela sacratissima pedra dos filósofos – quase me escapa o nome da coisa, por perjúrio poderei tornar-me um profanador do templo – falarei contudo de forma velada e obscura a fim de que somente os filhos da arte e os iniciados nos mistérios compreendam. É uma coisa que tem uma substância nem demasiado ígnea, nem demasiado térrea...) (Segue-se uma enumeração dos atributos paradoxais da substância arcana) "... plura dicere non conceditur, atque sunt tamen iis maiora: sed ego hanc artem (ob earn, quae secum mihi familiaritas est) illo honore potissime dignam censeo, quo probam mulierem definit Thucydides, illam inquiens optimam esse, de cuius laude vel vituperio minimus esset sermo". (Não me é permitido dizer mais a respeito, e no entanto existem coisas maiores do que estas [qualidades mencionadas acima]. Mas eu estimo essa arte (que me é familiar), digna da honra que Tucídides atribui à mulher honesta, dizendo que a melhor é aquela de quem se fala menos, seja para louvá-la, seja para repreendê-la.) Cf. tb. SENIOR, 160, p. 92, no que diz respeito ao juramento de guardar segredo: "Hoc est secretum, super quo iuraverunt, quod non indicarent in aliquo libro". (Este é o segredo, que juraram não revelar em livro algum.)

descrição plástica, apesar de discretíssima, da situação delicada em que a *venerabilis natura* (venerável natureza) colocou o adepto. Muito embora o movimento Rosa-cruz não remonte a épocas anteriores à *Confessio* e à *Fama Fraternitatis* de Andreae, ou seja, ao início do século XVII[9], o que temos diante de nós nesse estranho buquê de três ramos de flores é uma "cruz de rosas" ou uma Rosa-cruz, criada com toda evidência um pouco antes de 1550, mas que manifestamente ainda não pretende ser uma *rosicrux*[10]. Como já dissemos, essa tripla estrutura lembra, por um lado, a fonte de Mercúrio, mas por outro chama a atenção para o fato importante de que são três os seres vivos que engendram a "rosa", ou seja, o rei, a rainha e, entre os dois, a pomba do Espírito Santo. O *Mercurius triplex nomine* (de triplo nome) é assim transferido a três figuras; já não é mais possível concebê-lo como metal ou mineral, mas apenas na forma de espírito. Mesmo assim, sua natureza é tripla: masculina, feminina e divina. A sua coincidência com o Espírito Santo, terceira pessoa da divindade, não é, por certo, endossada pelo dogma. No entanto, pelo visto, a *venerabilis natura* permitiu que os alquimistas associassem o Espírito Santo a um parceiro indubitavelmente ctônico, o que é bem pouco ortodoxo. Em outras palavras, permitiu que completassem o Espírito Santo com aquele espírito divino, que desde os dias da Criação estivera cativo dentro da criatura. Este espírito *inferior* é o homem primordial de natureza hermafrodita, preso dentro da *physis* e de procedência iraniana[11]. É o homem redondo, isto é, perfeito, o do começo e do fim dos tempos, origem e meta do homem. É a totalidade do homem, situada além da separação dos sexos, que só poderá ser reencontrada através da complementação e da unificação do masculino e do feminino. A revelação desse sentido superior vem resolver a problemática criada pelo contato suspeito da mão esquerda. Das trevas caóticas nasce a "lumen quod superat omnia lumina" (a luz que supera todas as luzes).

---

9. Ambos os escritos devem ter sido divulgados sob a forma de manuscritos a partir de 1610. Cf. 143, p. 47-84.

10. Um tipo de cruz de rosas também já existe no escudo de Lutero.

11. Compare-se com *Psicologia e alquimia* [OC, 12; § 456, como também com REITZENSTEIN & SCHAEDER, 140].

417 Se não soubesse por vasta experiência própria que tais processos também acontecem no homem moderno – que sem sombra de dúvida carece de qualquer informação histórica a respeito da doutrina gnóstica do *anthropos* – eu tenderia a acreditar na continuidade de uma tradição secreta entre os alquimistas, apesar de a escassez dos elementos que sustentam tal hipótese (as alusões contidas nos tratados de Zósimo De Panópolis) impedirem um bom conhecedor da alquimia medieval como Waite de admitir a existência de uma *secret tradition*[12]. A opinião que defendo, pois, baseado em minha experiência profissional, é que a ideia do *anthropos* na alquimia medieval é em parte "autóctona", isto é, decorrente de vivências subjetivas. Aqui se trata de uma verdade "eterna", ou seja, de um arquétipo susceptível de reaparecer espontaneamente em qualquer tempo e em qualquer lugar. Encontramos o *anthropos* até na velha alquimia chinesa, no tratado de Wei Po-Yang, composto por volta de 142 dC, onde o denominam *chên-yên* (*true man* – homem verdadeiro)[13].

418 A revelação do *anthropos* não pertence às emoções religiosas comuns, evidentemente, mas equivale a uma visão do Cristo para o fiel cristão. No entanto ele não aparece *ex opere divino* (por obra de Deus) e sim *ex opere naturae* (por obra da natureza), ele não vem de cima para baixo, mas nasce a partir da transformação de uma figura do Hades, de uma figura que tem algo a ver com o Maligno, cujo nome é o de um deus pagão da manifestação. Esse dilema ambíguo projeta uma nova luz sobre o segredo da arte: o perigo da heresia que deve ser encarado com seriedade. Os alquimistas encontravam-se entre Esquila e Caribdis. Por um lado corriam o risco de incorrer em erro – e disso tinham consciência – ou de serem suspeitos como falsários, fabricantes de ouro; por outro, expunham-se ao perigo da fogueira reservada para os hereges. Com respeito ao ouro, o *Rosarium* cita, logo no começo do texto que se segue à fig. 2, esta frase de Senior: "Aurum nostrum non est vulgi" (nosso ouro não é vulgar)[14]. Mas a história nos mostra que os alquimistas preferiram o risco de serem sus-

---

12. WAITE, 157.

13. WEI PO-YANG, 158, p. 241.

14. SENIOR, 160, p. 92 (*Ros. Phil.*, 2, XIII, p. 220).

peitos como fabricantes ilegais de ouro ao de serem condenados por heresia. É uma questão em aberto, que talvez nunca venha a ter solução, a de saber a que ponto os alquimistas eram conscientes da verdadeira natureza de sua arte. Nem mesmo textos que nos possibilitam *insights* tão profundos como os do *Rosarium* ou da *Aurora consurgens* nos esclarecem a esse respeito.

419 No tocante à psicologia dessa gravura, observe-se em primeiro lugar que ela representa o encontro entre dois seres humanos, em que o amor tem um papel decisivo. Os trajes convencionais do casal indicam uma atitude desse tipo de um para com o outro. O casal ainda está separado pelas convenções, o que faz com que um oculte sua verdade natural ao outro. O contato embaraçoso da mão esquerda aponta para o aspecto "sinistro", ilegítimo, morganático, instintivo e emocional da relação, ou melhor, justamente para a fatal intromissão do incesto e seu fascínio "perverso". No entanto, a "intervenção" simultânea do Espírito Santo vem desvendar o sentido secreto do incesto, da união do irmão e da irmã ou da mãe e do filho como símbolo indecoroso para exprimir uma *unio mystica* (união mística). O incesto, enquanto união entre parentes consanguíneos, é um tabu universal, mas não deixa de ser uma prerrogativa de reis (por exemplo os casamentos incestuosos entre os faraós etc.). O incesto simboliza a união do ser consigo mesmo, a individuação ou a autorrealização, e, devido ao significado extremamente vital da mesma, exerce um fascínio por vezes apavorante, se não na brutal realidade, pelo menos na vida psíquica controlada pelo inconsciente, como estão fartos de saber aqueles que lidam com psicopatologia. Os deuses primordiais engendram quase que regularmente através do incesto, justamente pelas razões acima, e não por causa de ligações incestuosas casuais. O incesto é simplesmente a etapa da união entre similares que se segue imediatamente à ideia originária da autofecundação[15].

420 A situação psíquica descrita pela gravura corresponde exatamente ao que se deduz da cuidadosa análise de uma transferência. À situação convencional do início segue-se uma "familiarização" inconsci-

15. A união de "coisas semelhantes" sob a forma de relações homossexuais encontra-se na *Visão de Arisleus*, como estágio anterior ao incesto de irmão-irmã.

ente com o parceiro, através da projeção das fantasias infantis (e arcaicas) que antes incidiam sobre os membros da própria família do paciente e que o mantém acorrentado por fascínio (de tipo positivo ou negativo) a seus pais e irmãos[16]. A transferência para o médico faz com que este último entre à força na intimidade familiar. Isto é sem dúvida extremamente indesejável, no entanto, constitui a matéria-prima propícia para o trabalho. Assim que se estabelece uma transferência, o médico é obrigado a se confrontar com ela, a fim de evitar o surgimento de mais um despropósito neurótico. A transferência é um fenômeno natural em si, que de modo algum se produz unicamente no consultório médico. Ela pode ser observada em toda parte e dar ensejo aos maiores disparates, como todas as projeções não reconhecidas como tais. O tratamento clínico da transferência é uma oportunidade rara e inestimável para a retirada das projeções, para compensar as perdas de substância e integrar a personalidade. Os temas que servem como base para a transferência são inicialmente de aspecto obscuro, mesmo que se faça o maior esforço para pintá-los de branco, pois o campo do trabalho é a *sombra* negra (*umbra solis* ou *sol niger* dos alquimistas). Todos nós trazemos conosco essa sombra, isto é, o aspecto inferior e, portanto, oculto da personalidade, a fraqueza que pertence a toda força, a noite que sucede ao dia, o mal do bem[17]. Reconhecê-lo vem naturalmente junto com o perigo de sucumbir à sombra. No entanto, com esse perigo nos é dada a possibilidade da decisão consciente de não sucumbir a ela. De qualquer maneira, o inimigo visível é melhor que o invisível. Não consigo entender qual o interesse da política do avestruz, neste caso. Será que o fato de o homem permanecer eternamente infantil pode ser um ideal? ou o de ele viver na cegueira total sobre si mesmo, jogando sempre no vizinho a responsabilidade por tudo o que lhe desagrada, e atormentando-o com os seus preconceitos e projeções? Quantos casais vivem infelizes

---

16. Segundo Freud, trata-se nesta projeção de fantasias de desejos infantis. No entanto, a pesquisa aprofundada das neuroses infantis mostra que tais formações imaginárias também dependem em alto grau da psicologia dos pais, ou seja, mostra que elas se manifestam na criança devido à atitude incorreta dos mesmos [cf. *O desenvolvimento da personalidade*. OC, 17, § 216s.].

17. A *Aurora Consurgens*, 34, I, cap. 6, diz por conseguinte: "... et a facie iniquitatis meae conturbata sunt omnia ossa mea" (... não há parte sã nos meus ossos por causa de minha iniquidade. *Bíblia de Zurique*, Salmo 38,4).

anos a fio e às vezes uma vida inteira, porque ele vê a mãe em sua mulher e ela o pai em seu marido, sem que nunca conheçam a verdade um do outro enquanto seres humanos! A vida em si já é bastante árdua, para que não se procure evitar pelo menos as dificuldades mais estúpidas. Mas sem um confronto profundo com um interlocutor, a retirada das projeções infantis é muitas vezes simplesmente impossível. Visto que este é o fim legítimo e o sentido pleno da transferência, ela conduz inevitavelmente, sempre e em todo lugar, qualquer que seja o método do *rapprochement*, à discussão e ao confronto, e através deles à evolução para uma consciência superior, e esta serve por sua vez para medir o grau da integração da personalidade. No decorrer desta discussão, travada além do convencional que mascara, o homem verdadeiro se revela à luz do dia. Ele nasce, por assim dizer, dessa relação psíquica e a expansão de sua consciência vai-se arredondando, até formar o círculo que o abrange.

421 A tendência agora seria pensar que o rei e a rainha representam uma relação de transferência em que o rei estaria no papel do parceiro masculino e a rainha, no do feminino. No entanto, não é assim. Trata-se pelo contrário de conteúdos que se projetaram nessas figuras a partir do inconsciente do adepto (e da *soror mystica*). Uma vez que o adepto tem consciência de si como homem, sua masculinidade não pode ser projetada, desde que só podem ser projetados os conteúdos inconscientes. Como estamos aqui diante de um homem e de uma mulher, o que está sendo projetado só pode ser a parte feminina da personalidade do homem, ou seja, a sua anima[18]. Da mesma forma, a mulher só pode estar projetando o seu aspecto masculino. O que se obtém assim é um estranho entrecruzamento do caráter sexual: o homem (neste caso o adepto) é representado pela rainha, a mulher (neste caso a *soror mystica*), pelo rei. Acredito que as flores do "símbolo" são uma alusão a este entrecruzamento. Que o leitor não perca de vista no decorrer da leitura que as gravuras do Rosarium representam o encontro de duas figuras arquetípicas, sendo que a lua está secretamente associada ao adepto, e o sol, à mulher que o assiste em sua obra. A qualidade régia das figuras – assim como a dos reis na realidade – exprime o seu caráter arquetípico, isto é, são figuras coleti-

---

18. Quanto a este conceito, remeto a *Die Beziehung zwischen dem Ich und dem Unbewussten*, 75, capítulo: Anima e animus [O eu e o inconsciente. OC 7/2]

vas, comuns a um grande número de pessoas. Se o conteúdo essencial desse mistério se referisse à sagração do rei ou à deificação de um mortal, poderíamos estar diante de uma projeção da figura do rei; neste caso o rei corresponderia ao adepto. No entanto, como o desenrolar do processo dramático tem um sentido totalmente diverso, podemos descartar tal hipótese[19].

422 O fato de o entrecruzamento do rei e da rainha representar o inconsciente do sexo oposto do adepto e da *soror* – por razões empiricamente comprováveis – constitui uma complicação incômoda, que em nada simplifica o problema da relação de transferência. Entretanto a honestidade científica não permite qualquer simplificação, quando as coisas não são simples, o que me parece ser o caso aqui. O esquema da relação é na realidade bem simples, mas é extremamente difícil discernir, em cada descrição detalhada da relação, qual o ponto de vista a partir do qual ela está sendo observada e qual o aspecto que está sendo levado em consideração. O esquema é o seguinte:

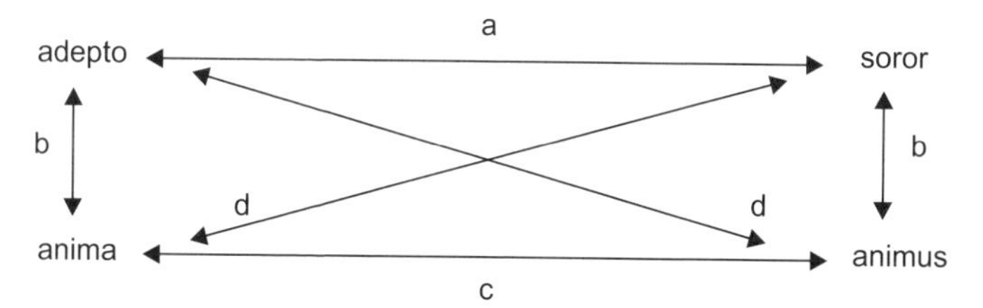

19. Talvez seja útil lembrar o leitor de que o romance *She*, 57, de Rider Haggard, contém uma descrição dessas figuras "regias": Leo Vincey, herói do romance, é jovem e belo e a súmula de todas as perfeições, um verdadeiro Apolo. A seu lado, esta Holly seu paternal tutor, cuja aparência simiesca é descrita pormenorizadamente. Em seu interior, porém, é um modelo de sabedoria e perfeição moral. Seu nome evoca a expressão holy (santo). Apesar de toda banalidade, ambos apresentam traços sobrenaturais, tanto Leo, como o antropoide, o babuíno piedoso. (Eles correspondem ao sol et umbra eius.) A terceira figura é a do leal serviçal dos dois e tem o significativo nome de Job (Jó). Este corresponde ao homem sofredor mais fiel, que tem que suportar a sobrenaturalidade na figura do ser perfeito e do antropoide. Leo (a casa do sol), enquanto deus do Sol, está à procura de "She", a qual "mora nos sepulcros", e de quem a lenda diz que ela mata todos os seus amantes (esta qualidade também é atribuída por Benoit à sua *Atlantide*, 23!), sendo que a cada vez ela rejuvenesce no fogo mágico. Ela corresponde à luna, sobretudo à perigosa lua nova. (No período sinódico do novilúnio a noiva mata o bem-amado!) A continuação da história leva (em *Ayesha*, 58) ao hierosgamos místico.

423 A direção das flechas indica a tendência do masculino para o feminino e vice-versa, e do inconsciente de uma pessoa para o consciente da outra (o que corresponde a uma relação de transferência positiva). Convém distinguir, portanto, as relações seguintes, que, conforme o caso, podem fundir-se todas numa só (o que provoca naturalmente uma confusão extrema):

a) uma relação pessoal, sem complicações;

b) uma relação do homem com sua *anima* e uma relação semelhante da mulher com seu *animus*;

c) uma relação do *animus* com a *anima* e vice-versa;

d) uma relação do *animus* feminino com o homem (que ocorre quando a mulher se identifica com o *animus*) e uma relação semelhante da *anima* masculina com a mulher (que ocorre quando o homem se identifica com a *anima*).

424 Na descrição que faço do problema da transferência por meio desta série de gravuras esses diferentes aspectos possíveis não foram sempre separados uns dos outros, pois na vida real eles também aparecem constantemente misturados. A aplicação sistemática do esquema teria tornado a explicação indigesta. Assim sendo, a rainha, como também o rei, reluz em todas as gradações humanas e sobre-humanas e até infra-humanas, ora como figura transcendental, ora oculta na pessoa do adepto. Queira o leitor lembrar-se destes esclarecimentos ao deparar, no decorrer da exposição que se segue, algumas contradições reais ou supostas com relação a isto.

425 As relações entrecruzadas que encontramos na transferência têm uma prefiguração na história dos povos, porquanto o arquétipo do matrimônio cruzado, que designo como *quaternio de casamentos*[20], também se encontra nos contos de fada. Assim sendo, um conto islandês[21] conta a história seguinte:

426 Finna era uma jovem que possuía faculdades misteriosas. Exigiu de seu pai, que ia viajar para o Thing, que ele recusasse sua mão a

---

20. Os pares de opostos alquímicos encontram-se frequentemente dispostos em semelhantes quatérnios. Cf. *Aion*, 74, bem como *Mysterium Coniunctionis*, 80.

21. 114a, n. 8, p. 47s.

todo homem que a pedisse em casamento. Foram numerosos os pretendentes; suas propostas foram todas recusadas pelo pai. No entanto, em seu caminho de volta encontrou um homem sinistro, chamado Geir, que o obrigou a prometer-lhe a filha em casamento, sob ameaças à mão armada. As bodas foram celebradas e Finna levou o irmão Sigurd consigo. Ao chegar o Natal, Finna preparou a ceia festiva, mas Geir havia desaparecido. Finna saiu à sua procura juntamente com o irmão. Foi encontrá-lo numa ilha, em companhia de uma linda mulher. Depois do Natal, Geir reapareceu subitamente nos aposentos de Finna. Havia uma criança deitada na cama. Geir perguntou-lhe de quem era a criança e ela respondeu que era dela. O mesmo se repetiu em três Natais sucessivos. Todas as vezes Finna recebia a criança. Na terceira vez, Geir livrou-se do feitiço. A bela mulher era Ingibjörg, sua irmã. A madrasta de Geir, que era feiticeira, o havia condenado a gerar três filhos com sua irmã, por causa de uma desobediência; e se não encontrasse uma esposa que soubesse de tudo e mesmo assim se calasse, ele seria transformado numa serpente e a irmã, num potro. Salvou-se pela atitude da esposa, e deu sua irmã Ingibjörg a Sigurd em casamento.

427 Vejamos mais um exemplo. Trata-se da lenda russa intitulada: "O príncipe Daniel ordenou"[22]. Um filho de príncipe recebeu de uma feiticeira um anelzinho portador de boa fortuna, cujo poder mágico estava ligado a uma condição: que se casasse unicamente com a jovem em cujo dedo se ajustasse o anel. Atingida a idade adulta, sai à procura da noiva, mas em vão, pois o anel não se ajusta ao dedo de nenhuma. Vai confiar sua dor à irmã, que quer experimentar o anel. O mesmo parece que foi feito para o seu dedo. Então o irmão quer desposá-la. Para a irmã isso é pecado e ela vai sentar-se chorando à frente da casa. Velhos mendigos passam por aí e a consolam, dando-lhe o seguinte conselho: "Confecciona quatro bonecas e coloca-as nos quatro cantos do quarto. Quando teu irmão te chamar para o casamento, vai; quando ele te chamar para o quarto de dormir, demora algum tempo! Confia em Deus e segue o nosso conselho!"

428 Depois da cerimônia do casamento, seu irmão a chama para a cama. Nesse momento, as quatro bonecas se põem a cantar:

---

22. 9, p. 86s.

"O príncipe Daniel ordenou,
Ele quer desposar sua irmã,
Abre-te, ó terra,
E recebe-a em teu seio".

429 Uma fenda abre-se na terra e a irmã é tragada. Três vezes o irmão a chama. Na terceira vez, porém, ela já havia desaparecido dentro da terra. Ela continua andando debaixo da terra e chega à cabana de Baba-Yaga[23], cuja filha a hospeda amavelmente. No começo ela consegue escondê-la da bruxa. No entanto, esta logo descobre a hóspede e manda esquentar o forno. Mas as duas jovens empurram a bruxa dentro do forno, escapando assim às suas perseguições. Chegando ao principado do irmão, a irmã é reconhecida pelo criado do mesmo. Mas o irmão não consegue diferenciar uma jovem da outra, de tão parecidas que são. O criado sugere uma prova ao príncipe: que ele esconda um odre cheio de sangue debaixo do braço e ele, o criado, lhe daria uma facada nas costelas, o que faria com que ele caísse como morto. Com isso a irmã se trairia. É exatamente o que acontece: a irmã se joga sobre ele em prantos. Ele se levanta imediatamente e a toma em seus braços. O anelzinho mágico também serve no dedo da filha da bruxa. Com isso, o príncipe a desposa e dá sua irmã em casamento a um homem de bem.

430 Neste conto, o incesto por um triz não é consumado; só foi impedido pelo estranho ritual das quatro bonecas. As quatro bonecas nos quatro cantos do quarto representam o quatérnio de casamentos, pois se trata de prevenir o incesto e de substituir, portanto, justamente o dois pelo quatro. As quatro bonecas constituem um simulacro cuja ação mágica possibilita que o incesto seja evitado graças ao desaparecimento da irmã no mundo subterrâneo, onde ela descobre seu alter ego. Poderíamos dizer, por conseguinte, que a bruxa que deu ao menino o anelzinho fatal é sua sogra *in spe* (futura), porque, como bruxa que é, ela deve saber que o anelzinho não se ajusta exclusivamente ao dedo da irmã, mas também ao da filha.

431 Em ambos os contos, o incesto aparece como uma fatalidade funesta, difícil de ser evitada. O incesto como relação endógama cor-

---

23. A bruxa russa por excelência.

responde a uma libido que, em última análise, tende a manter a coesão da família em seu sentido mais restrito. Poderíamos chamá-la, portanto, de *libido de parentesco*, subentendendo-se por aí algo como um instinto que, à maneira de um cão pastor, mantém o grupo familiar unido. A esta forma de libido, a libido exógama opõe-se diametralmente. Essas duas formas mantêm-se mutuamente em xeque: a tendência endógama recomenda a irmã, a exógama, uma estranha qualquer. O melhor compromisso é, pois, a prima de primeiro grau ou o primo de primeiro grau. Em nossos contos não é questão desta última forma, mas sim do quatérnio de casamentos. No primeiro conto, o esquema é o seguinte:

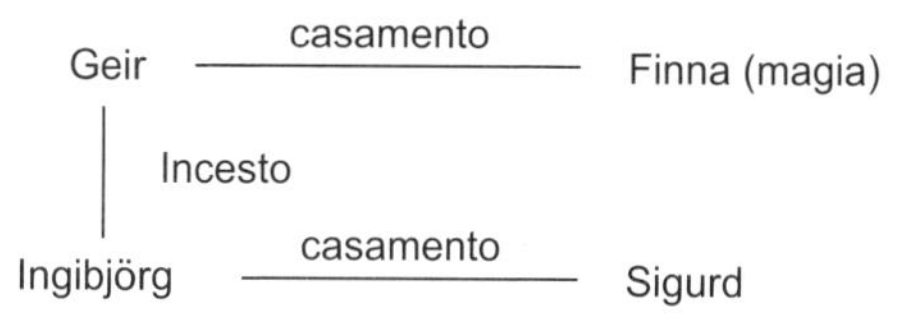

e no conto russo:

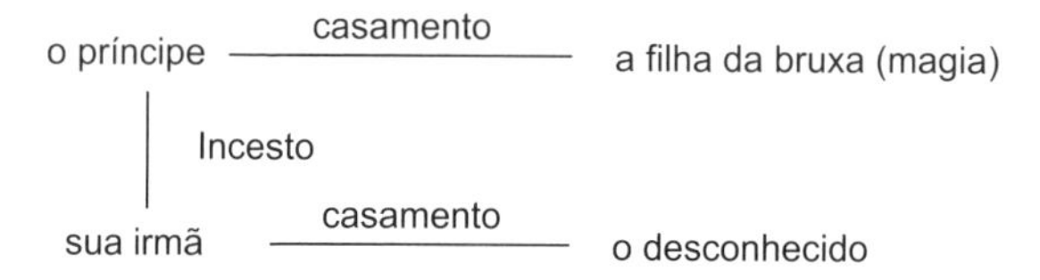

432 Os esquemas coincidem visivelmente. Em ambos os casos o herói desposa uma mulher que de uma maneira ou de outra tem algo a ver com a magia ou com o mundo do além. Ora, admitindo-se que o arquétipo acima descrito está na base dessas quaternidades reconhecidas pelo folclore, então a lenda procede obviamente do esquema seguinte:

adepto —— casamento —— anima

soror —— casamento —— animus

433 O casamento com a *anima* equivale psicologicamente a uma completa identidade da consciência com o inconsciente. Uma vez que um tal estado só é possível em caso de total ausência de autoco-

nhecimento psicológico, ele é necessariamente mais ou menos primitivo, isto é, a relação com a mulher consiste essencialmente apenas numa projeção da *anima*. A única alusão ao que hoje chamamos de inconsciente reside no fato, bastante significativo aliás, de que a portadora da imagem da anima se distingue por seus atributos mágicos. Na relação *soror-animus* tal como nos é apresentada nos contos, estão ausentes esses atributos, isto é, em momento algum o inconsciente se manifesta como uma experiência especial. Este estado de coisas nos leva a concluir que o simbolismo das lendas pressupõe uma estrutura espiritual bem mais primitiva do que o quaternio alquímico ou a quaternidade psicológica correspondente. É de se esperar, portanto, que, em nível mais profundo ainda, a própria *anima* perca seus atributos mágicos, de modo a estabelecer um quaternio de casamentos puramente concreto, sem nenhuma complicação. Na realidade, os dois casais cruzados têm seu equivalente no chamado *crosscousin-marriage*. Para explicar esta forma primitiva de casamento, sou obrigado a remontar mais um pouco no tempo: o casamento da irmã com o irmão da mulher é um legado do denominado *sister exchange marriage*, o qual caracteriza a estrutura tribal primitiva. Mas esse duplo casamento constitui simultaneamente um paralelo primitivo do tipo de problemática com que nos ocupamos aqui, ou seja, o da relação dupla, consciente e inconsciente do adepto e da soror por um lado, do rei e da rainha por outro, isto é, do *animus* e da *anima*. O importante estudo de John Layard: *The Incest Taboo and the Virgin Archetype*, 105, me fez lembrar o aspecto sociológico do nosso psicologema. A tribo primitiva divide-se em duas metades, que Howitt comenta da seguinte maneira: "It is upon the division of the whole community into two exogamous intermarrying classes, that the whole social structure is built up"[24]. (É na divisão da comunidade inteira em duas classes exógamas que se casam entre si que se constrói toda a estrutura social.) Essas *moieties* (metades) aparecem tanto na disposição dos aldeamentos[25], como em muitos hábitos estranhos. Por ocasião das cerimônias, por exemplo, as duas metades são rigorosamente separadas uma da outra, e nenhum membro de uma tem o direito

24. 69, p. 157. Cf. FRAZER, 45, I, p. 306.

25. Cf. LAYARD, 106, p. 62s.

de pisar no território da outra. Mesmo quando esses nativos caminham ou caçam juntos, as duas metades se separam imediatamente, para acampar, chegando a ponto de estabelecer os dois acampamentos de tal sorte que entre eles haja um divisor natural, como o leito de um riacho por exemplo. Mas, contrariamente a isso, as duas metades também se unem por aquilo que Hocart denomina como "the ritual interdependence of the two sides", que ele formula como *mutual ministration* (serviços mútuos). Na Nova Guiné, por exemplo, uma das metades cria porcos e cães e os engorda não para uso próprio, mas para a outra metade, e reciprocamente. Em caso de morte em um dos aldeamentos, este prepara uma refeição para o funeral, mas quem come é o outro lado[26]. Além disso a divisão também se manifesta na instituição muito frequente do *dual kingship*[27] (reinado de dois reis).

434 As expressões usadas para designar as duas metades são particularmente elucidativas. São elas – para citar alguns exemplos – leste-oeste, superior-inferior, dia-noite, alto-baixo, masculino-feminino, água-terra, direita-esquerda etc. É fácil deduzir desses nomes que as duas metades são percebidas como opostas entre si, devendo ser entendidas, portanto, como a expressão de uma oposição endopsíquica. Esta oposição pode ser formulada como o eu (♂) e a outra (♀), ou seja, como o consciente em oposição ao inconsciente (personificado pela *anima*). A cisão primária da psique em consciente e inconsciente parece ser a origem da divisão da tribo e da aldeia. Trata-se de uma cisão de fato, mas da qual não se tem consciência enquanto tal.

435 A cisão social é uma bipartição (de natureza matrilinear) apenas em sua origem; na realidade há uma quadripartição da tribo e da aldeia. A quadripartição se estabelece pelo fato de a linha divisória matrilinear ser cruzada por uma linha divisória patrilinear[28]. O objetivo prático que está na base dessa divisão em "quartos" é a separação e a diferenciação das classes matrimoniais. Toda a população é dividida em *moieties* (metades) e todo homem só pode escolher sua mulher na outra metade. O esquema básico que se revela aqui é um quadrado

---

26. HOCART, 66, p. 265.

27. Op. cit., p. 157, 193 entre outros.

28. Cf. LAYARD, 106, p. 85s.

(ou círculo) dividido por uma cruz e constitui a planta básica da aldeia primitiva e da cidade arcaica, como também do mosteiro etc., igualmente encontrado na Europa, na Ásia e na América pré-histórica[29]. O hieróglifo egípcio que representa a cidade é uma cruz de Santo André cercada por um círculo[30].

436 Para a especificação das classes matrimoniais convém mencionar que cada homem pertence à *moiety* (metade) correspondente ao ramo paterno. Sua mulher não deve ser originária da "moiety" matrilinear de sua mãe. A fim de evitar a possibilidade de um incesto, ele desposa a filha do irmão da mãe e dá sua irmã em casamento ao irmão de sua mulher (*sister-exchangemarriage*). Isso dá origem ao chamado *cross-cousin-marriage*[31].

437 Esta aliança parece ser o modelo originário do psicologema específico da alquimia, sob a forma de dois casamentos de irmão e irmã entrecruzados.

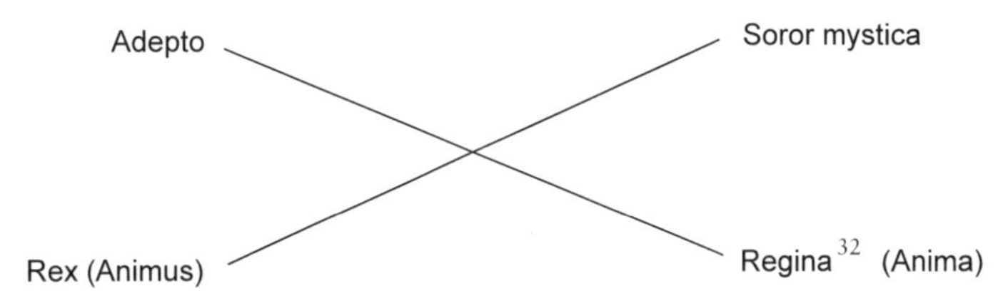

Emprego o termo "modelo" aqui, não para dizer que o nosso psicologema derive do sistema das classes matrimoniais numa relação causal, mas apenas para ressaltar o fato que este último precedeu historicamente o quatérnio alquímico. Nem tampouco cabe a suposição de que este arquétipo tenha a sua origem absoluta no quatérnio matrimonial primitivo: este não é, de forma alguma, qualquer maquinação

29. HOCART, 66, p. 244s.

30. Op. cit., p. 250.

31. LAYARD, 105, p. 270s.

32. Lembro o leitor de que "rex" e "regina" são geralmente irmão e irmã ou então, ocasionalmente, filho e mãe. Compare-se com *Aion*, 74, bem como *Mysterium coniunctions, 80.*

ou invenção, mas um fenômeno pré-consciente, como quase sempre é o caso com todos os símbolos rituais não só dos primitivos como também de todos os povos culturais da atualidade. A coisa é feita dessa maneira e ponto final, isto é, sem reflexão, porque foi sempre assim que se fez[33].

438 A diferença entre o quatérnio de casamento primitivo e o cultural consiste em que o primeiro representa um fenômeno sociológico e o segundo, um fenômeno místico. Enquanto nos povos civilizados as classes matrimoniais desapareceram, salvo alguns vestígios insignificantes, elas reaparecem num nível superior de cultura, sob a forma de ideias espirituais. Atendendo ao interesse do bem-estar e do desenvolvimento da tribo, a ordem social exógama rechaçou a tendência endógama para o segundo plano, visando a impossibilitar a perigosa formação de pequenos grupos fechados sobre si, pois isso poderia levar finalmente à perda da coesão social. A tendência exógama obrigou a injetar "sangue novo", tanto do ponto de vista físico como mental, tendo-se revelado como poderoso instrumento de desenvolvimento da civilização. Spencer e Gillen escrevem acerca disso: "This system of what has been called group marriage, serving as it does to bind more or less closely together groups of individuals who are mutually interested in one another's welfare, has been one of the most powerful agents in the early stages of the upward development of the human race". (Este sistema denominado casamento de grupo, que serve para ligar mais ou menos intimamente entre si grupos de indivíduos mutuamente interessados em seu bem-estar, foi um dos fatores de progresso mais poderosos nos primeiros estágios do desenvolvimento da raça humana.)[34] Layard ampliou e aprofundou consideravelmente esta ideia na obra supracitada. Ele considera a tendência endógama (incestuosa) como um instinto autêntico, o qual, quando lhe é vedada a satisfação concreta na carne, vai realizar-se no plano espiritual. Assim como a ordem exógama torna a cultura possível, ela

---

33. Se, ao agir desta forma, se puder identificar uma forma qualquer de pensamento, este ato de pensar deve ser do tipo pré-consciente ou inconsciente. A explicação psicológica provavelmente não pode escapar desse tipo de hipótese.

34. SPENCER & GILLEN, 150, p. 74.

também encerra um objetivo espiritual latente. Layard diz: "Its latent or spiritual purpose is to enlarge the spiritual horizon by developing the idea that there is after all a sphere in which the primary desire may be satisfied, namely the divine sphere of the gods together with that of their semidivine counterparts, the culture heroes"[35]. (Seu objetivo latente ou espiritual é ampliar o horizonte espiritual, desenvolvendo a ideia de que, afinal de contas, existe uma esfera em que o desejo primário pode ser satisfeito, a saber, a esfera divina onde se movem os deuses, juntamente com a de suas contrapartes semidivinas, os heróis da civilização.) Realmente, a ideia do hierosgamos incestuoso aparece nas religiões dos povos civilizados e vai se ramificando até atingir a mais alta espiritualidade nas grandes representações do universo cristão. (O Cristo e a Igreja, *sponsus et sponsa*, a mística do Cântico dos Cânticos etc.) "Thus the incest taboo", diz Layard, "leads in full circle out of the biological sphere into the spiritual"[36]. (Assim sendo, o tabu do incesto, levado às últimas consequências, conduz para fora da esfera biológica e entra na esfera espiritual.) Em nível primitivo, a imagem do feminino, a *anima*, ainda está totalmente inconsciente e, portanto, em estado de projeção latente. Quando, graças à diferenciação, o sistema quádruplo de classes matrimoniais se transforma num sistema óctuplo[37], o grau de parentesco se dilui consideravelmente e, no sistema duodécuplo, o parentesco já fica inteiramente ultrapassado. Essas "dicotomias"[38], como são chamadas, servem manifestamente para alargar a delimitação das classes matrimoniais e incluir no sistema de parentesco novos grupos de população em número cada vez maior. Uma tal expansão só era possível, evidentemente, onde havia uma população maior[39]. O sistema matrimonial óctuplo (de oito graus) e mais ainda o duodécuplo (o de doze graus) representa por um lado um progresso enorme da ordem exógama, mas, por outro, uma repressão na mesma proporção da tendência endógama, que por sua vez é assim incitada a dar um novo sal-

---

35. LAYARD, 105, p. 284.

36. Op. cit., p. 293.

37. Em tal sistema, a desposada é a filha da filha do irmão da mãe da mãe.

38. Cf. HOCART, 66, p. 259.

39. Na China, por exemplo, encontramos vestígios do sistema duodecimal.

to evolutivo. Toda vez que uma força instintiva, isto é, toda vez que uma determinada quantidade de energia psíquica é recalcada e relegada a segundo plano por uma atitude unilateral do consciente (no caso de que tratamos aqui, pela tendência exógama), produz-se uma dissociação da personalidade. Diante da personalidade consciente orientada para uma direção (em nosso caso para a exógama), surge uma outra, inconsciente (a endógama), a qual, por ser inconsciente, é percebida como estranha e se manifesta, por conseguinte, de forma projetada. Primeiro ela é projetada sobre as figuras humanas que têm o poder de fazer o que os outros não têm o direito de fazer, por exemplo, sobre os reis e os príncipes. É esta provavelmente a razão das prerrogativas dos reis em relação ao incesto, de que o Egito Antigo nos fornece eloquentes exemplos. Mas na medida em que o poder mágico da pessoa do rei deriva cada vez mais dos deuses, a prerrogativa do incesto é transferida a estes últimos. É assim que se produz o hierosgamos incestuoso. No entanto, quando o numinoso da pessoa humana do rei passa para os deuses, ele é transferido a uma instância espiritual, o que significa que se deu a projeção de um complexo anímico autônomo e que nasceu a realidade da existência psíquica. Assim, Layard deriva logicamente a *anima* do numinoso da divindade feminina[40]. Na imagem da divindade, ela se encontra *projetada de um modo manifesto*, mas, quando ela aparece em sua própria forma (psicológica), ela é *introjetada*: segundo a expressão de Layard, ela é "the anima within" (a anima interior). É a *sponsa* (esposa) natural, ao mesmo tempo mãe, irmã, filha e esposa do homem desde a origem dos tempos; é essa companheira que a tendência endógama espera em vão encontrar na mãe ou na irmã. Exprime aquele anseio íntimo que, desde os tempos mais remotos, teve que ser sacrificado. É com razão, pois, que Layard fala de uma "internalisation through sacrifice" (interiorização através do sacrifício)[41].

439 É nas altas esferas dos deuses, bem como no mundo superior do espírito, que a tendência endógama revela sua possibilidade de apli-

---

40. LAYARD, 105, p. 281s.

41. P. 284. Posso lembrar aqui minhas considerações fundamentalmente semelhantes em *Wandlungen und Symbole der Libido*, 90. Reedição: *Symbole der Wandlung*, 88, parte II, cap. VII: O sacrifício [OC, 5].

cação. Nesse domínio ela se manifesta como uma pulsão de natureza espiritual e a vida do espírito em seu mais elevado grau apresenta-se à sua luz como um retorno às origens. Assim, ela transforma a via da evolução numa história dos pródromos de uma plenitude da vida humana no espírito.

440 A projeção especificamente alquímica parece uma estranha regressão: o deus e a deusa são reduzidos à categoria de rei e rainha, e estes aparecem por sua vez como simples alegorias de corpos químicos que estão a ponto de fazer uma ligação. Mas a regressão é apenas aparente. Na realidade, trata-se de um processo evolutivo igualmente todo particular: a consciência dos que na Idade Média estudavam a natureza encontra-se ainda sob a influência de representações metafísicas e, como não podem deduzi-las da natureza, eles as transferem à natureza. Procuram encontrá-las na matéria, pois suspeitam que é aí que se encontram. Trata-se de uma transferência do *nume*, semelhante à do rei para o deus. É como se o *nume* tivesse emigrado secretamente do mundo do espírito para o reino da matéria. No entanto, o fato de a projeção precipitar-se na matéria já levara os antigos alquimistas, como Morienus Romanus, por exemplo, ao nítido reconhecimento de que essa matéria não era apenas o corpo humano (ou pelo menos algo dentro dele), mas a própria pessoa humana. Esses mestres extremamente intuitivos superaram logo a fase inevitável do materialismo, cuja estupidez só ia nascer mais tarde do ventre do tempo. Mas foi preciso esperar pelas descobertas da psicologia moderna, para poder reconhecer que aquela "matéria" humana dos alquimistas era a *alma*.

441 No plano da psicologia, a complicação dos laços de parentesco do "*cross-cousin-marriage*" transforma-se inicialmente no problema da transferência, cujo dilema repousa no fato de que a *anima* e o *animus* são projetados sobre o parceiro humano. Isso produz vagamente um parentesco originário entre eles que remonta manifestamente à época do casamento grupal. Mas na medida em que o *animus* e a anima também representam indubitavelmente parte da personalidade, ou seja, os componentes do sexo oposto da personalidade, o seu caráter de parentesco não indica um retrocesso ao casamento grupal, mas um avanço no sentido da integração da personalidade, ou seja, no sentido da individuação.

442 A cultura do consciente em que vivemos atualmente – se é que podemos chamá-la de "cultura" – foi cunhada pelo cristianismo. Isso significa que nem *animus* nem *anima* estão integrados, mas ainda se encontram em estado de projeção –, em outras palavras, são expressos pelo dogma. Nesse nível, as duas figuras ainda permanecem inconscientes enquanto componentes da personalidade. No entanto, sua ação se manifesta no *nume* das representações dogmáticas do Esposo e da Esposa. Mas como a nossa "cultura" se revelou como um conceito bastante duvidoso, e pode ser considerada como um derivado ou um atraso em relação ao elevado ideal cristão, a maioria das projeções desligou-se das figuras divinas e se deslocou forçosamente para a esfera humana. E isso nada tem de surpreendente, porquanto os "espíritos esclarecidos" são incapazes de imaginar algo que seja superior ao homem, a não ser aqueles deuses substitutos que também se apresentam com reivindicações totalitárias, dizendo-se o Estado ou o *Führer*. Pudemos assistir sem dúvida alguma a essa regressão na Alemanha e em outros Estados. E onde isso aparentemente não ocorreu, as projeções que se desligaram das imagens divinas vieram complicar o relacionamento das pessoas entre si e destruíram no mínimo vinte e cinco porcento dos casamentos. Se estivermos dispostos a avaliar as peripécias da história universal não à luz de critérios tais como justo e injusto, verdadeiro e falso, bom ou mau, mas sim a ver em todo avanço um recuo, em todo bem, o mal, e em toda verdade, também o erro, então poderíamos comparar a presente regressão ao aparente retrocesso que levou da escolástica à mística dos filósofos da natureza e desta ao materialismo. Da mesma forma que este último conduziu finalmente à ciência empírica e, em seguida, a uma nova compreensão da alma, a psicose do totalitarismo com suas aterradoras consequências por um lado, e a deterioração insuportável das relações entre os homens por outro, nos obrigam a dedicar nossa atenção de novo à alma do homem e a sua sinistra inconsciência. Jamais, em tempo algum, a humanidade, em seu conjunto, fez a experiência do *nume* do fator psicológico numa escala tão fabulosa. Isso não deixa de ser uma catástrofe, um retrocesso sem precedentes, não resta a menor dúvida, mas não é de todo impossível que uma tal experiência tenha em seu bojo algo de positivo, algo que poderia tornar-se quem sabe o germe da civilização superior de uma era de renovação. De

fato, é possível que as exigências da endogamia não tenham por objetivo final a projeção, mas sim uma união interior dos componentes da personalidade, segundo o esquema do *cross-cousin-marriage*, porém no nível das "bodas espirituais", sob a forma de uma experiência interior não projetada. Aliás esta última já é representada nos sonhos há muito tempo por um mandala dividida em quatro partes e, segundo a experiência, parece significar ao mesmo tempo a meta do processo da individuação, ou seja, o si-mesmo[42].

443 Como resultado do aumento populacional, que acentuou a dicotomia das classes matrimoniais e, consequentemente, a expansão da sua ordem exógama, os limites esmaeceram progressivamente e nada mais restou além do tabu do incesto. A ordem social primitiva foi dando lugar a outros fatores de ordem que hoje culminam no conceito de Estado. Do mesmo modo que todo o passado pouco a pouco vai caindo no inconsciente, assim também a ordem social primitiva. Ela constitui um arquétipo que unificava da melhor forma possível a oposição entre a endogamia e a exogamia, posto que, em vez do casamento entre irmão e irmã que era proibido, ela instituía o "cross-cousin-marriage". Este tipo de união realiza-se entre parentes ainda próximos o bastante para satisfazer de algum modo a tendência endógama, mas já suficientemente distantes para incluir outros grupos e promover a expansão coesa e ordenada da tribo. Mas ao passo que a tendência exógama abolia pouco a pouco seus limites graças a uma dicotomia crescente, a tendência endógama tinha que fortalecer-se necessariamente, a fim de acentuar o parentesco e mantê-lo coeso. Semelhante reação desenrolou-se principalmente no domínio religioso e depois também no político, dando no primeiro origem às comunidades de culto e confissões religiosas – como as confrarias e a "fraternidade" cristã – e no segundo, às nações. Com a interdependência internacional cada vez maior e o enfraquecimento das religiões, essas delimitações já se tornaram imprecisas ou superadas e sê-lo-ão ainda mais no futuro. Isso cria uma massa amorfa, cujos pródromos já são perceptíveis nos fenômenos modernos da psique das massas. A ordem exógama primitiva aproxima-se progressivamente

---

42. Cf. *Psicologia e religião*. OC, 11/1.

do estado de caos, controlado com a maior dificuldade. Frente a isso só há um remédio: o fortalecimento interior do indivíduo, ameaçado de imbecilização e de dissolução na psique das massas. O que isso significa foi-nos mostrado com a maior clareza no passado recente. Nenhuma religião foi capaz de proteger contra essa ameaça e o nosso fator de ordem, o Estado, revelou-se até como o promotor mais eficaz da massificação. Nessas circunstâncias, a única maneira de enfrentar o problema deve ser a imunização do indivíduo contra o veneno da psique das massas. Como já dissemos, seria concebível que a tendência endógama interviesse nesse momento compensatoriamente, promovendo, no plano psíquico, o casamento, no interior do homem, entre parentes próximos. Em outras palavras, esse casamento seria a unificação dos componentes separados da personalidade que serviria de contrapeso à dicotomia crescente, ou seja, à dissociação psíquica do homem massificado.

444 No entanto, é da maior importância que esse processo se realize *conscientemente*, pois, caso contrário, as consequências psíquicas da massificação se instalariam inevitavelmente. Se a afirmação interior do indivíduo não se realizar conscientemente, ela se dará espontaneamente através do fenômeno que todos conhecemos do endurecimento inimaginável do homem massificado em relação ao seu semelhante. Ele se transforma num animal gregário e desprovido de alma, apenas regido pelo pânico e pela cobiça. Sua alma se perde, uma vez que esta só vive da relação humana. A realização consciente da unificação interior é inseparável da relação humana, que é uma condição indispensável, pois sem um vínculo com o próximo, reconhecido e aceito conscientemente, a síntese da personalidade simplesmente não se faz. De fato, essa realidade em que se realiza a unificação interior nada tem de pessoal nem pertence ao ego. Ela lhe é hierarquicamente superior, pois, como Si-Mesmo, representa uma síntese do eu com o inconsciente suprapessoal. O fortalecimento interior do indivíduo nada, absolutamente nada tem a ver com uma forma em nível superior do endurecimento do homem massificado, nem com uma atitude de isolamento espiritual e de inacessibilidade, por exemplo. Muito pelo contrário, ele inclui o próximo.

445 Realmente, na medida em que o fenômeno da transferência nada mais é do que uma projeção, ele cria tantas divisões quantos vínculos. Mas a experiência mostra que, mesmo depois de dissolvida a projeção, não se rompe uma certa conexão na transferência. Isso porque por detrás dela existe um fator instintivo da maior importância, a libido de parentesco. No entanto, diga-se a bem da verdade que, devido à expansão ilimitada da tendência exógama, resta a essa libido de parentesco apenas um campo de expressão muito restrito dentro do círculo familiar mais estreito, e mesmo aí nem sempre, em virtude da resistência (legítima aliás) ao incesto. A exogamia restringida pela endogamia deu origem outrora a uma ordem social natural que hoje desapareceu por completo. Todos e cada um são estranhos no meio de estranhos. A libido de parentesco, que nas comunidades cristãs primitivas ainda criava um vínculo que satisfazia o coração, perdeu seu objetivo há muito tempo. Mas como ela é um instinto, nenhum substituto, tal como uma confissão religiosa, um partido, a nação, o Estado, a satisfazem. O que ela quer é o vínculo *humano*. É este exatamente o núcleo do fenômeno da transferência, que é impossível eliminar, porquanto a relação com o Si-Mesmo é ao mesmo tempo a relação com o próximo. E ninguém se vincula com o outro, se antes não se vincular consigo mesmo.

446 Se a transferência permanecer o que ela é, ou seja, uma projeção, o vínculo por ela produzido revela uma tendência para a concretização regressiva, isto é, para a restauração atávica da ordem social primitiva. Mas a satisfação dessa tendência é de tal modo impossível em nosso mundo moderno, que cada passo dado nessa direção conduz a conflitos cada vez mais graves, ou seja, a uma verdadeira neurose de transferência. A análise da transferência é, portanto, indispensável, pois os conteúdos projetados devem ser integrados pelo sujeito, a fim de que o mesmo possa adquirir uma visão de conjunto, necessária à sua liberdade de decisão.

447 Se a projeção é suprimida, o vínculo negativo (ódio) ou o positivo (amor) produzido pela transferência pode desfazer-se quase que instantaneamente, de forma a não restar aparentemente nada além da cortesia de um relacionamento profissional. Num caso desse tipo,

não se pode negar ao médico nem ao paciente o direito de suspirar de alívio, apesar de se saber que, tanto para um como para o outro, o problema foi apenas adiado: mais dia, menos dia ele reaparecerá, aqui ou em outro lugar, pois por detrás pressiona sem trégua o impulso para a individuação.

448 O processo de individuação tem dois aspectos fundamentais: por um lado, é um processo interior e subjetivo de integração, por outro, é um processo objetivo de relação com o outro, tão indispensável quanto o primeiro. Um não pode existir sem o outro, muito embora seja ora um, ora o outro desses aspectos que prevaleça. Há dois perigos típicos inerentes a esse duplo aspecto: um, é que o sujeito se sirva das possibilidades de desenvolvimento espiritual oferecidas pelo confronto com o inconsciente, para esquivar-se de certos compromissos humanos mais profundos e afetar uma "espiritualidade" que não resiste à crítica moral; o outro consiste na preponderância excessiva das tendências atávicas, rebaixando a relação a um nível primitivo. O caminho estreito entre "Esquila e Caribdis", para cujo conhecimento a mística cristã medieval e a alquimia tanto contribuíram, passa por aí.

449 Visto por essa luz, o laço da transferência, por mais difícil de suportar e por mais incompreensível que pareça, é de importância vital, não só para o indivíduo como também para a sociedade, e, consequentemente, para o progresso moral e espiritual da humanidade como um todo. Que estas reflexões possam servir de consolo ao psicoterapeuta atormentado por difíceis problemas de transferência. Seu esforço não se destina exclusivamente àquele paciente, insignificante talvez, mas também a si próprio e à sua própria alma; e, quem sabe, está depositando um grãozinho infinitesimal no prato da balança da alma da humanidade. Sua contribuição, por menor e imperceptível que seja, não deixa de ser um *opus magnum* (grande obra), pois trabalha num campo para onde o nume imigrou recentemente e para onde se transferiu todo o peso da problemática da humanidade. As derradeiras e máximas questões da psicoterapia não são assunto particular, mas uma responsabilidade perante a suprema instância.

3. *A verdade nua*

450 O texto que acompanha a gravura do *Rosarium* é uma citação extraída do *Tractatus Aureus* de Hermes[1], mas com algumas modificações. Ei-la: "Quem quiser ser iniciado nesta arte e sabedoria oculta deve libertar-se do vício da arrogância, deve ser piedoso e honrado, de espírito profundo, deve ser humano para com os demais, mostrar semblante sorridente e disposição alegre e prestar-lhes homenagem, (além disso) deve observar os mistérios eternos que lhe são revelados. Meu filho, eu te exorto antes de mais nada a temer a Deus, que vê como tu ages ("in quo dispositionis tuae visus est"), e junto ao qual encontra auxílio o rejeitado, seja ele quem for (*adjuvatio cujuslibet sequestrati*)"[2]. E o *Rosarium* acrescenta uma citação do Pseudoaristóteles: "Ó, se Deus encontrasse no homem um espírito fiel (*fidelem mentem*), certamente ele lhe revelaria o seu segredo"[3].

451 Este apelo a qualidades obviamente morais deixa claro que a *opus* não exige apenas capacidades intelectuais ou conhecimentos técnicos, como por exemplo o aprendizado prático do exercício da química moderna, mas constitui muito mais um empreendimento que além de psíquico também é moral. É frequente encontrarmos nos textos exortações desse tipo. Elas propõem uma atitude semelhante à que é exigida na execução de um trabalho religioso. É neste sentido que os alquimistas concebiam o opus. Mas a gravura que contemplamos não parece concordar com uma tal introdução. Caiu o invólucro do pudor[4]. O homem e a mulher se defrontam com a maior naturalidade. O sol diz: "Ó lua, concede-me[5] tornar-me teu esposo". A lua responde: "Ó sol, é justo que eu te preste obediência". A pomba traz a inscrição: "É o espírito que unifica" (*spiritus est qui unificat*)[6]. Mas

---

1. Escrito de origem árabe, de procedência ainda não esclarecida. Encontra-se em *Ars Chemica*, 1, p. 7s. e (com escólios) em *Bibliotheca chemica curiosa*, 3, p. 400s.

2. No texto original esta passagem se apresenta um pouco diferente (1, I, p. 14): "in quo est nisus tuae dispositionis, et adunatio cuiuslibet sequestrati". Cf. *Psychologie und Alchemie*, 82, p. 372 [OC, 12; § 385 e nota].

3. 2, XIII, p. 227s.

4. Lembrando o Cântico dos Cânticos 5,3: "Exspoliavi me tunica mea". (Despojei-me de minha túnica.)

5. Ilegível no original: vgan?

6. Esta versão figura na edição de 1593. Na primeira, de 1550, lê-se "vivificat".

esta última frase não corresponde ao caráter indisfarçavelmente erótico da gravura; pois o que dizem o sol e a lua (que, por sinal, também são irmão e irmã) só pode referir-se ao amor terrestre. No entanto, o espírito que vem de cima e se coloca entre eles é designado como o unificador[7], e a situação adquire assim um aspecto novo: está-se falando de uma união segundo o espírito. Ora, um detalhe importante da gravura está perfeitamente de acordo com esta afirmação: o contato da mão esquerda foi eliminado. Mas, ao invés disso, a mão esquerda da lua e a mão direita do sol seguram os ramos (que deram origem às flores, às flores *Mercurii* [flores de Mercúrio] que correspondem aos três canos da fonte) e a mão direita da lua bem como a mão esquerda do sol tocam as flores. Mas a relação "da mão esquerda" cessou. Ambas as mãos tanto do homem como da mulher estão agora conectadas com o símbolo unificador. Neste símbolo também ocorreu uma modificação: há apenas três flores em vez de cinco e já não é mais uma ogdôada, mas uma héxada[8], uma figura de seis raios; em vez de uma dupla quaternidade, uma dupla trindade. Pelo visto, essa simplificação ocorreu, porque dois elementos de cada lado, pro-

---

7. A pomba também é um atributo da deusa do amor e já consta como símbolo do "amor coniugalis" entre os antigos.

8. Cf. JOHANNES LYDUS (109, II, 11): "O sexto dia é atribuído ao Phosphorus (estrela matutina) o qual simultaneamente aquece e umidifica para fecundar (γονίμως ὑγραίνοντι). É possível que ele seja filho de Afrodite, tal como Hesperos (estrela vespertina), conforme acreditam os helenos. Afrodite poderia ser chamada a natureza do universo passível de ser percebido pelos sentidos, ou seja, a hyle primogênita, que designa o oráculo tanto como conjuntura astral (’Αστερία), como celeste. O número seis é o mais propício à procriação *(γεννητιχώτατος)*, por ser par-ímpar, na medida em que participa simultaneamente da essência ativa que corresponde ao ímpar (περιττόν), que também significa o supérfluo e o excessivo!) e da essência da hyle, devido ao par. É esta a razão por que os antigos o denominavam casamento (γάμος) e harmonia. Porquanto, entre os números que vêm depois da unidade, ele é o único perfeito pelas suas partes, posto que é constituído em suas metades pelo três, em sua terça parte pelo dois e em sua sexta parte pela unidade (6 – 3+2+1). E dizem simplesmente que ele é tão masculino como feminino, como a própria Afrodite, cuja natureza também é masculina e feminina, sendo por isso chamada de masculino-feminina pelos teólogos. E outro ainda diz: O número seis é gerador de almas (ou pertence à ψυχογονία, *ψυχογονιχός)*, na medida em que do seis ele se multiplica até a esfera do todo (ἐπιπεδούμενος = πολλαπλασιασμός) e que os opostos (nele) se misturam. Ele leva à concórdia (ὁμόνοια) e à amizade, uma vez que também confere aos corpos a saúde, a harmonia dos cantos e da música; e à alma, as virtudes; ao Estado, a prosperidade; e ao todo, a providência (πρόνοια).

PHILOSOPHORVM.

ſeipſis ſecundum ęqualitatē inſpiſſentur. Solus enim calor tēperatus eſt humiditatis inſpiſſatiuus et mixtionis perfectiuus, et non ſuper excedens. Nā generatiões et procreationes rerū naturaliū habent ſolū fieri per tēperatiſsimū calorē et ęqualē, vti eſt ſolus fimus equinus humidus et calidus.

Figura 3

vavelmente os opostos, se uniram em um só, pois, segundo a doutrina alquímica, cada elemento encerra seu contrário "dentro" de si. A afinidade enquanto aproximação "amorosa" já surtiu portanto um efeito, posto que os elementos foram parcialmente unificados, de forma que agora só subsiste a oposição masculino-feminino, ou *agens-patiens* (ativo-passivo) (como também é sugerido pela inscrição). De acordo com o *Axioma de Maria*, a quaternidade elementar transformou-se em trindade ativa, que, por seu lado, se prepara para a *coniunctio* (união) dos dois.

452 Do ponto de vista psicológico, é preciso notar aqui que a situação deixou cair o manto das convenções e evoluiu para um confronto direto com a realidade, sem os véus da mentira, nem enfeites de qualquer espécie. O homem mostra-se, portanto, tal como ele é, e revela o que antes estava oculto sob a máscara da adaptação convencional, isto é, a *sombra*. Ao tornar-se consciente, a sombra é integrada ao eu, o que faz com que se opere uma aproximação à totalidade. *A totalidade não é a perfeição, mas sim o ser completo.* Pela assimilação da sombra, o homem como que assume seu corpo, o que traz para o foco da consciência toda a sua esfera animal dos instintos, bem como a psique primitiva ou arcaica, que assim não se deixam mais reprimir por meio de ficções e ilusões. E é justamente isso que faz do homem o problema difícil que ele é. Esta realidade fundamental temos que tê-la sempre presente à consciência, se quisermos continuar nosso desenvolvimento. Se a repressão não leva diretamente à estagnação, ela produz pelo menos um desenvolvimento unilateral, o qual por sua vez resultará numa dissociação neurótica. A questão hoje não é mais: como posso livrar-me de minha sombra? Pois vimos de perto a maldição que pesa sobre o ser só metade. O que temos que nos perguntar agora é: como pode o homem conviver com sua sombra, sem que isso provoque uma série de desgraças? O reconhecimento da sombra é motivo de humildade e até de temor diante da insondável natureza humana. E é até bom assumirmos essa atitude prudente, pois o homem sem sombra julga-se inofensivo, e isto justamente por ignorar a sua sombra. Mas quem conhece sua sombra sabe que não é inofensivo, porque é através dela que a psique arcaica e todo o mundo arquetípico entram em contato direto com a consciência, impregnando-a de influências arcaicas. No nosso caso, isso aumenta o peri-

go da "afinidade" com suas projeções falaciosas e sua tendência de assimilar o objeto no sentido da projeção, isto é, de conferir-lhe um caráter familiar, a fim de concretizar a situação incestuosa secreta: quanto menor o discernimento a respeito, tanto maior a atração e o fascínio que ela exerce. A vantagem da situação, a despeito de todo risco, é que o aparecimento da verdade nua reduz o diálogo ao essencial. Deste modo, o eu com sua sombra não permanece em estado de dualidade e cisão, mas se reestrutura em uma unidade ainda que conflitiva. Este passo evolutivo, porém, só faz com que a alteridade do parceiro se sobressaia mais nitidamente e o inconsciente procure então, via de regra, superar a distância, através de redobrada atração, para que a unidade desejada se realize de uma forma ou de outra. Isto vai de par com a ideia alquímica do fogo que alimenta o processo e que, no início, deve ser temperado, para depois ser progressivamente elevado ao seu mais alto grau.

4. A imersão no banho

453 Nesta gravura aparece um novo tema: o banho. De certa forma, estamos voltando à primeira figura, ou seja, à fonte mercurial, que representa o "jorrar". O líquido é o Mercúrio, que não tem somente três, mas "mil" nomes. Significa a tal substância psíquica misteriosa que hoje é designada pelo nome de psique inconsciente. A fonte que jorra do inconsciente atingiu o rei e a rainha, ou melhor, eles desceram nela como num banho. É um tema que a alquimia apresenta em numerosas variações. Limitar-me-ei a mencionar apenas algumas delas: o rei ameaçado de afogamento no mar ou preso dentro dele; o sol afogando na fonte mercurial; o rei transpirando na casa de vidro; o leão verde devorando o sol; Gabricus desaparecendo no corpo de sua irmã Beya e aí se dissolvendo em átomos. Interpretado, por um lado, como banho inofensivo, mas por outro também como invasão perigosa do "mar", o espírito ctônico Mercurius em forma de água, começa a pegar o casal real por *baixo*, da mesma maneira que antes vinha de *cima*, em forma de pomba. O contato das mãos esquerdas da segunda gravura foi suficiente, pelo visto, para despertar o espírito das profundezas, fazendo jorrar sua água.

ROSARIVM

corrũpitur, neq; ex imperfecto penitus secundũ artem aliquid fieri potest. Ratio est quia ars primas dispositiones inducere non potest, sed lapis noster est res media inter perfecta & imperfecta corpora, & quod natura ipsa incepit hoc per artem ad perfectionẽ deducitur. Si in ipso Mercurio operari inceperis vbi natura reliquit imperfectum, inuenies in eo perfectionẽ et gaudebis.

Perfectum non alteratur, sed corrumpitur. Sed imperfectum bene alteratur, ergo corruptio vnius est generatio alterius.

Speculum

Figura 4

454 A imersão no "mar" é o mesmo que dissolver (*solutio*), no sentido físico da palavra e, em Dorneus, também, resolver um problema[1]. É uma volta ao obscuro estado originário, ao líquido amniótico do útero grávido. Frequentemente os alquimistas dizem que a sua pedra se forma como uma criança no ventre materno; chamam o *vas hermeticum* (vaso hermético) de *uterus* (útero) e o seu conteúdo de *foetus* (feto). E da "água" também dizem o mesmo que da *lapis*: "Essa água fétida possui dentro de si tudo o que necessita"[2]. É um ser que se basta a si mesmo, como o ouroboros, "que devora sua própria cauda", e também é conhecido como aquele que se engendra, se mata e se devora a si mesmo. "Acqua est, quae occidit et vivificat"[3]. (É a água que mata e vivifica.) É a "*acqua benedicta*" (água-benta)[4], dentro da qual se prepara o nascimento do novo ser. O texto que acompanha a gravura explica que a "nossa pedra deve ser extraída da natureza dos dois corpos". O texto compara a água igualmente ao *ventus* (vento) da *Tabula Smaragdina*[5], onde se lê: "Portavit eum ventus in ventre suo". (O vento o carregou em seu ventre.) O nosso *Rosarium* acrescenta: "É claro que o vento é ar, que ar é vida e vida é alma, isto é, óleo e água"[6]. A ideia insólita de que a alma (scl. alma-alento) seja óleo e água é explicada pela dupla natureza do *Mercurius*. A *acqua*

---

1. "Studio philosophorum comparatur putrefactio chemica... ut per solutionem corpora solvuntur, ita per cognitionem resolvuntur philosophorum dubia". (A putrefação química pode ser comparada ao estudo dos filósofos... assim como os minerais se dissolvem pela dissolução, as dúvidas dos filósofos são dissolvidas pelo conhecimento.) DORNEUS, 5, II, p. 303.

2. No lugar do "aqua foetum" que não tem sentido, eu leio "aqua foetida" *(Ros. Phil.*, 2, *XIII*, p. 241). Cf. *Consilium Coniugii*, 1, II, p. 64: "Leo viridis, id est... aqua foetida, quae est mater omnium ex qua et per quam et cum qua praeparant..." (O leão verde, isto é... a água fétida, que é a mãe de todas as coisas, da qual, pela qual e com a qual fazem suas preparações...).

3. *Ros. Phil.*, 2, *XIII*, p. 214. Compare-se com *Aurora Cons.*, 34, I, cap. 12, onde a noiva, falando de si, emprega as palavras de Deus (Dt 32,39): "Ego oceidam et ego vivere faciam... et non est qui de manu mea possit eruere..." (Eu mato e faço viver... e não há quem se salve de minha mão).

4. *Ros. Phil.*, 2, XIII, p. 213.

5. RUSKA, 147, p. 114.

6. *Ros. Phil.*, 2, XIII, p. 237. Isto remonta a SENIOR, 160, p. 19, 31, 33.

permanens (água eterna) é um dos numerosos sinônimos de *Mercurius*; as expressões *oleum*, *oleaginitas*, *unctuosum*, *unctuositas*[7] designam em particular a substância arcana, que o *Mercurius* também é. Esta ideia lembra imediatamente os óleos de diversos tipos e a água benta usados pela Igreja. O rei e a rainha são uma outra maneira de representar essa dupla substância, provavelmente inspirada na *commixtio* (mistura) das duas substâncias no cálice da missa. Remeto o leitor a uma imagem análoga da conjunção nas *Très riches heures du due de Berry*[8], onde as duas substâncias são representadas por um "homenzinho e uma mulherzinha" nus, sendo ungidos no banho batismal do cálice por dois santos, no papel de acólitos. Existe indubitavelmente uma relação entre o *opus* alquímico e a missa, segundo prova o tratado de Melchior Cibinensis[9]. De fato o nosso texto diz: "anima est sol et luna" (a alma é o sol e a lua). O pensamento do alquimista, como todo pensamento medieval, é rigorosamente tricotômico[10]: o ser vivente – e a sua lapis também é um ser vivente – composto de *corpus*, *anima et spiritus* (corpo, alma e espírito). Nosso texto comenta a propósito[11]: "O corpo é Vênus e feminino, o espírito é Mercúrio e masculino"; assim sendo, a alma enquanto *vinculum* entre o corpo e o espírito seria hermafrodita[12], ou seja, uma *coniunctio* de "sol e *luna*". O hermafrodita por excelência é o *Mercurius*. Poderíamos concluir desta passagem que a rainha representa o corpo[13] e o rei, o espírito, mas sem a alma eles não se ligam, pois ela é o *vinculum* que a

---

7. Óleo, oleosidade, untuosidade.

8. 33. Cf. *Psicologia e alquimia*. OC,12 fig. 159.

9. 5, XI, p. 853s.

10. Cf. tb. *Aurora Consurgens*, 34, I, cap. 9: "qualis pater talis filius, talis et Spiritus Sanctus et hi tres unum sunt, corpus, spiritus et anima, quia omnis perfectio in numero ternario consistit, hoc est mensura, numero et pondere". (Tal como o pai, assim também o filho e igualmente o Espírito Santo; e esses três são um, corpo, espírito e alma, uma vez que tudo o que é perfeito consiste no número três, que é medida, número e peso.)

11. *Ros. Phil.*, 2, XIII, p. 239.

12. "Anima vocatur Rebis", 2, II, p. 180.

13. Segundo FIRMICUS MATERNUS, 42, p. 3, a Luna é "humanorum corporum mater".

ambos mantém unidos[14]. Assim, enquanto não existir o laço do amor, a alma não está presente neles. O elemento unificador em nossas gravuras é, de um lado, a pomba vinda de cima e, por outro, a água vinda de baixo. Este é o *vinculum*, isto é, justamente a alma[15]. A ideia da psique que aí está subentendida é, pois, uma substância meio corpórea, meio espiritual, uma *anima media natura* (alma de natureza intermediária)[16], como a definem os alquimistas[17], um ser hermafrodita que une os opostos[18], que no indivíduo jamais é completo sem a relação com outro ser humano. O ser humano que não se liga a outro não tem totalidade, pois esta só é alcançada pela alma, e esta, por sua vez, não pode existir sem o seu outro lado que sempre se encontra no "tu". A totalidade consiste em uma combinação do eu e do tu, ambos se manifestando como partes de uma unidade transcendente[19], cuja natureza só pode ser apreendida simbolicamente, como por exemplo pelo símbolo do redondo[20], da rosa, da roda ou da *coniunctio solis et lunae*. Sim, os alquimistas chegam até a dizer que o *corpus, anima et spiritus* (corpo, alma e espírito) da substância arcana são todos três uma e a mesma coisa, "pois todos vêm do Uno, pelo Uno e

---

14. Às vezes o espírito também representa o vinculum ou este último é uma natura ignea. NICOL. FLAMELLI. *Annotationes*, 5, VI, p. 887.

15. Psicologicamente substituir-se-ia "spiritus" por "mens".

16. Cf. *De Arte Chimica*, 2, XI, p. 584s. e MYLIUS, 121, p. 9.

17. "[...] Spiritus et corpus unum sunt mediante anima, quae est apud spiritum et corpus. Quod si anima non esset, tunc spiritus et corpus separarentur ab invicem per ignem, sed anima adiuncta spiritui et corpori, hoc totum non curat ignem nec ullam rem mundi". [...] o espírito e o corpo são um mediante a alma que está junto ao espírito e ao corpo. Se a alma não existisse, o espírito e o corpo se separariam um do outro pelo fogo; mas se a alma está unida ao espírito e ao corpo, o todo não é afetado nem pelo fogo, nem por outra coisa qualquer no mundo), 2, II, p. 180.

18. Compare-se com as observações de WINTHUIS, 159.

19. Não se trata evidentemente da síntese, ou seja, da identificação de dois indivíduos, mas da ligação consciente do eu com tudo aquilo que se esconde no "tu" em forma de projeção. Isso significa, portanto, que a realização da totalidade é um processo interpsíquico, que depende essencialmente de o indivíduo estar relacionado com outro ser humano. Esse estar relacionado é por assim dizer um estágio preliminar, uma possibilidade de individuação, mas não é prova de que a totalidade existe. A projeção no parceiro feminino contém a anima e, em certos casos, também o si-mesmo.

20. Compare-se com *Psicologia e alquimia* [OC, 12 índice].

com o Uno, o qual é sua própria raiz"[21]. Um ser que é fundamento e origem de si mesmo não pode ser outra coisa senão a própria divindade, a não ser que se adira ao dualismo implícito dos discípulos de Paracelso que pensavam que a *prima materia* é um *increatum* (algo não criado)[22]. O *Rosarium* (p. 251), anterior a Paracelso, diz o mesmo da quintessência: que ela é um "corpus per se subsistens, differens ab omnibus elementis et elementatis" (um corpo existente por si só, distinto de todos os elementos e de tudo o que se criou a partir deles).

455 No que diz respeito ao aspecto psicológico de nossa gravura, é evidente que se trata de uma descida ao inconsciente. A imersão na água é uma espécie de *travessia noturna do mar*[23], que também existe na alquimia, tal como prova a *Visio Arislei* (2, I). Nesse texto, os filósofos e o casal de irmão-irmã são trancados no fundo do mar dentro de uma tripla casa de vidro pelo *Rex Marinus* (Rei do Mar). Como nos mitos primitivos o calor no ventre da baleia[24] é tão intenso que o herói chega a perder os cabelos, assim também os filósofos sofrem um calor insuportável durante o seu encarceramento. E tal como no mito do herói, onde se trata de um novo nascimento e de uma *apokatastasis* (apocatástase), a questão aqui também é a reanimação do Thabritis (Gabricus) morto, ou o seu renascimento, segundo outras versões[25]. A travessia noturna do mar é uma espécie de "descensus ad inferos" (descida aos infernos), uma descida ao Hades, uma viagem ao país dos espíritos, portanto a um outro mundo que fica além deste mundo, ou seja, da consciência; é, pois, uma imersão no inconscien-

21. *Ros. Phil.*, 2, XIII, p. 369: "Quia ipsa omnia sunt ex uno et de uno et cum uno, quod est radix ipsius".

22. Compare-se com *Psicologia e alquimia* [OC, 12; § 430s.].

23. Cf. FROBENIUS, 52.

24. "Mansimus in tenebris undarum et intenso aestatis calore ac maris perturbatione", 2, I, p. 148. (Permanecemos na escuridão das ondas e no calor intenso do verão e na turbulência do mar).

25. Compare-se com o nascimento de Mitras "de solo aestu libidinis" (do único ardor do desejo) (Jerônimo, 64, col. 229). Na alquimia árabe também existe o fogo que liga em forma de "libido". Cf. *Turba philosophorum*, 2, II, Exercitatio XV, p. 181: "Inter supradicta tria (sc. corpus, anima, spiritus) inest libido" etc. (Entre os três supracitados [corpo, alma, espírito] mora um desejo [libido]).

te. Isso se produz aqui graças à subida do Mercúrio ctônico, incandescente, isto é, de uma libido provavelmente sexual, que inunda o casal[26], constituindo, pelo visto, a contrapartida da pomba celeste, que, segundo a tradição cristã que é a mesma da alquimia, tem um significado puramente espiritual, muito embora, desde os mais remotos tempos, tenha sido um pássaro símbolo do amor. Na região superior, o casal está unido pelo símbolo e pelo Espírito Santo. Parece, pois, que a imersão no banho vem realizar a união pela região inferior, pela água, compreendida como a contrapartida do espírito. ("Tornar-se água é morte para as almas", diz Heráclito). Oposição e identidade, simultaneamente – questão filosófica só na medida em que se trata de um problema psicológico.

456 Este processo reproduz a descida do homem primordial ao seio da *Physis*, de sua aproximação dessa *Physis* que ameaça capturá-lo; é uma imagem arcaica que perpassa toda a alquimia a modo de um *leitmotiv*. Em linguagem moderna, este momento corresponde à tomada de consciência das fantasias sexuais e à respectiva coloração da transferência. Nesta situação que já não dá margem a dúvidas é significativo que o casal continue segurando com ambas as mãos o símbolo radial transmitido pelo Espírito Santo e que representa o sentido de sua união: a totalidade transcendente do ser humano.

5. *A coniunctio*

457 O mar sepultou o rei e a rainha. Em outros termos: eles retornaram ao estado caótico primordial, à massa confusa. A *Physis*, envolvendo o homem-luz num ardente amplexo, fez dele seu prisioneiro. O texto diz: "Então Beya (que aqui representa o mar materno) eleva-se acima de Gabricus, encerrando-o em seu ventre, de tal forma que dele nada mais se vê. E ela abraçou Gabricus com amor tão gran-

---

26. Compare-se com a legenda da fig. 5a do *Rosarium*, 2, XIII, p. 303, onde se lê: "Mas aqui o sol é encarcerado / e inundado pelo Mercúrio dos filósofos".
O sol afogando-se na fonte de Mercúrio (p. 315) e o leão devorando o sol (p. 366) têm o mesmo significado, o que também indica a "ignea natura" do Mercurius (leo = domicilium Solis). Sobre este aspecto do Mercurius ler *Der Geist Mercurius*, 79, p. 120s. [OC, 13; § 113s.].

CONIVNCTIO SIVE

Coitus.

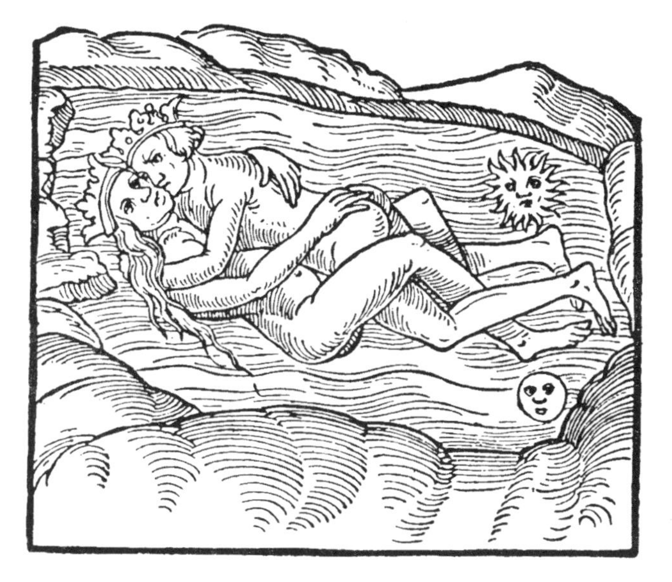

O Luna durch meyn umbgeben/und susse mynne/
Wirstu schön/ starck/und gewaltig als ich byn.

O Sol/ du bist uber alle liecht zu erkennen/
So bedarfstu doch mein als der han der hennen.

ARISLEVS IN VISIONE.

Coniunge ergo filium tuum Gabricum dilectiorem tibi in omnibus filijs tuis cum sua sorore Beya

Figura 5

de que o recebeu por inteiro em sua natureza, dissolvendo-o em partículas indivisíveis". E acrescenta, citando os versos de *MERCULINUS* (*MASCULINUS*)[1]:

> "Candida mulier, si rubeo sit nupta marito, Mox complexantur, complexaque copulantur, Per se solvuntur, per se quoque conficiuntur, Ut duo qui fuerant, unum quasi corpore fiant".
>
> (A cândida mulher e o rúbeo marido unidos em núpcias,
> Envolvem-se num abraço e no ato conjugal se entrelaçam,
> Dissolvem-se por si mesmos e também buscam seu aperfeiçoamento,
> Para que de dois que eram, se tornem por assim dizer um só corpo).

458 Na fecunda fantasia dos alquimistas, o hierosgamos do sol e da *luna* estende-se até o reino animal, conforme indica a instrução abaixo: "Toma o cão coetâneo e a cadela armênia, faze-os se acasalarem e eles te parirão um filhote cão" etc.[2] O simbolismo é o mais crasso possível. Por outro lado, o *Rosarium* diz (p. 247): "In hora coniunctionis maxima apparent miracula". (Na hora da conjunção aparecem os maiores milagres.) Pois é este o momento da concepção do *filius philosophorum*, isto é, da *lapis*. Uma citação de Alfidius diz a esse respeito (p. 248): "Lux moderna ab eis gignitur" (a nova luz é por eles gerada). Kalid diz que o filhote do cão é *coloris coeli* (da cor do céu), e que "este filho estará a teu serviço em tua casa desde o princípio, tanto neste mundo como no outro"[3]. E Senior diz a mesma coisa: "Ela deu à luz um filho que em tudo servia aos seus genitores. Mas ele é

1. Compare-se com § 472, nota 13.

2. *Ros. Phil.*, 2, *XIII*, p. 248. Citação do *Secretum Secretorum* de KALID, 2, VI, p. 340.

3. KALID, 2, VI, p. 340: "Et dixit Hermes patri suo: Pater, timeo ab inimico in mea mansione. Et dixit: Fili, accipe canem masculum Corascenem et caniculam Armeniae et iunge in simul et parient canem coloris coeli et imbibe ipsum una siti ex aqua maris: quia ipse custodiet tuum amicum et custodiei te ab inimico tuo et adiuvabit te ubicumque sis, semper tecum existendo in hoc mundo et in alio". (E Hermes dizia a seu pai: pai, temo o inimigo em minha casa. E ele dizia: Meu filho, toma um cão corasceno e uma cadela armênia, faz com que se acasalem e eles parirão um filhote cão da cor do céu, embebe-o com água do mar em sua sede única, pois ele será o guardião do teu amigo e te protegerá do teu inimigo e te ajudará onde estiveres, pois sempre ele ficará contigo neste mundo e no outro.)

mais brilhante e mais luminoso"[4], isto é, o seu brilho é maior que o do sol e da lua. Este é o verdadeiro sentido da *coniunctio*: produzir um nascimento que represente o Uno e o Unificado. É o reaparecimento do homem-luz que havia desaparecido, o qual, segundo o simbolismo gnóstico, tal como no cristão, é idêntico ao *Logos* que existia antes de toda Criação, e corresponde ao que encontramos no início do Evangelho de João. Trata-se, pois, de uma ideia cósmica; e isso basta para explicar os superlativos da definição alquímica.

459 A psicologia desse símbolo central não é nada simples. Examinando-o superficialmente, parece que o instinto da natureza saiu vencedor. Mas se olharmos mais de perto, verificaremos que a *cohabitatio* (coabitação) se realiza dentro da água, ou seja, *in mari tenebrositatis* (no mar das trevas), isto é, no inconsciente. Uma variante da nossa gravura que se encontra no *Rosarium* vem corroborar esta interpretação (fig. 5a). Nesta última, sol e *luna* aparecem igualmente dentro d'agua; mas os dois têm asas. Logo, representam os *spiritus*, isto é, seres do ar ou do pensamento. Como se pode provar pelos textos, sol e luna são dois vapores ou *fumi* que se desenvolvem pouco a pouco sob a ação do fogo cuja intensidade aumenta gradativamente, e que se elevam, como que levados por asas, da matéria inicial submetida à *decoctio* (decocção) e à *digestio* (digestão)[5]. Por esse motivo, o par de opostos também é representado por duas aves em luta uma com a outra[6] ou por um dragão alado e outro sem asas[7]. A união sexual de dois seres aéreos sobre a água ou debaixo dela em nada parece perturbar o alquimista, pois está tão habituado à permutabilidade

4. *Ros. Phil.*, 2, XIII, p. 248. A qualidade brilhante convém ao Mercurius (στίλβων!) bem como a Gayomart, o homem primordial, e a Adão. Comparar com CHRISTENSEN, 30, p. 22s.; e KOHUT, 100, p. 68, 72, 87.

5. A *Practica Mariae* (2, V, p. 321) faz da dualidade uma quaternidade "(Kibrich et Zubech) ... ipsa sunt duo fumi complectentes duo lumina" (... estas são as duas colunas de fumaça envolvendo os dois astros). Pelo visto, os quatro também correspondem aos quatro elementos, como diz o texto à p. 320: "... si sunt apud homines omnia 4 elementa, dixit compleri possent et complexionari et coagulari eorum fumi..." (... se os quatro elementos estão presentes no homem, dizia ele, as colunas de fumaça podem complementar-se, abraçar-se e fundir-se uma com a outra).

6. Compare-se com os símbolos de LAMBSPRINGK, 4, III, p. 337s.

7. Prontispício do *Poliphile*, 36. Cf. *Psicologia e alquimia* [OC, 12 p. 66].

PHILOSOPHORVM.

FERMENTATIO.

Hye wird Sol aber verschlossen
Vnd mit Mercurio philosophorum vbergossen.

O ij

Figura 5a

de seus sinônimos, que para ele a água não é só o fogo, mas também muitas coisas estranhas mais. Se interpretarmos, portanto, essa água como vapor d'agua, estaremos bem próximos à verdade. É que se trata de uma *solutio* (solução) em ebulição, na qual duas substâncias se ligam numa só.

460 A propósito do erotismo provocante da imagem, devo lembrar ao leitor que a mesma fora desenhada para os olhos da Idade Média, não tendo, por conseguinte, um significado pornográfico, mas sim simbólico. A hermenêutica e a meditação medievais eram capazes de contemplar sem o menor constrangimento as passagens mais embaraçosas do Cântico dos Cânticos e as transfiguravam pelo espírito. A imagem da *coniunctio* deve sem dúvida ser contemplada sob este aspecto: a união no plano biológico, como símbolo da *unio oppositorum* (união dos opostos) em seu sentido mais elevado. É o mesmo que declarar, por um lado, que a união dos opostos é tão essencial para a arte régia quanto a coabitação para a razão comum, e, por outro, que o *opus* é uma analogia da natureza, o que faz com que a energia do instinto se desloque, pelo menos em parte, para uma atividade simbólica. A criação de tais analogias libera o instinto e toda a esfera biológica da pressão dos conteúdos inconscientes. A ausência do símbolo, porém, sobrecarrega a esfera do instinto[8]. A analogia da gravura 5, para ser sincero, é algo explícita demais para o gosto moderno; tanto, que por pouco não atinge seu objetivo.

461 Como é do conhecimento de todo especialista, o paralelo psicológico encontrado na experiência médica pode revestir a forma de fantasias, as quais, quando desenhadas, pouco diferem da nossa gravura. O caso acima mencionado mostra que a concepção pode ser representada simbolicamente e, exatamente nove meses depois, o inconsciente – como que influenciado por uma *suggestion à échéance* ("sugestionamento a prazo") – pode produzir o simbolismo de um nascimento ou de um recém-nascido, sem que a paciente tenha tomado consciência da concepção psíquica que precedeu, ou tenha contado conscientemente os meses de gravidez. Todo esse processo se desen-

8. Donde a frase ambivalente: "In habentibus symbolum facilis est transitus". (Para os que possuem o símbolo a travessia é fácil) (MYLIUS, 121, p. 182.)

rola geralmente sob a forma de sonhos e só é descoberto no decorrer da elaboração retrospectiva do material onírico. Grande número de alquimistas calculam para a duração do *opus* o tempo de uma gravidez, comparando o seu processo a ela de uma maneira geral[9].

462 A tônica é colocada na *unio mystica* (união mística) conforme é mostrado claramente nas gravuras precedentes, pelo gesto das mãos segurando o símbolo unificador. É bem verdade – e tal não acontece provavelmente sem uma razão mais profunda – que o símbolo desaparece na imagem da *coniunctio*. É que nesse instante o significado do símbolo é realizado: os próprios parceiros tornaram-se o símbolo. No início cada um deles representa dois elementos; a seguir, esses elementos unem-se, dois a dois, em um só (integração da sombra!) e, finalmente, esses dois, juntamente com um terceiro elemento, fundem-se numa totalidade – "ut duo qui fuerant, unum quasi corpore fiant" (para que de dois que eram se tornem por assim dizer um só corpo). Assim se realiza o *Axioma de Maria*. Nessa unificação o Espírito Santo também desaparece, mas em compensação, conforme já dissemos, os próprios *sol et luna* tornam-se *spiritus*. Isso significa, na realidade, "coito em nível superior"[10], uma união em identidade inconsciente, que se poderia comparar ao estado primitivo e originário do caos ou da massa confusa, ou melhor, ao que se chama muito acertadamente de *participation mystique*[11] à relação e contaminação inconscientes de fatores heterogêneos. A *coniunctio* diferencia-se desta, não enquanto mecanismo, mas pelo fato de não ser um estado inicial natural, mas o produto de um processo ou a meta de um esforço. Psicologicamente ela também o é, mas em geral involuntariamente, sendo combatida sem trégua pelo médico consciencioso de orientação biológica. Fala-se por este motivo em "desligamento da transferência". Essa possibilidade de desligar do médico a projeção do pa-

---

9. Compare-se com KALID, 2, VII, p. 355s.

10. "Já não permaneces cativo / Na sombra da escuridão / E um novo desejo te abre inteiramente / Para um coito mais elevado". GOETHE: *West-Östlicher Divan*. Selige Sehnsucht (Saudade beatífica).

11. LEVY-BRUHL, que foi quem forjou este feliz conceito, evitou o termo "mystique" em suas publicações ulteriores.

ciente é desejada por ambas as partes e, quando conseguida, é registrada como tendo dado certo. De fato, em determinadas circunstâncias é possível realizá-la: por exemplo, quando por causa da pouca idade do paciente ou por qualquer disposição do seu destino, ou devido a um mal-entendido com o médico provocado pela projeção, ou, simplesmente, por razões de incontestável bom-senso, a transformação dos conteúdos inconscientes projetados chega a uma estagnação definitiva e ao mesmo tempo se apresenta uma possibilidade externa de deslocar a projeção a um outro "objeto". O mérito desta solução é mais ou menos o mesmo que o de conseguir convencer alguém a não entrar no convento, a não se aventurar numa expedição perigosa ou a não fazer um casamento insensato segundo a opinião de todos. O bom-senso é sem dúvida alguma altamente louvável, no entanto, em certos casos temos que nos perguntar se estamos tão seguros acerca das determinações do destino individual de cada um, que nos seja permitido opinar e dar o bom conselho em *toda e qualquer* circunstância. É evidente que temos que agir segundo as nossas profundas convicções, mas será certo que as nossas convicções também são o melhor para o outro? Quantas vezes nem sabemos o que é melhor para nós mesmos e pode acontecer que, passado algum tempo, agradeçamos a Deus do fundo do coração de que a sua mão bondosa nos tenha preservado do "bom-senso" dos nossos antigos planos. Depois, é fácil o crítico dizer: "Aquilo ainda não era bom-senso verdadeiro!" Mas quem é que sabe com inabalável certeza o momento do bom-senso verdadeiro? E então não faz parte da arte de viver o esquecer-se de vez em quando de tudo o que é considerado razoável e conveniente, para abrir espaço ao que não é tão razoável e conveniente assim?

463 Não devemos surpreender-nos, portanto, com a quantidade de casos em que o desligamento da transferência não é possível, apesar de todos os esforços, e mesmo que o paciente tenha toda a compreensão necessária do ponto de vista racional, e que o médico não possa acusá-lo nem acusar-se a si mesmo de qualquer negligência ou omissão técnica. Tanto o médico como o paciente podem estar profundamente impressionados, talvez, com a incomensurável irracionalidade do inconsciente e chegar à conclusão de que é preciso cortar o nó górdio com a espada de uma decisão violenta. Mas separar ir-

mãos siameses é uma cirurgia perigosa. Existem talvez alguns casos bem-sucedidos, mas, segundo a minha experiência, são raros. Por esse motivo, sou partidário de uma solução conservadora do problema. Quando a situação realmente não oferece nenhuma outra possibilidade de solução e o inconsciente insiste manifestamente em manter a ligação, neste caso é preciso prosseguir com o tratamento, numa atitude de expectativa. É possível que a transferência se resolva mais tarde, mas também pode ser que tenha ocorrido uma "gravidez" psíquica cujo desfecho natural é preciso aguardar, ou então que se trate de um destino que se assume com ou sem razão, ou que se procura contornar. O médico sabe que sempre e em qualquer lugar o homem se defronta com o destino. Mesmo a doença mais simples pode dar complicações e isso nos surpreende tanto quanto as inesperadas melhoras em estados aparentemente desesperadores. Às vezes a arte do médico ajuda, outras não. No domínio psíquico em especial, onde ainda sabemos tão pouco, deparamos frequentemente o imprevisível, o inexplicável, cujas causas e efeitos é difícil ou impossível descobrir. Nada se consegue à força na maioria dos casos, e quando aparentemente se consegue algum resultado, mais tarde talvez nos dê motivo de arrependimento. É melhor ter sempre presente ao espírito que o nosso saber e as nossas possibilidades são limitados. É preciso armar-nos de paciência e longanimidade mais do que de qualquer outra coisa, pois o tempo muitas vezes tem mais poder do que a arte. Nem tudo pode ou deve ser curado. É frequente que obscuros problemas morais ou inexplicáveis complicações do destino se ocultem por trás de uma neurose. Uma paciente sofria há anos de depressões e de uma estranha fobia de Paris. Chegou a libertar-se das depressões mas a fobia continuava insolúvel. Sentia-se tão bem, que resolveu assumir o risco de ignorar a fobia. Conseguiu ir até Paris, mas no dia seguinte perdia a vida em um acidente de carro. Outro cliente sofria de uma estranha fobia de escadarias e nada o curava disso. Encontrou-se um dia, por acaso, no meio de uma arruaça em que houve tiroteio. Ele estava justamente diante de um edifício público com largas escadarias de acesso. Apesar de sua fobia, subiu-as correndo a fim de abrigar-se no interior do edifício. Caiu mortalmente ferido nos degraus da escadaria por uma bala extraviada.

464 Tais casos mostram que os sintomas psíquicos devem ser interpretados com máximo cuidado e discernimento. As múltiplas formas e conteúdos da transferência exigem precauções semelhantes. Às vezes eles põem o médico diante de enigmas quase insolúveis ou lhe provocam tormentos que podem atingir ou até ultrapassar o limite do suportável. Sobretudo em personalidades de elevado senso ético que levam a sério o confronto com a alma isso pode gerar conflitos morais ou colisões de deveres, cuja insolubilidade – aparente ou real – já provocou mais de uma catástrofe. Apoiado em minha longa experiência, gostaria de fazer uma séria advertência àqueles que se deixam levar por um excesso de entusiasmo terapêutico. O trabalho com a alma pertence às coisas mais difíceis, mas é justamente neste campo que se aventuram os incompetentes. As Faculdades de Medicina também contribuem para este estado de coisas por terem deixado de reconhecer durante tanto tempo que a alma pertence aos fatores etiológicos da patologia, mesmo que não se saiba lidar com este dado. A ignorância certamente nunca foi uma recomendação, mas muitas vezes nem mesmo o maior saber é suficiente. Por isso, é bom que não se passe um único dia sem que o psicoterapeuta se lembre humildemente de que ainda tem tudo a aprender.

465 Não pense o leitor que a psicologia tem quaisquer condições de explicar o significado de termos como *coito em nível superior*, *coniunctio*, *gravidez psíquica* ou *criança da alma*. Não se pode levar a mal o leigo nesta área tão delicada, nem o nosso próprio cinismo por escandalizar-se com o que considera um mísero *ersatz* ou por ignorá-lo com um sorriso de compaixão e um tato agressivo. No entanto, a observação científica – isto é, a observação sem preconceitos –, a que busca apenas a verdade, deve precaver-se contra uma apreciação ou interpretação precipitadas, pois se defronta aqui com *fatos anímicos*, que nenhum juízo intelectual pode honestamente escamotear ou suprimir. Há entre os pacientes pessoas inteligentes e criteriosas, tão capacitadas quanto o médico para inventar interpretações minimizadoras, mas que, diante dos fatos de que são acometidas, não têm condições de se servirem dessa arma. Dizer que a coisa é "bobagem" não basta para livrar quem quer que seja daquilo que lhe adere ao corpo tiranicamente no silêncio e na solidão das noites. No entanto, é assim

que se comportam as imagens que emanam do inconsciente. Não importa o nome que se dê; a nomenclatura nada tem a ver com o fato em si. Se for uma doença, teremos que tratar esse *morbus sacer* (mal sagrado) de acordo com o que é. O médico tem que consolar-se com o fato de que, como todos os seus colegas, ele não tem somente pacientes curáveis, mas de que também existem os crônicos – dos quais trata, sem esperança de cura. Sem dúvida alguma, o material de observação não nos dá base suficiente para falarmos sempre de doença; pelo contrário, podemos perceber que muitas vezes se trata de um problema moral e que o que se gostaria naquele momento é de um padre, não para pregar sermões e querer converter, mas que ouça, obedeça e leve esse estranhíssimo assunto à presença de Deus, a fim de que Ele decida.

466 *Patientia et mora* (paciência e lentidão) são indispensáveis nesse trabalho. Temos que saber esperar. Há trabalho suficiente com a elaboração atenta dos sonhos e dos demais conteúdos inconscientes. O que o médico não suporta, o paciente também não vai poder suportar. Por esta razão, é importante que o médico tenha um conhecimento real dessas coisas e não simples opiniões a respeito, que não passam de emanações da filosofia dominante do momento, e que se encontra na boca de todo mundo. Foi para ampliar esse conhecimento tão necessário que mergulhei em minhas pesquisas naquele remotíssimo passado em que a introspecção e projeção ingênuas ainda eram ativas e refletiam os panos de fundo da alma, que para nós estão praticamente sepultados. Durante essas pesquisas, aprendi muita coisa interessante para o meu trabalho clínico, aprendi sobretudo a compreender o incomensurável poder de fascínio dos conteúdos em questão. Na realidade, nem sempre tais conteúdos se apresentam como particularmente fascinantes ao paciente, mas, em compensação, ele sente com redobrada força a compulsão dessa amarra, em cuja intensidade ele pode reencontrar o poder daquelas imagens de fundo. No entanto, ele vai interpretar a presença dessa amarra, racionalmente, de acordo com o espírito contemporâneo, o que não lhe permitirá perceber nem aceitar os fundamentos irracionais de sua transferência, ou seja, as imagens arquetípicas.

6. *A morte*

467 O *vas hermeticum* (vaso hermético), fonte e mar tornaram-se aqui sarcófago e sepultura. O casal está morto. Fundiram-se num ser bicefálico (de duas cabeças). Depois da festa da vida vem o lamento da morte. Da mesma forma que Gabricus morre depois de se unir à irmã, e que, de um modo geral, o filho-amante da deusa-mãe da Ásia Menor tem um fim prematuro após a hierosgamos, assim também a *coniunctio oppositorum* (união dos opostos) é seguida de uma estagnação semelhante à morte. De fato, quando os opostos se unem, cessa toda a energia: não há mais desnível. Nos transportes de alegria e da paixão nupciais, a queda d'água atingiu a maior profundidade, dando origem a uma lagoa estagnada, sem ondas nem correnteza. Pelo menos é o que parece, quando se olham as coisas de fora. Como se lê na legenda, a imagem representa a *putrefactio* (putrefação), logo, a decomposição de uma estrutura que até então era viva. Mas a gravura também se denomina "*conceptio*" (concepção). O texto diz: "Corruptio unius generatio est alterius" (a destruição de um é geração de outro)[1], o que sugere que esta morte é um estado intermediário, ao qual se seguirá uma nova vida. Não há vida nova que possa surgir, diziam os alquimistas, sem que antes morra a velha. Eles comparam a sua arte à atividade do semeador que introduz a semente do trigo na terra, onde ela morre, para despertar para uma vida nova[2]. Imitam, portanto, a obra da natureza com o que chamam de *mortificatio*, *interfectio*, *putrefactio*, *combustio*, *incineratio*, *calcinatio*[3] etc.

---

1. AVICENA, 2, *X*, p. 426.

2. Compare-se com *Aurora Consurgens*, 34, I, cap. 12 (segundo Jo 12,24). HORTULANUS (RUSKA: *Tabula Smaragdina*, 147, p. 186): "Vocatur (lapis) etiam granum frumenti, quod nisi mortuum fuerit, ipsum solum manet" etc. (Ela [a pedra] também é chamada grão de trigo, o qual, se não morre, permanece só). Tão pouco animadora quanto esta é a outra comparação também muito apreciada: "Habemus exemplum in ovo quod putrescit primo et tunc gignitur pullus, qui post totum corruptum est animal vivens". (Temos um exemplo no ovo: primeiro ele apodrece para depois formar o pintinho, que surge como animal vivo depois da deterioração total.) *Ros. Phil.*, 2, XIII, p. 255.

3. Matança, assassinato, putrefação, combustão, incineração, calcinação etc.

Do mesmo modo, comparam sua obra à morte do homem, sem a qual a vida nova, a vida eterna, não pode ser alcançada[4].

468 O cadáver, aquilo que resta após a festa, já é um corpo novo, um *hermafrodita* (união de Hermes-Mercúrio com Afrodite-Vênus). Por este motivo, nas representações alquímicas, metade do corpo é masculina e a outra metade, feminina (no *Rosarium*, a metade feminina é a metade esquerda)[5]. Ora, como o hermafrodita se revela como sendo a *rebis* procurada, ou a *lapis*, ele representa o ser para cuja produção fora empreendida o *opus*. Todavia, o trabalho não está concluído enquanto a *lapis* não viver. Esta é concebida como animal, como ser vivo, dotado de corpo, alma e espírito. A legenda declara que o casal, representando o espírito e o corpo, está morto, e que a alma (manifestamente apenas *uma*)[6] deles se separa "numa grande aflição"[7]. Muito embora outros significados também desempenhem um papel importante, não podemos furtar-nos à impressão de que a morte seja uma espécie de castigo (implícito) pelo incesto cometido, pois "a morte é o soldo do pecado"[8]. Isto explicaria, realmente, a "grande aflição" da alma, bem como o negrume[9] mencionado na variante da nossa série de gravuras ("Hie ist Sol worden schwartz": "Aqui o sol se

---

4. Comparar com RUSKA, *Turba*, 148, p. 139, Sermo XXXII: "Tunc autem, doctrinae filii, ilia res igne indiget, quousque illius corporis spiritus vertatur et per noctes dimittatur, ut homo in suo túmulo, et pulvis fiat. His peractis reddet ei Deus et animam suam et spiritum, ac infirmitate ablata confortatur ilia res... quemadmodum homo post resurrectionem fortior fit" etc. (Pois sim, ó adeptos, esta substância precisa do fogo até que o espírito do seu corpo seja transformado, e deve permanecer abandonado noites a fio, como um ser humano em seu túmulo, até tornar-se pó. Após o que, Deus lhe devolverá a alma e o espírito, e a substância será curada de toda enfermidade... da mesma forma o homem será mais forte após a ressurreição).

5. 2, XIII, p. 291.

6. Cf. SENIOR, 160, p. 16: "... et reviviscit, quod fuerat morti deditum... post inopiam magnam" (... o que foi entregue à morte, revive depois da maior aflição).

7. Compare-se acima, com a ψυχογονία da héxada, em Joh. Lydus.

8. Neste ponto, o alquimista se baseia em Gn 2,17: "Quocumque enim die comederis ex eo, morte morieris". (... pois assim que disto provardes, terás de morrer.) É o pecado de Adão que faz parte do drama da Criação. "Cum peccavit Adam eius est anima mortua" (Depois que Adão pecou, sua alma morreu), diz GREGÓRIO O GRANDE, 55, Epist. CXIV.

9. *Ros. Phil.*. 2, XIII, p. 324.

PHILOSOPHORVM.

CONCEPTIO SEV PVTRE
factio

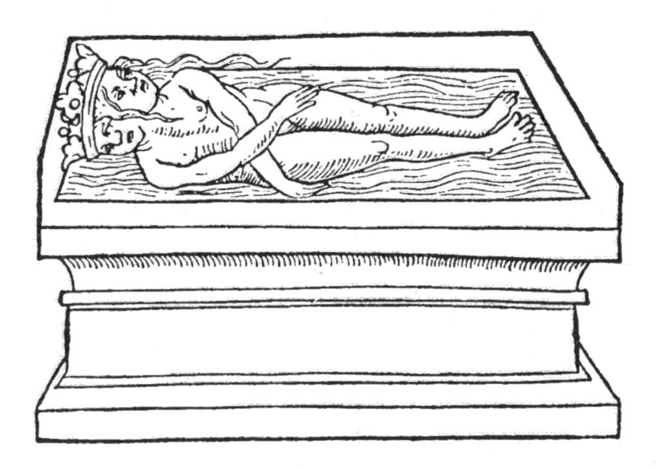

Hye ligen könig vnd köningin dot/
Die sele scheydt sich mit grosser not.

ARISTOTELES REX ET
Philosophus.

Nunquam vidi aliquod animatum crescere sine putrefactione, nisi autem fiat putridum inuanum erit opus alchimicum.

Figura 6

tornou negro")[10]. Este negrume é *immunditia* conforme mostra a *ablutio* (ablução) que mais tarde se torna necessária. A *coniunctio*, por ser um incesto, foi culposa e deixa vestígios de impureza. A *nigredo* sempre aparece associada à *tenebrositas*, à escuridão do sepulcro e do Hades, para não dizer do inferno. A descida que se inicia com o banho nupcial conduziu, portanto, às profundezas do abismo, à morte, às trevas e à culpa. Mas aos olhos do adepto o aspecto da esperança está presente desde já, com o aparecimento do ser hermafrodita, o que à primeira vista ainda não transparece no plano psicológico.

469 A situação descrita em nossa gravura é uma espécie de Quarta-feira de Cinzas. É a hora do acerto de contas e o que se abre é um vazio tenebroso. A morte significa um estado de absoluta extinção da consciência e, por conseguinte, uma completa estagnação da vida anímica enquanto capacidade de consciência. As coisas tomam um rumo catastrófico: em muitos lugares isso era objeto de lamentações anuais (como as lamentações de Linos,Tammuz, Adonis)[11] e deve corresponder a um arquétipo importante, uma vez que até hoje ainda existe uma Sexta-feira Santa. É que um arquétipo representa um acontecimento típico. Como vimos, ocorre na *coniunctio* uma união de duas figuras, uma das quais representa o princípio do dia, da consciência luminosa e a outra, a luz noturna, ou seja, o inconsciente. Este último sempre é projetado, pois não pode ser observado diretamente, uma vez que não pertence ao eu como a sombra, mas é coletivo. Por este motivo é sentido como estranho e presumido em poder da pessoa com a qual existe um certo vínculo emocional. Além disso, no ho-

---

10. A nigredo não aparece como o estado inicial, mas já como o produto de um processo anterior. A sequência no tempo das fases do opus é coisa bastante incerta. Deparamos a mesma incerteza no processo da individuação, no qual só se pode estabelecer um esquema típico da sequência das fases, de modo muito genérico. A razão profunda dessa "desordem" é sem dúvida a "intemporalidade" do inconsciente, uma vez que a ordem sequencial consciente é coexistência e simultaneidade no inconsciente. Chamei este fenômeno de *sincronicidade*. Cf. *Synchronizität als ein Prinzip akausaler Zusammenhänge*, 89 (*Sincronicidade*. Petrópolis: Vozes, OC, 8/3). Outro ponto de vista justifica a expressão "elasticidade do tempo inconsciente" para designar o fenômeno (em analogia à "elasticidade do espaço" que também existe). Quanto à relação entre a psicologia e a física atômica remeto o leitor a C.A. MEIER: *Moderne Physik* – moderne Psychologie, 115.

11. Ez 8,14: "Lá eu vi mulheres sentadas, chorando a morte de Tamuz".

mem, o inconsciente tem um sinal feminino, está, por assim dizer, recolhido em seu lado feminino, que não reconhece como tal. Encontra-o, porém, naturalmente na mulher que de uma forma ou de outra o fascina. Deve ser esta a razão por que a alma (*anima*, ψυχή) é do sexo feminino. Assim sendo, quando se estabelece uma identidade inconsciente de qualquer tipo entre um homem e uma mulher, o homem assume os traços do *animus* da mulher e esta, os da *anima* do homem. Muito embora nem *animus* nem *anima* se constelem sem a intervenção da personalidade consciente, isso não quer dizer que a situação assim criada seja apenas uma relação e um envolvimento pessoais. Este aspecto pessoal é sem dúvida uma realidade, mas nem por isso constitui o essencial. O essencial é a *experiência subjetiva* da situação. Em outros termos, é um erro acreditar que a maneira pessoal de se relacionar com o parceiro desempenhe o papel principal. Este papel cabe, pelo contrário, ao confronto interior do homem com a *anima*, e da mulher, com o *animus*. Aliás a *coniunctio* também não se realiza com o parceiro pessoal: é um jogo régio entre a parte ativa e masculina da mulher, isto é, o *animus* por um lado e a parte passiva e feminina do homem, isto é, a *anima* por outro. Ainda que o eu seja constantemente tentado por essas duas figuras a identificar-se com elas, um confronto verdadeiro, mesmo de ordem pessoal, só é possível quando a referida identificação *não* ocorre. Essa não identificação requer um esforço moral considerável. Além disso, ela só é legítima quando não a utilizamos como pretexto para nos esquivarmos de um certo grau necessário de confronto pessoal. Se o enfoque psicológico com o qual empreendemos esse confronto for excessivamente personalista, não estaremos levando na devida conta o fato de que se trata de um arquétipo coletivo, o qual não deve de forma alguma ser entendido de um modo pessoal. Ele constitui, muito pelo contrário, um pressuposto universal, e isto a um ponto tal, que muitas vezes nos parece aconselhável referirnos não a *minha anima* e a *meu animus* e sim *à anima* e *ao animus* simplesmente. Enquanto arquétipos, essas figuras são, pelo menos em sua metade, grandezas coletivas e impessoais. E quando ocorre uma identificação com elas, por mais que nos imaginemos ser nós mesmos, é justamente nesse momento que estamos mais afastados de nós e mais próximos do *homo sapiens* médio. A ideia de que, em última análise, se trata de uma *união transubjetiva de formas arquetípicas* deveria estar constantemente presente ao espírito dos atores pessoais do jogo real. Além do mais, nunca se deveria esquecer que a relação é de *ordem simbólica* e tem por meta realizar a individuação. Em nossa série de gravuras, esta ideia é sugerida pela "linguagem das flores". Ora, se o *opus* intervier sob a forma de rosa ou *rota*, a relação inconsciente e unicamente pessoal torna-se um problema psicológico, o que impede, sem dúvida, que se mergulhe num total obscurecimento, mas não vai abolir o efeito atuante do arquétipo. Se é preciso pagar pelo caminho errado, o certo também tem seu preço. Por mais que os alquimistas celebrem a *venerabilis natura* (venerável natureza), *trata-se de qualquer maneira de um opus contra naturam*. É contra a natureza cometer um incesto e é contra a natureza não seguir uma forte atração. E, no entanto, também é a natureza que obriga a uma tal atitude, uma vez que se trata da libido de parentesco. É, portanto, como dizia Pseudo-Demócrito: "A natureza se alegra com a natureza, a natureza vence a natureza e a natureza domina a natureza"[12]. No homem, os instintos não estão em harmonia uns com os outros: exercem violenta pressão uns sobre os outros e tentam eliminar-se reciprocamente. No entanto, segundo a ótica otimista dos antigos, esta luta não tem caráter caótico, mas busca uma ordem superior.

470 O choque com a *anima* e o *animus* constitui, portanto, um conflito e um problema difícil de resolver, dentro dos quais somos colocados pela própria natureza. Não importa que façamos isto ou aquilo, de qualquer modo a natureza se ressente e tem que sofrer por assim dizer até a morte, pois o homem puramente natural deve morrer de certa forma durante sua própria vida. O símbolo cristão do crucifixo é um modelo e uma verdade "eterna" justamente por isso. Certas imagens medievais mostram o Cristo pregado na cruz por suas próprias virtudes. Em outros seres humanos são os vícios que se encarregam disso. Aquele que se encontra a caminho da totalidade não pode escapar desta estranha suspensão representada pela crucifixão. Com efeito, ele encontrará infalivelmente aquilo que atravessa o seu caminho e o *cruza*, isto é, em primeiro lugar aquilo que ele não que-

---

12. Ἡ φύσις τῇ φύσει τέρπεται, χαὶ ἡ φύσις τὴν φύσιν νιχᾷ, χαὶ ἡ φύσις τὴν φύσιν χρατεῖ. BERTHELOT, 26, II, I, 3.

ria ser (a sombra), em segundo lugar, aquilo que não é *ele*, mas o outro (a realidade individual do tu) e em terceiro lugar, aquilo que é seu Não eu psíquico, o inconsciente coletivo. Esse atravessar é sugerido pelo entrecruzamento dos ramos floridos levados pelo rei e pela rainha. Estes últimos, por sua vez, representam aquilo que cruza o caminho do homem em forma de *anima* e o da mulher, na de *animus*. O encontro com o inconsciente coletivo é determinado pelo destino; o homem natural nem suspeita sua existência até que um dia se vê mergulhado nele. ("Tu és consciente de um só instinto. Ó! não aprendas jamais a conhecer o outro!" [Fausto].)

471 É este processo, à primeira vista desconcertante, que constitui a base do *opus*. Por isso ela se esforça por representar o conflito, a morte e a ressurreição, figurativamente, em plano superior, ora na *practica*, na forma de transmutações químicas, ora na *theoria*, na forma de conceitos e imagens. É permitido supor que este mesmo processo seja a base de certas *opera* (realizações) religiosas, uma vez que existem paralelos importantes entre a simbologia da Igreja e a alquimia. Este processo é conhecido como psíquico por excelência pela psicoterapia e pela psicologia das neuroses, posto que ele constitui o conteúdo da neurose de transferência. O objetivo essencial do *opus psychologicum* é o desenvolvimento da consciência, isto é, em primeiro lugar, a tomada de consciência dos conteúdos até então projetados. Esse esforço leva pouco a pouco ao conhecimento do outro, bem como ao conhecimento de si e, assim, a distinguir o que a pessoa é na realidade daquilo que nela é projetado ou o que ela fantasia a seu respeito. Neste processo estamos tão empenhados em nosso próprio esforço, que mal percebemos a que ponto a "natureza" nos impele e nos ajuda; em outras palavras, mal percebemos o quanto o instinto está interessado em atingir esse nível superior de consciência. Esse impulso em direção a uma consciência superior e mais ampla é que leva a forçar a conquista da civilização e da cultura. No entanto esta meta não será atingida, se o homem não se puser livremente a seu serviço. Para os alquimistas, o *artifex* (artífice) da obra é o servidor, e não é ele, mas sim a natureza que a leva à perfeição. Contudo, isso exige vontade e saber por parte do homem. Faltando essas duas coisas, o impulso em direção à consciência permanece preso no nível do

simbolismo primitivo e apenas perverte aquele desejo de totalidade. Este, para realizar seu objetivo, precisa de todas as partes da totalidade, inclusive as que são projetadas em um tu. É aí que o *artifex* vai procurá-las, a fim de reconstituir aquele casal régio que está presente na totalidade de todo ser humano, ou seja, aquele homem primordial bissexuado "que se basta a si mesmo". Quando esse instinto se manifesta, ele aparece primeiro disfarçado no simbolismo do incesto, pois o feminino mais próximo de um homem é sua mãe, sua mulher ou sua filha, quando ele não o procura dentro de si.

472 Com a integração das projeções que o homem puramente natural, em sua ingênua simplicidade, ainda não consegue reconhecer como tais, a personalidade se amplia de tal forma, que a personalidade normal do eu se dissipa em grande parte. Em outras palavras, quando o homem se identifica com os conteúdos a serem integrados, ocorre uma *inflação* positiva ou negativa. A inflação positiva assemelha-se a uma megalomania mais ou menos consciente; a inflação negativa vai resultar num aniquilamento do eu. Também pode acontecer que esses dois estados se alternem. Em todo caso, a integração de conteúdos que sempre estiveram inconscientes e projetados significa uma grave lesão do eu. A alquimia exprime este fato através dos símbolos da morte, ferimento, envenenamento, ou então através da estranha ideia da hidropisia, representada no *aenigma Merlini* (enigma de Merlin)[13] pela ingestão excessiva de água pelo rei. Ele bebe tanta água, que acaba se dissolvendo a si mesmo e precisando da ajuda dos médicos alexandrinos para ser curado[14]. Ele superestima suas forças

---

13. Provavelmente Merlinus tem tão pouco a ver com o mago Merlin, como o "Rei Artus" com o Rei Artur. Merlinus deve ser um Merculinus, diminutivo de Mercurius e pseudônimo de um filósofo hermético. Artus é o nome egípcio-helenístico de Horos. As formas Merqûlius e Marqûlius são reconhecidas pelos árabes para designar o Mercurius. Jûnân ben Marqûlius é Ion (Ἴων) da Hélade, o qual, segundo a mitologia bizantina, é um filho de Mercurius (CHWOLSOHN, 31, I, p. 796). El-Maqrizi diz: "Merqûlianos... são os edessênios, que estavam na região de Harrân", logo, ao que tudo indica, os Ssabios (op. cit., II, p. 615). Ion em Zósimo (BERTHELOT, 26, III, I, 2) deve corresponder ao que foi dito acima.

14. MERLINUS, 2, IX, p. 393. "Rex autem... bibit et rebibit, donee omnia membra sua repleta sunt, et omnes venae eius inflatae". (O rei porém... bebeu e tornou a beber, até encher todos os seus membros e inflar todas as suas veias.)

diante do inconsciente e acaba se dissociando: "ut mihi videtur omnia membra mea ab invicem dividuntur". (Parece-me que todos os meus membros se separam uns dos outros.)[15] A própria *mater alchemia* (mãe alquimia) é hidrópica na parte inferior do corpo[16]. Na alquimia, pelo visto, a inflação assume a forma de um edema psíquico[17].

473 Como diz a alquimia, a morte significa simultaneamente a *concepção* do *filius philosophorum*, cuja ideia é uma variação particular da doutrina do *anthropos*[18]. Gerar pelo incesto é uma prerrogativa de reis e deuses, e proibida ao homem comum. O homem comum é o homem natural, ao passo que o *rei* e herói é o homem *sobrenatural*, o πνευματικὸς, o qual é "batizado pelo espírito e pela água": ele é concebido na *aqua benedicta* (água benta) e dela nasce. É o Cristo gnóstico que no batismo desce sobre o homem Jesus e o abandona antes de sua morte. Este "filho" é o homem novo, gerado pela união do rei e da rainha, mas é um filho que não nasce da rainha, mas é a própria rainha que, juntamente com o rei, se transforma nesse novo nascimento[19].

474 Traduzido em linguagem psicológica, o mitologema diz o seguinte: a união do consciente ou da personalidade do eu com o inconsciente personificado pela anima gera uma nova personalidade que compreende esses dois componentes "ut duo qui fuerant, unum quasi corpore fiant" (a fim de que de dois que eram se tornem por assim dizer um só corpo); a nova personalidade não é, de forma alguma, um terceiro termo entre o consciente e o inconsciente, ela é os dois. Ela transcende a consciência e por esta razão já

15. No *Tractatus Aureus de lapide Phil.* (4, I, p. 51), para fortalecer-se e adquirir boa saúde, o rei bebe a aqua pernigra (água muito preta) que aqui é qualificada como sendo pretiosa et sana. Aqui o rei já é o novo nascimento, o si-mesmo, que assimila a "água preta", isto é, o inconsciente. A água preta significa o pecado de Adão, a vinda do Messias e também o fim do mundo no *Baruch-Apokalypse* (Apocalipse de Baruc), 21.

16. *Aurora Consurgens*, 2, III, p. 196.

17. Por isso a advertência: "Cave ab hydropisi et diluvio Noe". (Cuidado com a hidropisia e com o dilúvio de Noé). RIPLAEUS, 141, p. 69.

18. Comparar com as minhas provas em *Psicologia e alquimia* [OC, 12; § 456s.].

19. Esta é uma das diferentes versões.

não deve ser definida como *eu*, mas sim como *si-mesmo*. A respeito deste conceito é preciso lembrar o *atman* hindu, cuja fenomenologia, ou seja, cuja existência pessoal e cósmica é um paralelo exato do conceito psicológico do si-mesmo e do *filius philosophorum*[20]: o si-mesmo é eu e não eu, subjetivo e objetivo, individual e coletivo. É o *símbolo unificador*[21], por constituir a mais alta representação da união dos opostos. Consequentemente, devido a sua natureza paradoxal, ele só pode ser expresso através de figuras simbólicas. Todo médico sabe que esses símbolos aparecem de modo empírico nos sonhos e fantasias espontâneas além de serem expressos concretamente na temática da mandala presente nos sonhos, nos desenhos e pinturas dos pacientes. Assim sendo, o si-mesmo não é uma doutrina, bem entendido, mas uma imagem que nasce por *operatio naturae* (operação da natureza), como símbolo natural e além de toda intencionalidade. Vejo-me obrigado a insistir neste ponto de que se trata de algo natural, posto que alguns dos meus contendores ainda insistem em acreditar que podemos livrar-nos dos fenômenos do inconsciente, considerando-os como meras especulações. Trata-se de fatos observáveis, e isto todo médico que lida com casos deste tipo pode constatar. A integração do si-mesmo é, no fundo, um problema da segunda metade da vida. Sem dúvida, os símbolos oníricos com características de mandala já podem surgir muito tempo antes, sem que isso implique diretamente o problema do crescimento do homem interior. Tais sonhos isolados podem facilmente passar despercebidos, de forma que os fenômenos acima referidos poderiam dar a impressão de que não são mais do que raras curiosidades. No entanto, não é assim. Eles acontecem em todos os casos em que o processo da individuação se torna objeto de exame consciente e sempre que, como nas psicoses, o inconsciente coletivo invade a consciência, inundando-a com seus arquétipos.

---

20. Refiro-me evidentemente a um paralelo psicológico e não metafísico.

21. Comparar com minhas explanações em *Tipos psicológicos*. OC, 6.

7. *A ascensão da alma*

475 Nesta parte prossegue a descrição da *putrefactio*. Tudo se decompõe e a alma se eleva para o céu. É *uma* alma apenas que se separa dos dois seres que, por sinal, já se transformaram em um só. Desta forma fica enfatizada a natureza da alma enquanto *vinculum* ou *ligamentum*, isto é, enquanto *função de relação*. Como na morte real, a alma se separa do corpo e retorna a sua origem celeste. O um saído dos dois é a sua forma renovada, ainda não realizada, mas apenas concebida. No entanto, contrariamente ao que se julgaria ocorrer se se tratasse de uma concepção, a alma não desce para dar vida a um corpo, mas abandona-o para ascender. A "alma", pelo visto, é compreendida aqui como uma *ideia* da unidade que ainda não se transformou em realidade concreta, mas só existe *in potentia*. O *rotundus globus coelestis* (o globo redondo do céu)[1] refere-se à ideia da totalidade, composta de *sponsus et sponsa* (esposo e esposa).

476 Psicologicamente o que corresponde a esta fase é um estado obscuro de desorientação. A desagregação dos elementos significa a dissociação e dissolução da consciência do eu tal como até então ela existia. A analogia com um estado esquizofrênico é evidente e deve ser levada a sério, na medida em que é neste momento preciso, em que o inconsciente coletivo, o não eu psíquico, vem à consciência, que as psicoses latentes podem tornar-se agudas. Este período de desintegração e ao mesmo tempo de desorientação da consciência – que pode durar muito tempo – conta-se entre as passagens mais difíceis do tratamento analítico e muitas vezes põem à prova a paciência, a coragem e a confiança em Deus, não só do médico, como também do paciente. Essa desintegração e desorientação constituem de fato um estado de alguém, privado de sua liberdade, que está à deriva e perdeu o rumo, um estado próprio de alguém que está sem alma e à mercê de afetos e fantasias autoeróticas. Um alquimista diz a respeito desse estado de escuridão mortal: "Hoc est ergo magnum signum, in cuius investigatione nonnulli perierunt". (Este é um grande sinal, pela investigação do qual muitos pereceram.)[2]

---

1. *Tractatus aureus*, 4, I, p. 47.

2. Citação de uma fonte designada por Sorin, mas que desconheço. *Ros. Phil.*, 2, XIII, p. 264.

ROSARIVM
ANIMÆ EXTRACTIO VEL
impraegnatio.

Hye teylen ſich die vier element/
Aus dem leyb ſcheydt ſich die ſele behendt.

De

Figura 7

477 Esse estado crítico em que o consciente é constantemente ameaçado de ser tragado pelo inconsciente é semelhante aos acessos de "perda da alma" tão frequentes entre os primitivos. Trata-se de um *abaissement du niveau mental* mais ou menos repentino, de uma diminuição da tensão da consciência, o que ocorre mais facilmente com o primitivo, posto que de toda maneira a sua consciência ainda é fraca e exige dele um enorme esforço. Daí sua incapacidade de concentração intencional e voluntária e sua forte tendência ao cansaço psíquico, traços estes que pude observar de sobejo ao palavrear com primitivos. A prática da ioga e do dhyana, muito difundida no Oriente, é um *abaissement* induzido deliberadamente para fins de relaxamento, logo, uma separação da alma produzida por uma técnica. Pude até constatar em alguns casos a ocorrência de impressões subjetivas de levitação, em momentos de desnorteamento particularmente dolorosos[3]: deitados na cama, os pacientes sentiam-se fora do corpo, planando horizontalmente no ar, alguns pés acima do corpo. Isso corresponde vagamente ao fenômeno chamado sono de feiticeira ou à levitação parapsicológica frequentemente relatada na vida dos santos.

478 O cadáver, enquanto vestígio do que já não é, representa o homem tal como foi até o presente momento, agora destinado ao trespasse. Os *tormenta* (tormentos) do processo alquímico pertencem a este estágio, que é o do *iterum mori* (morte reiterada). Trata-se de "membra secare, arctius sequestrare ac partes mortificare et in naturam, quae in eo (lapide) est, vertere" (seccionar os membros, dividi-los em pedaços ainda menores, em matar as partes e convertê-las na natureza que está dentro dela [da pedra, da substância arcana]), conforme se lê numa citação de Hermes no *Rosarium*. No mesmo texto, lê-se ainda que "se deve vigiar a água e o fogo que habitam a substância arcana e reter-lhes as águas com a sua água (a *aqua permanens*), mesmo que esta nem seja água, (mas) a forma ígnea da água verdadeira"[4]. A substância preciosa (a alma) ameaça escapar da solução em ebulição na qual se desagregam os elementos. Esta substância

3. Encontramos em C.A. Meier um caso desse tipo: *Spontanmanifestationen deskollektiven Unbewussten*, 116, p. 290.

4. 2, XIII, p. 264: "Et eorum aquas sua aqua continere, si qua non est aqua, forma ignea verae aquae".

é um paradoxo composto de fogo e água; é o *Mercurius* que, enquanto *servus* ou *cervus fugitivus* (servo ou cervo fugitivo), está sempre pronto a escapar, isto é, receia a integração (na consciência). Mas é preciso retê-lo com aquela "água", cuja natureza paradoxal corresponde à essência do *Mercurius* e o comporta e o contém (*continet*). Estas palavras encerram como que uma indicação da terapia necessária: diante da desorientação do paciente, o médico deve reter, isto é, perseverar em sua orientação: ele deve saber o que significa esse estado, deve captar os valiosos conteúdos dos sonhos de acordo com a *aqua doctrinae*, adequada à natureza do inconsciente, ou melhor, compreendê-los por meio de ideias e conceitos que correspondam às exigências do simbolismo do inconsciente. As teorias intelectualizadas, ditas científicas, não são adequadas à natureza do inconsciente, pois servem-se de uma linguagem conceitual, que realmente nada tem a ver com o expressivo simbolismo do inconsciente. As *aquae* devem ser atraídas e retidas por uma *aqua*, isto é, pela *forma ignea verae aquae* (forma ígnea da água verdadeira). Isso só é possível através de uma abordagem por sua vez plástica e simbólica, oriunda da vivência de conteúdos inconscientes. Não deve, portanto, penetrar demais no campo da abstração intelectual; por motivos práticos, convém que permaneça no âmbito do mitologema tradicional que já provou sua natureza abrangente. Isso não exclui a possibilidade de satisfazer as exigências teóricas, só que estas devem ficar restritas *in usum mediei* (ao uso do médico).

479 A terapia tem por objetivo reforçar a consciência. Sempre que possível, tento estimular a atividade mental do paciente, levando-a a dominar a massa confusa de sua mente[5], a fim de proporcionar-lhe um ponto de vista *au-dessus de la mêlée* (acima da confusão). Nesse trabalho, afinal, ninguém corre o perigo de perder a razão (a menos que já não a tenha). Só que existem pessoas que até então não sabiam para que ela servia. Nesse tipo de situação, porém, é ela que salva a vida. Pela compreensão, o inconsciente é integrado, criando-se assim

---

5. Lembrando a regra segundo a qual na psicologia toda afirmação também pode ser invertida proveitosamente, desejo mencionar que o reforço da consciência é inadequado nos casos em que ela já demonstra ser excessiva e reprime o inconsciente convulsivamente.

pouco a pouco um ponto de vista superior, que representa simultaneamente a ambos, do consciente e do inconsciente. Nesse momento também se constata que o ser subjugado pelo inconsciente é comparável a uma inundação do Nilo que aumenta a fertilidade do solo. É neste sentido que se deve entender o hino de louvor com que o *Rosarium* celebra esse estado: "O natura benedicta et benedicta est tua operatio, quia de imperfecto facis perfectum cum vera putrefactione quae est nigra et obscura. Postea facis germinare novas res et diversas, cum tua viriditate facis diversos colores apparere". (Ó natureza, tu és bendita e bendito é o modo como operas, pois tornas perfeitas as coisas imperfeitas, graças à verdadeira putrefação que é negra e obscura. Após o que, tu fazes germinar as coisas novas e variadas e com o teu verde fazes aparecer as diversas cores.)[6] À primeira vista, não se entende como justamente este estado de trevas pode merecer tão especial louvor, pois a *nigredo* costuma ser considerada um estado de ânimo melancólico e sombrio que evoca morte e sepultura. Mas o fato não só de existir uma relação entre a mística da época e a alquimia medieval, mas também o de ela própria ser uma forma dessa mística, permite-nos estabelecer um paralelo entre a *nigredo* e o estado descrito na *Noite Escura*, 73, de São João da Cruz (†1591). O autor concebe a "noite espiritual" da alma como um estado totalmente positivo, em que a luz divina invisível (e portanto escura) penetra a alma, purificando-a.

480 O surgimento das cores, a chamada *cauda pavonis* (cauda de pavão), segundo a concepção alquímica, significa a primavera, logo, a renovação da vida – *post tenebras lux* (após as trevas, a luz). E o texto prossegue: *ista nigredo nuncupatur terra* (este negrume denomina-se terra). O Mercurius no qual se afoga o sol é um espírito ctônico, um *deus terrestris*[7] como é chamado pelos alquimistas, é a *sapientia Dei*

6. 2, XIII, p. 265.

7. LAURENTIUS VENTURA, 5, X, p. 260. No outro se encontra um "quiddam essentiale Divinum" (certa essência divina). *Tractatus Aristotelis*, 5, XVII, p. 892. "Natura est vis quaedam insita rebus... Deus est natura et natura Deus, a Deo oritur aliquid proximum ei". (A natureza é uma certa força inerente às coisas... Deus é natureza e a natureza é Deus, e de Deus se origina algo que lhe é extremamente próximo.) PENOTUS, 5, VIII, p. 153. Deus é reconhecido na *linea in se reducta* do ouro (linha do ouro reduzida a ela mesma). MAJER, 111, p. 16.

(sabedoria divina) que se incorporou na criatura material, ao criá-la. O inconsciente é o espírito da natureza ctônica e contém as imagens arquetípicas da *sapientia Dei*. No entanto, o intelecto do homem civilizado contemporâneo afastou-se demais e perdeu-se no mundo da consciência, de tal forma que se assustou violentamente ao descobrir subitamente a face de sua mãe, a Terra.

481 A apresentação da alma como *homunculus* mostra que ela já representa um estágio preliminar do *filius regius*, ou seja, do homem primordial unificado em si mesmo (hermafrodita), do *anthropos*. Do mesmo modo que o homem primordial caíra em poder da *physis*, agora ele se eleva novamente, liberto da prisão do corpo mortal. Ele enceta uma espécie de viagem ao céu, durante a qual – segundo a *Tabula Smaragdina* – se une às "forças do alto". Esse homem primordial é a força essencial do "inferior" a qual pressiona de baixo para cima[8], tal como a "terceira filiação" da doutrina de Basílides, mas não para permanecer no céu, e sim para reaparecer sobre a terra como força curativa, como meio de alcançar a imortalidade e a plenitude, como *mediator* e *salvator*. A relação com a ideia cristã da Parusia é evidente.

482 A interpretação psicológica desse processo conduz a esferas de experiência interior, inacessíveis à arte da representação científica mesmo à mais ousada e menos preconceituosa. A noção de segredo, tão antipática ao temperamento científico, impõe-se aqui ao espírito perscrutador, não para disfarçar a ignorância, como se poderia supor, mas para confessar a incapacidade de traduzir coisas sabidas para a linguagem intelectual corriqueira. Por esta razão, limito-me a uma simples alusão ao arquétipo, que aqui se torna uma experiência interior, ou seja, ao nascimento da *criança divina* ou – para expressar-me na linguagem dos místicos – do homem interior[9].

---

8. HIPPOLYTUS, 65, VII, 26, 10.

9. ANGELUS SILESIUS, 13, livro IV, p. 194: "Das liebste Werk, das Gott so inniglich lieg an, / Ist, dass er seinen Sohn in dir gebären kann". (A obra mais querida mais desejada por Deus, / É que Ele pode gerar seu Filho em ti.) II, p. 103: "Berührt dich Gottes Geist mit seiner Wesenheit, / So wird in dir gebor'n das Kind der Ewigkeit". (Ao tocar-te com sua essência o espírito de Deus, / Nasce em ti o Filho da Eternidade.)

8. A purificação

483 O orvalho caindo é um sinal precursor do nascimento divino vindouro. *Ros Gedeonis* (orvalho de Gedeão)[1] é sinônimo de *aqua permanens* (água eterna), consequentemente, de *Mercurius*[2]. Uma citação de Senior do texto do *Rosarium* que segue abaixo diz: "A água, porém, que mencionei é algo que desce do céu, e a terra com sua umidade a recebe, e a água do céu é retida pela água da terra e a água da terra, por causa de sua servidão e de sua terra[3], presta homenagem àquela, e água junta-se a água e água retém água e Albira é alvejada com Astuna"[4].

484 O alvejamento (*albedo s. dealbatio*) é comparado ao *ortus solis* (nascer do sol). É a luz que surge após as trevas, a iluminação após o obscurecimento. Uma citação de Hermes diz: "Azoth et ignis latonem abluunt et nigredinem ab eo auferunt". (Azoth[5] e fogo lavam o lato[6], tirando-lhe o negrume.) O espírito *Mercurius*, em sua forma celeste como *sapientia* e como Espírito Santo (fogo), vem de cima e purifica o negrume. Nosso texto prossegue: "Dealbate latonem et libros rumpite, ne corda vestra rumpantur[7]. Haec est enim compositio omnium Sapientum et etiam tertia pars totius operis[8]. Jungite ergo, ut

---

1. Jz 6,36s.

2. Comparar com *Der Geist Mercurius*, 79, p. 90s. [OC, 13, § 89s.].

3. Arenam: na realidade significa areia, mas aqui é melhor tomá-la como terra.

4. 2, XIII, p. 275s. Comparar com SENIOR, 160, p. 17s.: "Dixit iterum Maria: Aqua, quam iam memoravi, est rex de coelo descendens et terra cum humore suo suscepit eum et retinetur aqua coeli cum aqua terrae propter servitium suum et propter arenam suam honorat eam et congregatur aqua in aquam, Alkia in Alkiam et dealbatur Alkia cum Astuam". Esta última palavra em árabe também é Alkia: al-kiyan = vital principie (STAPLETON, 151, p. 152, nota 5). Alkian no sentido de libido ou princípio vital no *Liber Platonis Quartorum*, 5, XIV, p. 152.

5. Azoth é a substância arcana. Cf. SENIOR, 160, p. 95.

6. Matéria negra. Lato = uma mistura de cobre, cádmio e oricalco (cobre das montanhas). Em grego: ἐλατρόν (DU CANGE, 39).

7. *Ros. Phil.*, 2, XIII, p. 277. Esta citação, que aparece repetidamente no tratado de MORIENUS (2, XII, p. 7s.), o qual, segundo se diz, foi traduzido do árabe por Roberto de Chartres no século XII, remonta a um autor hoje obsoleto Elbo Interfector. E sem dúvida alguma uma obra antiquíssima, mas dificilmente anterior ao século VIII.

8. Referência à *Tabula Smaragdina*, 147, p. 185, onde se lê: "Itaque vocatus sum Hermes Trismegistus habens tres partes philosophiae totius mundi". (Por isso sou chamado de Hermes Trismegistus, porque possuo as três partes da sabedoria do mundo inteiro.)

PHILOSOPHORVM.

ABLVTIO VEL
Mundificatio

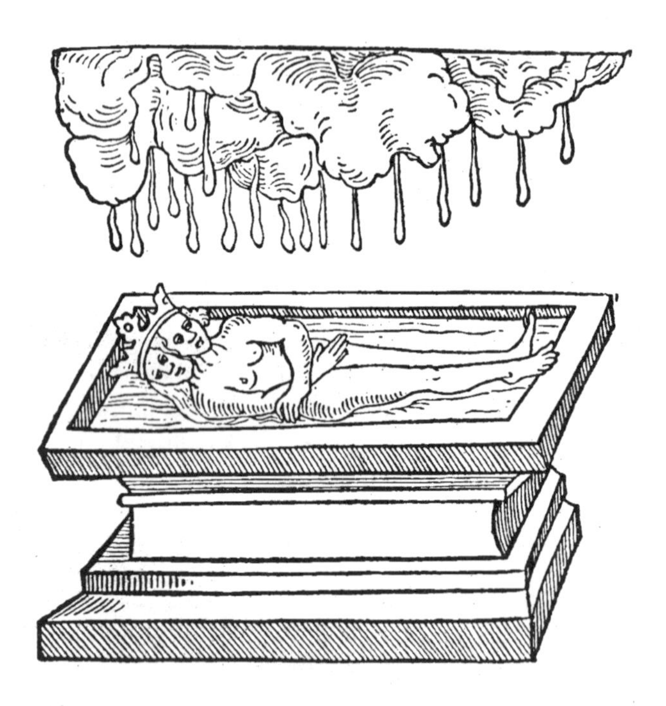

Hie felt der Tauw von Himmel herab/
Vnnd wascht den schwartzen leyb im grab ab.

K iij

Figura 8

dicitur in Turba, siccum humido: id est, terram nigram cum aqua sua et coquite donec dealbetur. Sic habes aquam et terram per se et terram cum aqua dealbatam: illa albedo dicitur aer". (Alvejai o lato [matéria negra] e rasgai os livros, para que não se rompam os vossos corações. Pois esta é de fato a síntese da obra de todos os sábios bem como a terça parte do *opus* inteiro. Ligai, pois, como diz a *Turba*[9], o seco ao úmido, isto é, a terra negra à sua água e cozei-a até que se torne branca. Assim obtereis a água e a terra por si mesmas e a terra alvejada com a água: essa brancura é chamada ar.) A fim de que se saiba que a "água" é a *aqua sapientiae*, e o orvalho caído do céu a graça da iluminação e da sabedoria, segue-se imediatamente a esta passagem uma longa digressão a respeito da sabedoria, evocando o "Septimum Sapientiae Salomonis" (sétimo capítulo da Sabedoria de Salomão): "Ele (Salomão) ensinou como usar essa ciência como farol, colocando-a acima de toda beleza e de todo bem. Não lhe equipara o valor da pedra preciosa. Pois, comparados a ela (à *lapis*), todo ouro é como reles areia, e toda prata, como argila. Alcançá-la é melhor do que adquirir ouro e prata da mais pura qualidade. Seu fruto é mais precioso do que todos os tesouros deste mundo e tudo que parece desejável neste mundo não chega a seus pés. Longevidade e saúde ficam à sua direita e à sua esquerda, glória e riquezas infinitas. Seus caminhos são métodos (*operationes*) belos e louváveis, que não podem ser desprezados e suas veredas, feitas de comedimento e não de pressa (*festinae*)[10], implicam a perseverança de um trabalho ininterrupto. Ela (a *sapientia*, ou seja, a *scientia Dei*) é uma árvore da vida para todos os que lhe apreendem o sentido, e uma luz que jamais se extingue.

---

9. Uma das autoridades clássicas de origem árabe, versão latina, séculos XI a XII. A citação da Turba no *Rosarium* é de *Rosinus ad Sarratantam*, 2, IV, p. 284s. Na *Turba* (org. RUSKA, 148, p. 158) lê-se apenas: "Siccum igitur humido miscete, quae sunt terra et aqua, ac igne et aere coquite, unde spiritus et anima desiccantur". (Misturai, pois, o seco e o úmido, que são a terra e a água, e cozei-os com fogo e ar, e assim secarão o espírito e a alma.)

10. Alusão ao ditado: "... omnis festinatio (sc. festinantia)... ex parte Diaboli est" (toda pressa vem da parte do diabo) (In: MORIENUS, 2, XII, p. 21). Diz por isso o *Rosarium*, 2, XIII, p. 352: "Ergo qui patientiam non habet ab opere manum suspendat, quia impedit eum ob festinantiam credulitas". (Assim sendo, quem não tiver paciência deve renunciar à obra, pois é impedido pela credulidade oriunda da pressa.)

Bem-aventurados os que o compreenderam, pois a sabedoria (*scientia*) de Deus não passará jamais, conforme testemunha Alfidius, quando diz: Quem alguma vez encontrou esta sabedoria, tê-la-á por legítimo (ou verdadeiro – *legitimus*) e eterno alimento"[11].

485 Neste contexto, gostaria de chamar a atenção para o fato de que a água, como símbolo da sabedoria e do espírito, remonta primeiramente à imagem de Cristo entretendo-se com a Samaritana junto ao poço de Jacó[12]. Um contemporâneo de nossos alquimistas, cardeal Nicolaus Cusanus, mostra em um sermão como foi elaborada essa alegoria: "In puteo Jacob est aqua, quae humano ingenio quaesita et reperta est, et potest significari quoad hoc philosophia humana, quae penetratione laboriosa sensibilium quaeritur. In Verbo autem Dei, quod est in profundo vivi putei, scl. humanitatis Christi, est fons refrigerans spiritum. Et ita notemus puteum sensibilem Jacob, puteum rationalem, et puteum sapientialem. De primo puteo, qui est naturae animalis et altus, bibit pater, filii et pecora; de secundo, qui altior in orizonte naturae, bibunt filii hominum tantum, scl. ratione vigentes, et philosophi vocantur; de tertio, qui altissimus, bibunt filii excelsi, qui dicuntur dii et sunt veri theologi. Christus secundum humanitatem puteus quidem dici potest altissimus... In illo profundissimo puteo est fons sapientiae, quae praestat felicitatem et immortalitatem... portat vivus puteus fontem suae vitae ad sitientes, vocat sitientes ad aquas salutares, ut aqua sapientiae salutaris reficiantur". (No poço de Jacó existe uma água que foi procurada e encontrada pela habilidade humana e por ela podemos designar a filosofia humana que se busca na laboriosa penetração do mundo físico. Mas na Palavra de Deus que está no fundo do poço vivo, isto é, da humanidade de Cristo, há uma fonte que regenera o espírito. Há de se notar aqui o poço das coisas manifestas de Jacó, o poço do racional e o poço da sabedoria. Do primeiro poço, que é de natureza animal e profundo, bebem o pai, os

---

11. *Ros. Phil.*, 2, XIII, p. 277. Comparar com *Aurora Consurgens*, 34, I, cap. 1.

12. "Omnis qui bibit ex aqua hac, sitiet iterum: qui autem biberit ex aqua, quam ego dabo ei, non sitiet in aeternum: sed aqua, quam ego dabo ei, fiet in eo fons aquae salientis in vitam aeternam" (Jo 4,13s.). (Quem bebe desta água tornará a ter sede: mas quem beber da água que eu lhe der, jamais terá sede. A água que eu lhe der será nele uma fonte que jorra para a vida eterna. Bíblia de Zurique.)

filhos e o gado; do segundo, que é mais profundo e fica nos limites da natureza, bebem apenas os filhos dos homens, isto é, aqueles em que floresce a razão, os chamados filósofos; do terceiro, o mais profundo dos três, bebem os filhos do Altíssimo, chamados deuses, que são os verdadeiros mestres das coisas de Deus. Cristo, em sua humanidade, pode ser chamado o poço mais profundo... Neste poço profundíssimo está a fonte da sabedoria, a qual confere a bem-aventurança e a imortalidade... O poço vivo leva a fonte da sua vida aos que têm sede, chama o sedento às águas da salvação, a fim de que seja revivificado pela água salutar da sabedoria.)[13] Em outro trecho do mesmo sermão, encontramos o seguinte: "Qui bibit spiritum, bibit fontem scaturientem". (Quem bebe o espírito, bebe uma fonte que jorra.)[14] E por fim, Cusanus diz o seguinte: "Adhuc nota, quod intellectus nobis datus est cum virtute seminis intellectualis: unde in se habet principium fontale, mediante quo in seipso generat aquam intelligentiae, et fons ille non potest nisi aquam suae naturae producere, scl. humanae intelligentiae, sicut intellectus principii 'quodlibet est vel non est' producit aquas metaphysicales, ex quibus alia flumina scientiarum emanant indesinenter". (Note bem que o intelecto nos foi dado com a força da semente intelectual: por isso tem em si o princípio da fonte, mediante o qual gera em si mesmo a água da inteligência. E essa fonte não pode produzir água alguma que não seja de sua natureza, isto é, inteligência humana, tal como a compreensão do princípio de que "cada qual é ou não é" produz as águas metafísicas de onde emanam os demais rios da ciência sem jamais se esgotar.)[15]

486 Em vista disso, não deveria haver mais dúvida de que as trevas da escuridão são afastadas pela *aqua sapientiae*, ou seja, pela "scientia nostra", a saber, pelo dom da arte régia e do seu saber, concedido por Deus. A *mundificatio* (purificação) significa, como vimos, a eliminação de tudo o que é supérfluo e adere a todos os produtos meramente naturais, em especial àqueles conteúdos simbólicos do inconsciente que, para o alquimista, estavam projetados na matéria. Por esta razão

13. NICOLAUS CUSANUS, 122.

14. Ibid.

15. Cf. a respeito destas passagens KOCH, 99, p. 124, 132 e 134.

o alquimista segue a regra do sonho de Cardanus, segundo a qual a interpretação do sonho deve reduzir o material onírico ao seu denominador[16]. É o que chama de *extractio animae* em seu trabalho de laboratório; no campo da psicologia, trata-se da elaboração da ideia. Para tanto, exige-se notoriamente uma colocação prévia ou um pressuposto do problema ou da hipótese, isto é, um instrumental de conceitos que permita a "apercepção" do que está ocorrendo. Para o alquimista, esse pressuposto é sua *aqua* (*doctrinae*) que em geral já existe, ou seja, a *sapientia* inspirada por Deus, que também pode ser adquirida mediante o estudo fervoroso dos "livros", isto é, dos clássicos da alquimia. Daí a recomendação que se rasguem os livros (nesta fase) ou que os mesmos sejam evitados, para que "não se rompa o coração", como diz o texto. Esta estranha recomendação, que os pressupostos "químicos" dificilmente explicariam, tem, precisamente nesta fase, um significado profundo. A água da ablução, a *aqua sapientiae*, encontra-se assentada nos ensinamentos e nas sentenças dos mestres, como sendo um *donum Spiritus Sancti* e possibilita que o filósofo compreenda os *miracula operis* (milagres da obra). Assim sendo, ele poderia facilmente sucumbir à tentação de considerar o conhecimento filosófico como o bem supremo, conforme se depreende da citação acima. No plano psicológico, equivaleria a considerar a conscientização dos conteúdos inconscientes e eventualmente sua exploração teórica como a meta do trabalho. Em ambos os casos, estaríamos impondo ao conceito de *espírito* a definição de que o mesmo tem a ver com o pensar ou o intuir. Ambos esses trabalhos têm efetivamente uma meta *espiritual*; o alquimista se propõe a criar um novo ser, volátil (ou aéreo, *espiritual*), dotado de *corpus*, *anima et spiritus*, entendendo-se por *corpus* um corpo *subtile*, um corpo alento. Por seu lado, o médico procura criar uma certa maneira de ver ou uma atitude, portanto, um "espírito" neste sentido. Mas como o *corpus crassius* (é mais denso e grosseiro) do que a *anima* e o *spiritus*, mesmo quando concebido como *corpus glorificationis*, ele fica com

---

16. CARDANUS, 29*:* "Unumquodque somnium ad sua generalia deducendum est" (Todo sonho deve ser reduzido ao seu denominador).

um "resto de terra", ainda que um resto sutil[17]. Ora, uma atitude que pretende ser justa para com o inconsciente e para com o outro não pode depender unicamente do conhecimento, se este consistir apenas em intelecto e intuição. Faltar-lhe-ia a função dos valores, a saber, o sentimento e a *fonction du réel*, ou seja, o levar em consideração a realidade, a *sensação*[18].

487 Se continuarmos atribuindo valor exclusivo aos livros e ao saber neles contido, estaremos desrespeitando a vida afetiva e o sentimento do ser humano. Por isso temos de abandonar o ponto de vista puramente intelectual. O orvalho de Gedeão constitui, de fato, uma intervenção divina; ele é a umidade anunciando o iminente retorno da alma.

488 Parece que os alquimistas perceberam o perigo de a realização estagnar no âmbito de uma determinada função da consciência. Por isso ressaltam a importância da *theoria*, ou seja, da compreensão intelectual, em relação à *practica*, que poderia dar-se por satisfeita com o mero experimentar. Este último corresponderia à percepção simples; no entanto, esta tem que ser complementada pela apercepção. Mas nem mesmo esta segunda etapa significa a realização completa. Fica faltando o coração, isto é, o *sentimento*, que confere àquilo que foi entendido um valor de compromisso. Os livros devem, pois, ser destruídos, a fim de que o pensamento não prejudique o sentimento, porque de outra forma a alma não pode retornar.

489 A psicoterapia conhece bem estas dificuldades. Não raro o paciente se contenta com a mera observação de um sonho ou fantasia, e isso principalmente se tiver uma tendência para o esteticismo, no

17. "[...] subtilietur lapis, donee in ultimam subtilitatis puritatem deveniat et ultimo volatilis fiat". (Que se refine a pedra até que a mesma atinja o limite extremo da sutileza e se torne finalmente volátil.) *Ros. Phil.*, 2, XIII, p. 351. Em outra passagem, lê-se: "Sublimatio est duplex: Prima est remotio superfluitatis, ut remaneant partes purissimae a faecibus elementaribus segregatae, sicque virtutem quintae essentiae possideant. Et haec sublimatio est corporum in spiritum reduetio, cum scilicet corporalis densitas transit in spiritus subtilitatem". (A sublimação é dupla: trata-se na primeira de remover o supérfluo, para que remanesçam apenas as partes mais puras, separadas dos resíduos elementares, e assim possuam a virtude da quintessência. A outra sublimação consiste em reduzir o corpo ao espírito, isto é, em fazer com que a densidade corporal se transforme na sutileza do espírito.) *Ros. Phil.*, 2, XIII, p. 285.

18. A propósito destes termos, cf. *Tipos psicológicos*. OC, 6. Definições.

sentido mais amplo da palavra. Neste caso, ele resiste até à compreensão intelectual, sentida como uma ofensa à sua realidade anímica. Outros ainda têm pressa de compreender intelectualmente, e querem saltar impacientemente o estágio do puro acontecer. E assim que entenderam, têm a impressão de que o trabalho termina aí. Acham estranho e até absurdo que também devam ter uma relação de sentimento para com os seus conteúdos inconscientes. A compreensão intelectual bem como o esteticismo criam nele um sentimento tão ilusório quanto sedutor de liberação e superioridade, que ameaça ruir assim que intervém a tônica do sentimento. Esta última representa, de fato, um certo vínculo com a existência e, consequentemente, o sentido dos conteúdos simbólicos, um compromisso em relação ao comportamento ético, do qual o esteticismo e o intelectualismo gostariam de se livrar.

490 Como a diferenciação psicológica praticamente inexistia na época da alquimia não é de se estranhar que encontremos apenas ligeiras alusões nos tratados a considerações do tipo que acabo de fazer. Contudo tais alusões existem, conforme podemos ver. Desde então, porém, a diferenciação das funções tem aumentado consideravelmente, o que resultou numa maior separação entre elas. Daí a facilidade para o espírito moderno em deter-se em uma ou outra das funções e assim realizá-las apenas parcialmente. É supérfluo dizer que com o correr do tempo isso levará a uma dissociação neurótica. Não resta a menor dúvida que a esta dissociação se deve a progressiva diferenciação das diversas funções, bem como a descoberta do inconsciente; no entanto esta conquista se paga com uma perturbação psíquica. A realização incompleta explica muitas coisas difíceis de entender na vida do indivíduo e também na história do nosso tempo. Isso representa uma *crux* (cruz) para o psicoterapeuta, sobretudo para aquele que ainda pensa que o discernimento e a compreensão intelectual ou até mesmo a simples rememoração seriam suficientes para a cura. Os alquimistas eram de opinião de que a realização da obra não se fazia só com trabalho de laboratório, com leitura de livros, meditação e paciência, mas que dela também fazia parte o amor.

491 Hoje falaríamos em *valores do sentimento*, em uma realização através do sentimento. É comum tratar-se daquela comoção experimentada pelo *Fausto* ao passar do “buraco maldito e sufocante” de

suas experiências de laboratório e elaborações filosóficas para a revelação de que "o sentimento é tudo". Mas aí já se reconhece o homem moderno, que conseguiu construir um mundo a partir de uma função única e disso se vangloria. É pouco provável que aos *philosophi* medievais tenha ocorrido a ideia de que a necessidade do sentimento possa levar a descobrir um mundo novo. O *slogan* pernicioso e mórbido, *l'art pour l'art* (a arte pela arte) lhes teria parecido absurdo: para eles, perceber o mistério da natureza, dar-lhe forma, pensá-lo, conhecê-lo e senti-lo era tudo uma coisa só. A condição do seu espírito ainda não estava tão fragmentada em funções, para que cada fase de seu processo de realização viesse a exigir uma nova etapa de vida. A que ponto isso é antinatural, se vê no *Fausto*, onde a intervenção do diabo com seus presságios *steinachianos* se torna necessária para que o velho alquimista se transforme num jovem galã, e faça com que ele perca a cabeça por causa do sentimento demasiado juvenil que acaba de descobrir em si. Mas é justamente este o perigo que corre o homem moderno: um belo dia ele acorda e se dá conta de que perdeu metade de sua vida.

492 No entanto, nem mesmo a realização pelo sentimento é a meta final do processo. Ainda que não pertença propriamente ao tema deste capítulo, convém mencionar neste contexto a quarta etapa, ao lado das três já comentadas. E isso tanto mais, que na alquimia o seu simbolismo é dos mais marcantes: trata-se da antecipação da *lapis*. Nessa antecipação de uma possibilidade cuja realização jamais podia ser objeto de experiência – na alquimia grega já se denominava λίθος οὐ λίθος (pedra não pedra) – manifesta-se a atividade imaginativa da quarta função, a *intuição* ou pressentimento, sem a qual nenhuma realização é completa. O pressentimento faz descortinar novos horizontes e perspectivas e deleitar-se com os mágicos jardins do possível como se fossem reais. Não há coisa mais carregada de presságio do que a *lapis philosophorum* (pedra filosofal). Esta chave da abóboda fecha o círculo da obra, levando o indivíduo a uma vivência da totalidade, inteiramente estranha ao nosso tempo, mas que hoje seria mais necessária que em qualquer outra época anterior. É evidente que este é o principal problema com que se confronta a arte da psicoterapia contemporânea. Por isso procura criar novas portas de comunicação para arejar um pouco essa nossa *psychologie à compartiments* (psicologia de compartimentos).

493 Após a ascensão da alma, que abandonou o corpo nas trevas da morte, sucede, neste capítulo, uma enantiodromia: à *nigredo* segue-se a *albedo*. O negrume, ou o estado inconsciente, produzido pela união dos opostos, atinge seu ponto mais profundo que é ao mesmo tempo seu ponto de reversão. O orvalho caindo anuncia o retorno à vida e uma nova luz. A descida a regiões cada vez mais profundas do inconsciente converte-se numa iluminação vinda de cima. Ao desaparecer com a morte, a alma não se perdeu; apenas foi constituir no além um polo de vida oposto ao estado de morte neste mundo. Conforme já dissemos, a unidade do orvalho é o anúncio de que ela está descendo de novo. Essa unidade do orvalho corresponde, por um lado, à natureza da psique, posto que a palavra ψυχή é da mesma família que ψυχρός (frio) e ψυχόω (animar e refrescar); por outro, *ros* (orvalho) é sinônimo de *aqua permanens* e de *aqua sapientiae*, que por sua vez significa a iluminação que se produz quando se dá sentido a algo. A união dos opostos que antecedeu fez com que às trevas viesse juntar-se também a luz, pois esta, como sempre, procede da noite. Então esta luz tornará visível o que a união dos opostos na verdade significa.

9. *O retorno da alma*

494 Voando, a alma desce do céu. É ela que unifica os opostos para dar nova vida ao cadáver. Os dois pássaros ao pé da figura representam a conhecida alegoria do dragão com asas e sem asas, ou, ainda, a do pássaro que já aprendeu e do que ainda não aprendeu a voar[1].

1. Compare-se com a ilustração nos símbolos de LAMBSPRINGK, 4, III, p. 355. O texto que a acompanha diz: "Nidus in sylva reperitur / In quo Hermes suos pullos habet, / Unus semper conatur volatum. / Alter in nido manere gaudet, / Et alter alteram non dimittit" (Na floresta há um ninho, / Onde Hermes tem seus pintinhos, / Um sempre tenta sair voando, / O outro gosta de ficar no ninho, / E um não dispensa o outro. Esta parábola é de SENIOR, 160, p. 15: "Abscisae sunt ab eo alae et pennae et est manens, non recedens ad superiora". (Suas asas e penas foram cortadas e ele permanece onde está, já não se eleva para as regiões superiores.) In: STOLCIUS, 153, fig. XXXIII. In: MAJER, 111, os opostos são representados à p. 127, como "vultur in cacumine montis et corvus sine alis" (um abutre no cume da montanha e um corvo sem asas). Cf. 1, I, p. 11s. e 2, IV, p. 316.

Trata-se de uma alegoria, de uma das inúmeras representações da dupla natureza do *Mercurius*, de sua essência ctônica e pneumática. A presença, na gravura, desse par de opostos separado significa que muito embora o hermafrodita esteja unificado e até vivo, o conflito dos opostos não está definitivamente resolvido, nem desapareceu. Ele foi, porém, relegado para a *esquerda* e para *baixo*, isto é, para a esfera do inconsciente. Isso também é confirmado pela representação teriomórfica dos opostos (contrariamente à representação antropomórfica das gravuras precedentes).

495 O texto que se segue à gravura reproduz uma citação de Morienus: "Cinerem ne vilipendas: nam ipse est diadema cordis tui". (Não desprezes a cinza, pois ela é o diadema de teu coração.)[2] A cinza como produto morto da destruição pelo fogo refere-se ao cadáver, isto é, ao corpo; e a exortação acima estabelece uma estranha relação entre este último e o coração, que, de acordo com o espírito da época, era concebido como sendo a sede da alma[3]. O *diadema* é o adorno da cabeça do rei. A *coronatio* (coroação) desempenha um papel significativo na alquimia: no próprio *Rosarium* (p. 375), por exemplo, há uma figura representando a *coronatio Mariae*[4], símbolo da exaltação do branco corpo lunar (purificado), acompanhada pela seguinte citação de Senior: "de tinctura alba: Si parentes dilecti mei de vita gustaverint, et lacte mero lactati fuerint, et meo albo inebriati fuerint, et in lectulo meo nupserint, generabunt filium Lunae, qui totam parentelam suam praevalebit. Et si dilectus meus de tumulo rubeo petrae potaverit, et fontem matris suae gustaverit et inde copulatus fuerit, et vino meo rubeo et mecum inebriatus fuerit, et in lecto suo mihi amicabiliter concubuerit, et in amore meo sperma suum cellulam meam subintraverit, concipiam, et ero praegnans, et tempore meo pariam filium potentissimum, dominantem et regnantem prae cunctis regibus et principibus terrae, coronatum aurea corona victoriae, ad om-

---

2. *Ros. Phil.*, 2, XIII, p. 283.

3. Comparar com OC, 13, § 238.

4. Cf. *Psicologia e alquimia* [OC, 12, fig. 235]; comparar com GOODENOUGH, 53, e nota 14 ao § 497.

PHILOSOPHORVM.

ANIMÆ IVBILATIO SEV
Ortus seu Sublimatio.

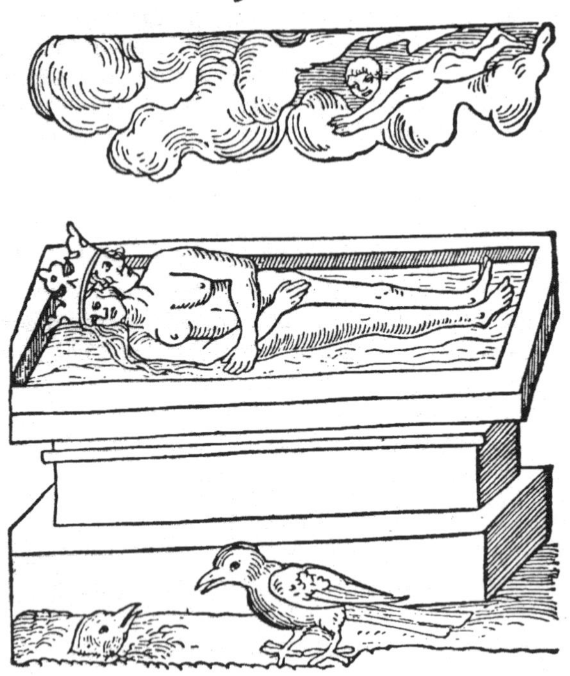

Hie schwingt sich die sele hernidder/
Vnd erquickt den gereinigten leychnam wider.

L iij

Figura 9

nia a Deo altissimo, qui vivit et regnat in seculorum secula"[5]. (Da tintura branca: Quando meus pais bem-amados, desfrutando a vida, foram aleitados com leite puro, e inebriando-se com o meu branco se uniram em meu leito, geraram o filho da lua, que prevaleceu sobre toda a sua parentela. E quando o meu bem-amado bebeu do rubro túmulo de pedra e provou da fonte de sua mãe, e depois com ela (com a mãe) se uniu em cópula amorosa, e bebeu de meu vinho tinto e comigo (é a mãe que fala) se embriagou, e quando em sua cama comigo se deitou como amigo, durante o amor seu sêmen penetrou em minha célula, então conceberei, engravidarei e chegado o meu tempo parirei um filho potentíssimo, que dominará todos os reis e príncipes da terra e sobre eles reinará e será coroado com a coroa áurea da vitória sobre todas as coisas por Deus altíssimo que vive e reina por todos os séculos dos séculos.)

496 A imagem da coroação como ilustração para este texto[6] vem provar que a revivificação do cadáver purificado representa ao mesmo tempo sua glorificação, uma vez que esta etapa do processo é comparada à coroação de Maria[7]. A linguagem das imagens usada pela Igreja vem ao encontro dessa comparação. As relações da Mãe de Deus com a lua[8], a água e a fonte são tão conhecidas, que dispensam maiores comprovações. No entanto, aqui a coroação é de Maria, ao passo que no texto de Senior é o filho que obtém a "coroa da vitória". Enquanto *filius regius* que substitui seu Pai, isso também é correto. Na *Aurora* é a *regina austria* (rainha austral), a *sapientia*, que diz ao bem-amado: "Ego corona, qua coronatur dilectus meus" (Eu sou a coroa que cinge a cabeça do meu bem-amado); a coroa neste sentido

5. *Ros. Phil.*, 2, XIII, p. 377. Cf. tb. com *Consilium Coniugii*, 1, II, p. 129; e *Rosinus ad Sarratantam*, 2, IV, p. 291s.

6. A julgar pelo estilo, essas imagens datam do século XVI. Em compensação, o texto poderia ser cerca de 100 anos mais antigo. RUSKA, 147, p. 193, situa o texto no século XIV. A datação mais tardia, no século XV (RUSKA, 148, p. 342), deve ser a mais correta.

7. Comparar com *Psicologia e alquimia*. [OC, 12; § 500].

8. Compare-se com a fig. 220 em *Psicologia e alquimia* [OC, 12].

une a mãe ao filho amante[9]. Em texto mais tardio[10], a *aqua amara* (água amarga) é qualificada como "coroada de luz". Naquela época ainda se admitia a etimologia de Isidoro de Sevilha: *mare ab amaro*[11], que afirma ser "mar" sinônimo da *aqua permanens* (água eterna). Neste ponto também intervém o simbolismo aquático de Maria como πηγή (fonte)[12]. Constatamos sempre de novo que o alquimista procede da mesma forma que o inconsciente na escolha de seus símbolos: cada ideia tem uma expressão positiva e uma expressão negativa; ora se trata, por exemplo, de um casal de reis, ora, de cães; da mesma maneira, o simbolismo da água se exprime através de oposições. Diz-se que o diadema real aparece *in menstruo meretricis* (no mênstruo da meretriz)[13], ou então se dá o seguinte conselho: "Toma a borra impura (*fecem*) que resta no fundo da vasilha do cozimento e guarda-a, pois ela é a coroa do coração (*corona cordis*)". A borra do fundo da vasilha corresponde ao cadáver no sarcófago. Este último é o poço do Mercúrio ou o *vas hermeticum* (vaso hermético).

497 A alma que desce do céu é idêntica ao orvalho, à *aqua divina* que significa o *rex de coelo descendens* (rei que desce do céu), tal como esclarece o texto[14]. A própria água é coroada e constitui o "diadema do

---

9. Gregório o Grande comenta da seguinte maneira a passagem do Cântico dos Cânticos 3,11: "Videte... regem Salomonem in diademate, quo coronavit ilium mater sua in die desponsationis illius" (Vinde... contemplar o rei Salomão com o diadema com que sua mãe o coroou no dia do seu casamento, no dia da alegria do seu coração) etc., a saber: a mãe seria Maria, "quae coronavit eum diademate, quia humanitatem nostram ex ea ipsa assumpsit... Et hoc in die desponsationis eius... factum esse dicitur: quia quando unigenitus filius Dei divinitatem suam humanitati nostrae copulare voluit, quando... Ecclesiam sponsam suam sibi assumere placuit: tunc... carnem nostram ex matre Virgine suscipere voluit" (... a qual o coroou com o diadema, por ter recebido dela a nossa humanidade... Fato este que ocorreu, segundo dizem, no dia do seu casamento: isto é, quando o Filho Unigênito de Deus quis unir a sua divindade com a nossa humanidade, quando... lhe aprouve assumir a Igreja como esposa. Naquele momento decidiu receber a nossa carne através de sua Virgem Mãe) (*Expos, in Cantica Cant.*, 56, cap. III).

10. *Gloria Mundi*, 4, II, p. 213.

11. 71, XIII, 14.

12. *Psychologie und Alchemie*, 82, p. 109 [OC, 12; § 92].

13. PHILALETES, 4, IV, p. 654.

14. Citação de Maria Prophetissa, SENIOR, 160, p. 17.

coração"[15], em aparente contradição com a declaração anterior, segundo a qual o diadema é a "cinza". Não se sabe se o alquimista está tão obnubilado que já não percebe suas óbvias contradições, ou se lida com o paradoxo deliberadamente. Presumo que ambas as coisas sejam verdadeiras, uma vez que os *ignorantes*, *stulti*, *fatui* (os ignorantes e os bobos) tomam os textos ao pé da letra, sendo pegos na armadilha desse emaranhado de analogias, ao passo que os mais inteligentes estão cientes da necessidade do simbolismo e o manipulam com redobrado virtuosismo e desenvoltura. Parece que o ponto mais fraco em todos eles é o senso de responsabilidade intelectual; contudo há os que dizem abertamente o que se deve pensar de sua linguagem[16]. Por menos que se importem com o "suor" e o "dorso arcado" do leitor,

15. Não é impossível que haja uma relação entre a ideia do "diadema" e a Kether (coroa) da cabala. O "diadema purpureum" é Malcuth, o feminino, a noiva. A púrpura indica "vestimentum", que é um atributo da Shekhinah (presença divina). Esta última "enim est vestis et palatium modi Tiphereth, non enim potest fieri mentio Nominis Tetragrammati nisi in Palatio eius, quod est Adonai. Apellaturque nomine Diadematis, quia est Corona in capite mariti sui". (É que esta última é a vestimenta e o palácio de Sephira Tiphereth, pois o nome do tetragrama, que é Adonai, só pode ser pronunciado em seu palácio. E ela é chamada diadema, por ser a coroa sobre a cabeça de seu marido) (*Kabbala Denudata*, 91, t. I, parte I, p. 131.) "... Malchuth vocatur Kether nempe corona legis" (Malcuth chama-se Kether, isto é, coroa da lei) etc. "Sephirah décima vocatur Corona: quia est mundus Dilectionum, quae omnia circumdant". (A décima Sephira chama-se coroa, por ser o mundo dos testemunhos de amor, que circundam todas as coisas) etc. (op. cit., p. 487). "(Corona) sic vocatur Malchuth, quando ascendit usque ad Kether; ibi enim existens est Corona super caput mariti sui". (Assim Malcuth é denominada [corona], quando ascende até Kether; é que lá ela existe como a coroa sobre a cabeça de seu marido) (op. cit., p. 614).

16. No *Ordinall* de Norton (6, I, p. 40) lê-se:

For greatly doubted evermore all suche,	Pois todos receavam enormemente
That of this Scyence they may write too muche:	Escrever demais sobre esta ciência:
Every each of them tought but one pointe or twayne,	Cada qual elaborava um ponto ou dois,
Whereby his fellowes were made certayne;	E com isso seus companheiros tinham a certeza
How that he was to them a Brother,	De que ele era um seu irmão,
For every of them understoode each other;	Pois todos se entendiam entre si;
Alsoe they wrote not every man to teache,	É que não escreviam para instruir a qualquer um,

eles têm *nolens volens* (quer queiram, quer não), um compromisso com o inconsciente, e a variedade por assim dizer ilimitada de suas

---

But to shew themselves by a secret speache:	Mas para se revelarem por uma linguagem secreta:
Trust not therefore to reading of one Boke,	Não confia, pois, na leitura de um único livro,
But in many Auctors works ye may looke;	Mas estuda as obras de vários autores;
Liber librum apperit saith Amolde the greate Clerke" etc.	Um livro abre o outro, dizia Amoldo, o grande clérigo etc.

O *Livro de Crates* (Krates) (BERTHELOT, 25, III, p. 52) diz o seguinte: "Tes intentions sont excellentes, mais ton âme ne se résoudra jamais à divulguer la vérité, à cause des diversités des opinions et des misères de l'orgueil". (Tuas intenções são excelentes, mas a tua alma não se decidirá jamais divulgar a verdade, por causa da diversidade das opiniões e das misérias do orgulho.) – THEOBALD VAN HOGHELANDE (5, I, p. 155) diz por sua vez: "At haec (scientia)... tradit opus suum immiscendo falsa veris et vera falsis, nunc diminute nimium, nunc superabundanter, et sine ordine, et saepius praepostero ordine, et nititur obscure tradere et occultare quantum potest". (Esta ciência transmite sua obra, misturando o falso com o verdadeiro e o verdadeiro com o falso, ora dizendo pouco demais, ora falando superabundantemente, sem ordem, e invertendo a ordem com muita frequência; ela se esforça por transmitir o opus só de maneira obscura e por ocultá-lo quanto puder.) – Em SENIOR, 160, p. 55, lê-se: "Verum dixerunt per omnia, Homines vero non intelligunt verba eorum... unde falsificant verídicos, et verificant falsidicos opinionibus suis... Error enim eorum est ex ignorantia intentionis eorum, quando audiunt diversa verba, sed ignota intellectui eorum, cum sint in intellectu oculto". (Em tudo diziam a verdade, mas os homens não entendem as suas palavras... razão por que com suas opiniões falseiam o verdadeiro, tornando verdadeiro o falso... O erro provém do fato de a intenção deles ser ignorada, quando ouvem diversas palavras que são desconhecidas à sua compreensão, por terem um sentido oculto.) Senior diz a respeito do segredo oculto nas palavras dos sábios: "Est enim illud interius subtiliter perspicientis et cognoscentis". (Pois isto pertence àquele que percebe e conhece interiormente.) O *Rosarium* (2, XIII. p. 230) declara: "Ego non dixi omnia apparentia et necessaria in hoc opere, quia sunt aliqua quae non licet homini loqui". (Eu não disse tudo o que aparenta ser e é necessário nesta obra, porquanto existem coisas sobre as quais não se deve falar a um ser humano.) "Talis materia debet tradi mystice, sicut poesis fabulose et parabolice". (Tal matéria deve ser transmitida misticamente, tal como a poesia das fábulas e das parábolas) (op. cit., p. 274). – HENRICUS KHUNRATH, 96, p. 21, menciona a frase: "Arcana publicata vilescunt" (Os segredos publicados se aviltam). Andreae usou estas palavras como epígrafe de sua *Chymische Hochzeit*, 143. Abu'l Qasim Muhammad Ibn Ahmad Al-Simawi, conhecido por AL-JRAQI, diz em seu *Book of the Seven Climes*, 67, p. 410, a respeito da pedagogia de Jabir Ibn Hayyan: "Then he spoke enigmatically concerning the composition of the External and the Internal... Then he spoke darkly... that in the External there is

imagens e paradoxos descreve uma realidade psíquica do mais alto significado. Descrevem o *caráter indeterminado*, ou melhor, a *multiplicidade de sentidos do arquétipo*, o qual representa sempre uma verdade simples, mas que só pode ser expressa por um grande número de imagens. Os alquimistas se acham de tal forma absortos pela experiência interior, que só lhes importa captá-la em imagens e expressões, sem a menor preocupação com a inteligibilidade. Com isso desconectaram-se por certo dos tempos modernos; não obstante, ninguém lhes tira o grande mérito de haverem elaborado um tipo de fenomenologia do inconsciente, bem antes da era da psicologia. Não é fácil para nós, herdeiros dessa riqueza, regozijar-nos com essa herança. Mas podemos consolar-nos, pois os antigos mestres também não se compreendiam uns aos outros ou só o faziam com a maior dificuldade. Pois bem, o autor do *Rosarium* diz que os "antiqui philosophi tam obscure quam confuse scripserunt" (os antigos filósofos escreviam tão obscura quanto confusamente), a ponto de induzir em erro ou desanimar os estudiosos. Mas assegura que ele apresentará o *experimentum verissimum* (a experiência sumamente verdadeira) claramente ao leitor e lho revelará "da maneira mais segura e humana"[17]. Só que, depois disso, continua escrevendo exatamente como todos os que o precederam. E nem poderia ser de outra maneira, pois os alquimistas não sabiam realmente sobre o que escreviam. Nem tenho

---

no complete tincture and that the complete tincture is to be found only in the Internal. Then he spoke darkly... saying, Verily we have made the External nothing more than a veil over the Internal... that the Internal is like this and like that and that he did not cease from this kind of behaviour until he had completely confused all except the most quick-witted of his pupils..." (Ora ele falava enigmaticamente sobre a composição do Exterior e do Interior. Ora falava obscuramente... dizendo que no Exterior não existe tintura completa e que a tintura completa só pode ser encontrada no Interior. Ora falava obscuramente... dizendo que na verdade do Exterior fizemos nada mais do que um véu sobre o Interior... que o Interior é deste ou daquele jeito e não parava com este tipo de comportamento até haver confundido a todos, exceto seus alunos mais argutos...). – Wei Po-Yang (cerca de 142 dC) diz: "It would be a great sin on my part not to transmit the Tao which would otherwise be lost to the world forever. I shall not write on silk lest the divine secret be unwittingly spread abroad. In hesitation I sigh..." (Seria um grande pecado de minha parte se não transmitisse o Tao; de outra forma ele se perderia para o mundo para sempre. Não escreverei sobre seda, para que o segredo divino não seja divulgado no mundo sem querer. Eu suspiro de hesitação...) (158, p. 243).

17. 2, XIII, p. 205.

a certeza se hoje o sabemos. Em todo o caso, não acreditamos mais que o segredo resida na matéria química; situamo-lo, sim, num certo pano de fundo obscuro da psique, cuja constituição verdadeira também desconhecemos. Provavelmente terão que passar outras centenas de anos mais, até descobrirmos uma nova obscuridade, de onde saia o que não compreendemos, apesar de o sentirmos com absoluta certeza como algo atuante.

498 Comparar o diadema à "borra" por um lado e elevá-lo a origens celestes por outro não é contradição para o pensamento alquímico. Ele apenas segue a regra da *Tabula Smaragdina*: "Quod est inferius, est sicut quod est superius. Et quod est superius, est sicut quod est inferius"[18]. (O que está embaixo é o mesmo que está em cima. E o que está em cima é o mesmo que está embaixo.) A consciência alquímica das diferenças ainda não é tão aguda quanto a moderna; é até bem mais fraca do que o pensamento escolástico da mesma época. Essa aparente regressão não se explica por um atraso espiritual dos alquimistas, mas pelo fato de que todo o seu interesse se concentra no inconsciente, e não na discriminação e na formulação, tal como ocorre com o pensamento conceitual e preciso da escolástica. Os alquimistas contentam-se com a descoberta de novas expressões para circunscrever o segredo pressentido. A maneira como essas expressões se relacionam ou se distinguem entre si não tem muita importância para eles, pois não partem do pressuposto de que se possa reconstruir a Arte a partir de seus conceitos e noções; pelo contrário, partem do princípio de que quem quer que se aproxime da Arte já está fascinado pelo segredo, já o percebe claramente ou o pressente ou até já é escolhido e predestinado por Deus. O *Rosarium* diz o seguinte, citando Hortulanus[19]: "Solus ille qui scit facere lapidem Philosophorum, intelligit verba eorum de lapide"[20]. (Somente aquele que sabe como fazer a pedra dos filósofos entende as palavras deles [dos filósofos] a respeito da

---

18. Segundo o que dissemos acima, há um paralelo na relação paradoxal entre Malcuth, a Séphira inferior, e Kether, a Séphira superior. (Comparar com a nota 15 acima.)

19. Esse Hortulanus seria o mesmo que Joannes de Garlandia (segunda metade do século XII e início do século XIII). O *Commentariolus in Tabulam* Smaragdinam e, *De Alchemia*, 68, p. 364, é de sua autoria.

20. 2, XIII, p. 270.

pedra.) O impenetrável do simbolismo se dissipa diante do olhar do filósofo iluminado. Hortulanus assim se exprime: "Nihil enim prodest occultatio philosophorum in sermonibus, ubi doctrina Spiritus Sancti operatur"[21]. (De nada adianta fazer segredo das palavras dos filósofos onde está em ação a ciência do Espírito Santo).

499 A insuficiente discriminação entre *corpus* e *spiritus* vem neste caso ao encontro da hipótese de que o corpo, graças à *mortificatio* e à *sublimatio* que precederam, assumiu uma forma quintessencial, isto é, espiritual, sendo, portanto, um *corpus mundum* (corpo puro) que já não se distingue tanto do espírito, podendo hospedá-lo, ou, em outras palavras, trazê-lo para baixo, para junto de si[22]. De todas estas ideias depreende-se que não só a *coniunctio*, mas a reanimação do corpo, por assim dizer, pertencem à esfera que ultrapassa este mundo e são, por conseguinte, um fenômeno que se processa no Não Eu psíquico. A possibilidade de projeção do mesmo estaria assim explicada. Se o fenômeno fosse de natureza pessoal, isso praticamente impossibilitaria sua projeção, devido à facilidade com que poderia tornar-se consciente. Em todo o caso, não teria sido suficiente para que se realizasse uma projeção na matéria morta, que é o extremo oposto da psique viva. De fato, a experiência mostra que o portador da projeção não é um objeto qualquer, mas sempre se ajusta à natureza do conteúdo a ser projetado, isto é, oferece um gancho adequado à coisa a ser pendurada[23].

500 Graças à projeção o processo, que em si é transcendental, chega à realidade, posto que afeta intensamente a psique pessoal e consciente. Mas isso produz uma inflação, através da qual fica claro que a *coniunctio* é um "hierosgamos" (uma hierogamia) de deuses e não um

---

21. 68, p. 365. Uma vez que os alquimistas enquanto "filósofos" são os empíricos da alma, sua linguagem conceitual, tal como no empirismo em geral, é secundária em relação à experiência. Quem faz as descobertas raramente é quem as classifica.

22. Dorneus diz o seguinte: "Spagirica foetura terrestris caelicam naturam induat per ascensum, et deinceps suo descensu centri naturam terreni recipiat" etc., 5, III, p. 409. (O feto espagírico terrestre adquire a natureza celeste pela ascensão, e depois de sua descida recebe a natureza do centro da terra.)

23. Esta circunstância explica por que a projeção em geral não deixa de exercer influência sobre o portador da projeção. E este último fato por sua vez explica por que os alquimistas esperavam da "projeção" da pedra uma transformação da matéria vil.

caso de amor dos mortais. Há um indício muito sutil deste fato na *Chymische Hochzeit* (Bodas Químicas), onde Rosencreutz, o herói do drama, é apenas um convidado da festa e penetra sorrateiramente na alcova secreta de Vênus adormecida, para admirar-lhe a beleza nua. Para castigá-lo por essa intrusão, Cupido lhe fere a mão com uma flechada[24]. Só no final é que se faz uma vaga referência à verdadeira natureza de sua relação secreta com as bodas régias: o rei faz a seguinte alusão, referindo-se a Rosencreutz: "eu (Rosencreutz) seria seu pai"[25]. Andreae, o autor, que devia ter um grande senso de humor, procura safar-se da situação com chiste. No fundo, ele sugere ser ele próprio o genitor de seus personagens e faz com que o rei o constate. A informação espontaneamente oferecida acerca da paternidade da criança é a tentativa bem conhecida de um ser humano criativo, no sentido de salvar o prestígio de sua personalidade egoica, temendo ser vítima do seu próprio impulso criador que jorra do inconsciente. Goethe não pôde subtrair-se com a mesma facilidade das garras do *Fausto*, daquele "importantíssimo pacto". (É que pessoas menos dotadas têm uma sede maior de grandeza e por isso dão aos outros a impressão de serem superiores.) Evidentemente Andreae estava tão fascinado pelo segredo da Arte quanto os próprios alquimistas; prova disso é a sua séria tentativa de fundar a ordem de Rosa-cruz; é provável que foram principalmente razões de conveniência, devido à sua posição dentro da Igreja, que mais tarde determinaram o seu afastamento[26].

501 Se realmente existe um inconsciente que não é não pessoal, isto é, que não seja constituído de conteúdos adquiridos individualmente (esquecidos, percebidos subliminalmente, reprimidos), então deve haver necessariamente processos intrínsecos a esse não eu, acontecimentos arquetípicos espontâneos, que só podem ser captados pela consciência através das projeções. É o primordial desconhecido e, simultaneamente, o primordial conhecido, do qual emana um enorme

24. Para os alquimistas, é o "telum passionis" do Mercurius.

25. CHRISTIANI ROSENCREUTZ. *Chymische Hochzeit*, 143, anno 1459. Arcana publicata vilescunt et gratiam prophanata amittunt. Estrasburgo: Zetzner, 1616. A data "anno 1459" é colocada conscientemente para enganar.

26. WAITE, 156.

fascínio. Ele cega e ilumina, atrai e apavora ao mesmo tempo. Ele se manifesta nas fantasias, nos sonhos e alucinações, bem como em certos estados de êxtase religioso[27]. A *coniunctio* pertence a estes arquétipos. O poder de assimilação do arquétipo explica não só a vasta propagação deste tema, como também o fato de ele apoderar-se do indivíduo com tão apaixonada intensidade, a ponto de muitas vezes ir contra toda razão e lucidez. Os processos descritos nas últimas gravuras também pertencem às peripécias do fenômeno da *coniunctio*. Tratam da repercussão do encontro dos opostos, cuja unificação implica também a personalidade consciente. Sua consequência extrema é a dissolução do eu no inconsciente e, portanto, algo semelhante à morte. Isto ocorre devido à relativa identificação do eu com os fatores inconscientes, a chamada *contaminação*. É o que o alquimista sente como *immunditia*, impureza. Ele a interpreta como uma conspurcação dos fatores transcendentes, causada pela densidade e pelo peso do corpo, que, por esta razão, deve ser submetido à sublimação. Psicologicamente, porém, o corpo é expressão de nossa existência individual e consciente, que sentimos como sendo inundado ou envenenado pelo inconsciente. Por este motivo, tentamos separar a consciência do eu do inconsciente, livrando-nos do perigoso amplexo deste último. O poder do inconsciente é temido e causa apreensão. Mas isto só é parcialmente justificado pelos fatos, pois sabemos, por outro lado, que o inconsciente também é capaz de influências favoráveis. Os efeitos exercidos pelo inconsciente dependem em larga escala da sintonização do consciente.

502 A *mundificatio* (purificação) é, pois, uma discriminação do que estava misturado, a saber, da *coincidentia oppositorum*, na qual também está incluído o indivíduo. O homem racional deste mundo tem que diferenciar-se daquilo que ele é "na eternidade", digamos assim. Como indivíduo único, ele representa também o "Homem" como tal, e participa de tudo o que mobiliza o inconsciente coletivo. Em outras palavras: as verdades "eternas" tornam-se perigosos fatores de perturbação, quando oprimem o eu individual e único, vivendo às

---

27. Certos tipos de intoxicação que produzem estados delirantes também podem desencadeá-los. Em rituais primitivos utilizam-se sobretudo a datura e o peyotl (Anhalonia Lewinii) para este fim. Cf. HASTINGS, 62, IV, 735s.

custas e em detrimento deste último. Se, diante das circunstâncias peculiares do seu material de experiência, a nossa psicologia se vê obrigada a ressaltar a importância do inconsciente, isso não significa em hipótese alguma que a importância do consciente tenha que ser diminuída. Significa apenas que se deve de certa forma "relativizar" o consciente no caso de uma valorização excessiva e unilateral do mesmo. Essa "relativização" do consciente, porém, não deve chegar a ponto de permitir que o fascínio exercido pelas verdades arquetípicas subjugue o eu. O eu vive no tempo e no espaço e precisa ajustar-se às leis desta realidade para poder subsistir. No entanto, no caso de o eu se assimilar de tal forma ao inconsciente, que toda decisão sempre caiba a este último, o eu é sufocado e não existe mais nada para receber e integrar o inconsciente, nada em que ele possa realizar-se. A distinção entre o eu empírico e o homem "eterno" e universal é, por conseguinte, de uma importância absolutamente vital, sobretudo no momento presente, em que a massificação da personalidade se expande assustadoramente. A massificação não vem apenas de fora; vem igualmente de dentro, do inconsciente coletivo. Externamente oferecia-se uma proteção com os *droits de l'homme* (direitos humanos). Hoje em dia, porém, a maior parte da Europa já os perdeu[28]. E nos países onde ainda não foram perdidos atuam partidos políticos tão poderosos quanto ingênuos, que fazem todo o possível para solapar os direitos eternos do homem, eliminando-os em favor de uma existência no *ergastulum* (na senzala), mediante o chamariz das garantias sociais. Contra os demônios interiores existe a proteção sob forma de Igreja, na medida em que ela tem autoridade. Contudo, proteção e garantia só são válidas se não abafarem demais a vida; do mesmo modo, a superioridade da consciência só é benéfica enquanto não reprimir e excluir demasiados aspectos da vida. A vida sempre é uma viagem entre Esquila e Caribdis.

503 O processo de diferenciação entre o eu e o inconsciente[29] corresponde à *mundificatio* (purificação) e, assim como esta é a condição

---

28. Como este trabalho foi redigido em 1943, deixo esta frase aqui em sua forma original, na esperança de um mundo melhor.

29. Meu trabalho *Die Beziehung zwischen dem Ich und dem Unbewussten*, 75, trata desse processo de diferenciação. *O eu e o inconsciente*. [OC, 7/2]).

necessária para que a alma possa retornar ao corpo, este último também é indispensável, se quisermos evitar que o inconsciente exerça influências destrutivas sobre a consciência do eu. De fato, é o corpo que dá os limites à personalidade. *A integração do inconsciente, porém, só é possível, se o eu aguentar*. Assim, o que parece ser um esforço válido para o alquimista, isto é, a unificação do *corpus mundum* (corpo puro) com a sua alma, também o é para o psicólogo após ter conseguido livrar a consciência do eu da contaminação com o inconsciente. Na alquimia, a purificação se faz através de uma múltipla destilação; na psicologia, através da separação radical do ser (eu) humano comum de todas as interferências inflacionárias do inconsciente. Este trabalho exige minucioso exame de consciência e autoeducação, e, aquele que o consegue, está em condições de transmiti-lo aos outros. Tal como o alquimista purifica o *corpus* de todas as *superfluitates* no fogo em seus mais altos graus, e submete o *Mercurius* à "tortura de passar de uma câmara nupcial à outra", assim também o processo psicológico da diferenciação não é um trabalho fácil, pois requer muita paciência e perseverança. Como mostra o simbolismo alquímico, este processo é impossível sem uma relação com um parceiro humano. "Reconhecer as suas falhas" de um modo geral e acadêmico é ineficaz, porque neste caso não são as falhas reais que aparecem, mas apenas as suas representações. Assumem, porém, um caráter agudo, ao manifestar-se na relação real com outro ser humano, tornando-se então perceptíveis à própria pessoa, bem como ao outro. Só assim podem ser realmente sentidas e reconhecidas em sua verdadeira natureza. Da mesma maneira, confessar as faltas a si mesmo tem quase sempre pouca ou nenhuma eficácia; mas ao invés, quando assumidas diante de outra pessoa, essa eficácia é bem maior, ou pelo menos assim se espera.

504 A "alma" que se une de novo ao *corpus* é o Um que nasce do Dois como *vinculum* comum a ambos[30]. A alma aparece, portanto, como uma essência de relação. Em sua qualidade de representante do inconsciente coletivo, a *anima* psicológica também possui o caráter do "coletivo". O inconsciente coletivo tem existência óbvia e universal;

30. Compare-se com *Tractatulus Aristotelis*, 2, VIII, p. 371.

assim sendo, toda vez que aparece, ele acarreta uma identificação inconsciente, ou seja, uma *participation mystique*. Na medida em que a personalidade consciente nisso estiver aprisionada e não opuser resistência a esse envolvimento, este último vai personificar-se como *anima* (por exemplo no sonho), como uma personalidade parcial relativamente autônoma, que exerce influências essencialmente perturbadoras. Mas depois que uma profunda e demorada crítica e uma dissolução das projeções permitiram que se realizasse uma diferenciação entre o eu e o inconsciente, a *anima* vai pouco a pouco deixando de ser uma personalidade autônoma. Desse momento em diante, ela se torna a função de relação entre o consciente e o inconsciente. Enquanto estiver projetada, ela multiplica as ilusões de todo tipo, criando inextricáveis envolvimentos nas pessoas e nas coisas. Recolhida sua projeção, ela volta a ser o que era antes, ou seja, uma imagem arquetípica, que, ao funcionar no lugar certo, beneficia o indivíduo. Ao ser colocada entre o eu e o mundo, é como se fosse uma Shakti resplandecente, tecendo o véu de Maya e ofuscando tudo o que existe com sua dança. Colocada entre o eu e o inconsciente, porém, a *anima* é o fundamento de figuras divinas e semidivinas, que vão da deusa arcaica a Maria, e da mensageira do Graal à santa[31]. A *anima inconsciente* é um ser nitidamente isento de relação e autoerótica, que nada busca senão apoderar-se totalmente do indivíduo. Isso feminiza o homem de um modo estranho e desfavorável e se manifesta através de caprichos e atitudes incontroladas. Aos poucos isso também vai perturbar as funções até então confiáveis e sensatas, como a razão, por exemplo, além de dar origem a pensamentos e opiniões como as que se censuram – e com razão – nas mulheres possuídas pelo *animus*[32].

---

31. In: Angelus Silesius encontramos um bom exemplo, 13, livro III, n. 238: “Ach Freude! Gott wird Mensch und ist auch schon geboren! / Wo da? In mir: er hat zur Mutter mich erkoren. / Wie gehet es dann zu? Maria ist die Seel, / Das Krippelein mein Herz, der Leib, der ist die Höhl” etc. (ó alegria! Deus se faz homem e até já nasceu! / Onde? Em mim: ele me escolheu por sua mãe. / Como isso acontece? Maria é a alma, / A manjedoura, meu coração, o corpo, é a gruta etc.

32. O *animus* das mulheres também gera efeitos ilusórios, com a única diferença de neste caso consistir num tipo de ideias dogmáticas e preconceituosas, que não são fruto da reflexão pessoal, mas são apanhadas aqui e acolá.

505 Devo ressaltar aqui que, no que se refere ao equivalente na psicologia feminina, as formulações são fundamentalmente diversas, uma vez que nesse caso não estamos lidando com uma função de relação, mas uma função de diferenciação, isto é, do *animus*. Enquanto filosofia, a alquimia era antes de mais nada uma preocupação masculina, razão pela qual as suas formulações são essencialmente masculinas. No entanto, não podemos ignorar que o elemento feminino na alquimia tem certa importância, uma vez que em seus primórdios alexandrinos havia filósofas reconhecidas, tais como Theosebeia[33], a *soror mystica* de Zósimo, Paphnutia e Maria Prophetissa. Posteriormente tornou-se conhecido o casal de alquimistas Nicolas Flamel e Peronelle. O *Mutus Liber* de 1677 descreve o *opus* como um trabalho executado pelo homem e pela mulher em conjunto[34]. Finalmente, encontramos no século XIX o par de alquimistas ingleses, Mr. Thomas South e sua filha, mais tarde Mrs. Atwood. Depois de ambos se terem dedicado longamente ao estudo da alquimia, resolveram deixar por escrito suas descobertas e experiências. Nesse intuito, separaram-se: o pai começou a trabalhar em uma ala da casa, e a filha, em outra. Ela redigiu um livro volumoso, erudito, mas ele escreveu em forma poética. Ela concluiu antes seu livro e mandou imprimi-lo. Mal havia saído o volume, o pai foi acometido de escrúpulos, receando que tivessem revelado o grande segredo. Conseguiu convencer a filha, no sentido de retirar o livro de circulação, destruindo-o. Ele, por sua vez, também sacrificou o seu trabalho. Umas poucas linhas deste último foram conservadas no livro da filha, pois alguns exemplares não chegaram a ser recolhidos. Só após a morte dela[35] foi feita uma nova edição (1920)[36]. Li o livro: ele não trai segredo algum. Ainda é perfeitamente medieval, com tentativas de explicações teosóficas, concessão ao sincretismo dos tempos modernos.

---

33. É a Euthicia do Tratado *Rosinus ad Sarratantam*, 2, IV.

34. O *Mutus Liber*, 120, foi reproduzido em forma de apêndice no MANGETUS, *Bibliotheca Chemica Curiosa*, 1702, 3, III. (Fig. cf. *Psychologie und Alchemie*, 82). Dele também existe uma reedição moderna. John Pordage e Jane Leade também seriam considerados um casal de alquimistas (século XVII).

35. Ela viveu de 1817 a 1910.

36. ATWOOD. 15.

506 Uma carta do teólogo e alquimista inglês Pordage[37] à sua *soror mystica* Jane Leade constitui uma importante contribuição para o conhecimento do papel da psicologia feminina na alquimia. Nela Pordage dá instruções espirituais a Jane Leade[38], com relação ao *opus*, conforme podemos ver:

507 "Este forno sagrado, este *balneum Mariae* (banho-maria), esta retorta de vidro, este forno secreto, é o lugar, a '*matrix*' ou útero e o centro do qual jorra, borbulha e se origina a tintura divina. Não é preciso mencionar a localização ou o lugar onde a tintura tem sua moradia ou estada, nem tenho que dizer-lhe o nome, quero recomendar-vos apenas que batais no fundo, pedindo entrada. Salomão diz no Cântico dos Cânticos que sua morada interior não fica longe do umbigo, que é como uma taça redonda, cheia do licor sagrado da pura tintura[39]. Conheceis o fogo dos filósofos; ele é a chave que guardavam escondida... O fogo é a vida do fogo amor que emana da Vênus divina, ou do amor de Deus; o fogo de Marte, por ser demasiado quente, ardente e selvagem, secaria e queimaria a matéria; por isso, o fogo amor de Vênus é o único dotado das propriedades do fogo verdadeiro.

508 "Esta filosofia verdadeira ensinar-vos-á o modo pelo qual deveis conhecer-vos a vós mesma, a fim de que, vos conhecendo, possais também conhecer a pura natureza; pois a pura natureza está dentro de vós. E se conhecerdes a pura natureza, que é vosso verdadeiro ser, liberto de todo egoísmo perverso e pecaminoso, então conhecereis também a Deus; pois a divindade está oculta dentro da pura natureza, tal como a noz no envoltório da casca... Ensinar-vos-á a filosofia verdadeira quem é o pai e quem é a mãe dessa criança mágica?... O

---

37. John Pordage (1607-1681) estudou teologia e medicina em Oxford. Foi discípulo de Jakob Boehme com sua teosofia de coloração alquímica e adquiriu conhecimentos astrológicos e alquímicos. Em sua filosofia mística, cabe a Sofia o papel principal. ("Ela é minha autonomia divina, eterna, essencial. Ela é minha roda no interior da minha roda" etc. *Sophia*, 134, p. 21.)

38. ROTH-SCHOLTZ, 146, I, p. 569s. reproduz a carta. A primeira edição alemã (*Philosophisches Send-Schreiben vom Stein der Weissheit*) parece ter sido publicada em Amsterdã, em 1698.

39. Apreciada referência ao *Cântico dos Cânticos*. Aqui (na Bíblia de Lutero) 7,2: "Teu colo é como uma taça redonda, onde sempre há o que beber". Compare-se tb. com *Aurora Consurgens*, 34, I, cap. 12.

pai dessa criança é Marte, é a vida fogo, que procede de Marte enquanto qualidade do pai. Sua mãe é Vênus, o suave fogo amor, que procede da qualidade do filho. Aqui vós vedes diminutos homens e mulheres, o esposo e a esposa, a noiva e o noivo, as primeiras núpcias ou as bodas da Galileia, nas qualidades e nas formas da natureza, que são as núpcias celebradas entre Marte e Vênus, no momento em que retornam do estado da queda. Marte, ou o esposo, deve tornar-se um homem divino, pois senão a pura Vênus não o desposará, nem o receberá no sagrado leito nupcial. Vênus deve tornar-se uma virgem pura, uma esposa virginal, pois senão Marte, irado e ciumento, não a desposará, tomado pelo fogo-ira e ela não viverá em união com ele. Em vez de união e harmonia, só haveria altercação, ciúmes, discórdia e inimizade entre as qualidades da natureza.

509 "Se desejardes tornar-vos uma Artista sábia, então procurai com seriedade unificar os vossos próprios Marte e Vênus, a fim de que o laço conjugal seja bem atado, e o matrimônio se consuma. Deveis cuidar para que eles se deitem um com o outro no leito de sua unidade e vivam em doce harmonia. Assim, a virgem Vênus dentro de vós entregar-vos-á sua pérola, seu espírito-água, a fim de acalmar o espírito fogo de Marte, e o fogo-ira de Marte se abrandará em amor e mansidão de bom grado no fogo-amor de Vênus, e ambas as qualidades, o fogo e o amor se misturarão, se unirão, se confundirão uma na outra. De sua união e concórdia manará a primeira concepção do nascimento mágico, que se designa por tintura, a tintura do fogo-amor. Se bem que a tintura tenha sido concebida no útero de vossa humanidade e nele haja despertado para a vida, ainda persiste um grande perigo: o de que a tintura, por encontrar-se ainda no corpo ou no útero, se deteriore antes de amadurecer e de ser trazida à luz. Por este motivo, deveis procurar uma boa ama que compreenda sua infância e dela cuide adequadamente: e essa ama deve ser o vosso coração puro e a vossa casta vontade".

510 O melhor alimento para a Criança seria o "fogo amor de Vênus" e não o "fogo-ira de Marte" o qual a "asfixiaria e a mataria". Depois de bem alimentada, "a Criança, essa vida que tinge, deve ser contestada, posta à prova e tentada nas propriedades da natureza. Isto ocasiona novos perigos e grandes preocupações, visto que poderá sofrer os danos da tentação no corpo e no útero, e podereis então comprometer o tal nascimento. Pois a delicada tintura, a tenra Criança da

vida, deve descer às formas e às propriedades da natureza, para aí sofrer, suportar e vencer a provação; ela deve descer necessariamente às trevas divinas, ao tenebroso Saturno, onde não se distingue qualquer luz de vida: deve permanecer cativa nessa escuridão e acorrentada a ela, vivendo do alimento que o mordaz Mercúrio lhe traz; tal alimento, para a divina tintura de vida, nada mais é do que pó e cinzas, veneno e fel, fogo e enxofre. Ela deve fundir-se no Marte irado e feroz e (tal como Jonas no ventre do inferno) deve ser por ele tragado, sentindo a maldição da cólera de Deus. Também deve ser tentada por Lúcifer e pelos milhões de demônios que habitam nas propriedades do fogo-ira. E então o Artista divino vê aparecer a primeira cor dentro desta obra filosófica onde a tintura agora aparece em seu negrume; é o negrume mais negro. Os sábios filósofos chamam-no sua gralha negra, seu corvo negro, ou ainda de negror abençoado e bem-aventurado; pois é na escuridão desse negrume que a luz das luzes se oculta na propriedade de Saturno; e é nesse veneno e nesse fel que em *Mercurius* se oculta o mais precioso dos remédios contra o veneno, a vida da vida: e é no furor, na ira e na maldição de Marte que está oculta a abençoada tintura.

511 "Neste ponto, o Artista tem a impressão de que todo o seu trabalho foi em vão, o que aconteceu com a tintura? Nada aqui aparece que se veja ou se reconheça ou se saboreie, a não ser a escuridão, a morte mais dolorosa, um fogo infernal e angustiante; nada, senão a ira e a maldição de Deus. Não vê nessa putrefação, nessa dissolução e destruição da tintura da vida, (não vê) que nessas trevas esteja a luz, que nessa morte esteja a vida, que nesse furor e cólera esteja o amor e, nesse veneno, a suprema e a mais preciosa tintura e remédio contra todos os venenos e todas as doenças.

512 "Os antigos filósofos denominavam esta obra, ou este trabalho, seu descenso, sua incineração, sua pulverização, morte, putrefação da matéria da pedra, sua corrupção ou *caput mortuum*. Ora, essa negrura, essa cor negra, não deveis desprezá-la, mas suportar-vos nela em paciência, dor e silêncio, até se completarem os quarenta dias da provação, os dias do sofrimento, pois então a semente da vida despertará por si mesma para a vida, ressuscitará, sublimar-se-á ou se glorificará, e se transformará na cor branca, purificada, santificada e se outorgará a si mesma a cor vermelha; ou seja, transfigurando-se,

ela se fixará. Atingido este estágio da obra, o trabalho será fácil: os sábios filósofos diziam que o fazer da pedra seria, a partir daí, trabalho de mulher e brincadeira de criança. Portanto, se a vontade humana se render ou se abandonar, e na dor e no silêncio se tornar um nada inerte, neste momento a tintura agirá e fará tudo em nós e para nós; isso, se pudermos deter todos os nossos pensamentos, todos os nossos movimentos e fantasias, se pudermos cessar o trabalho e permanecer em repouso. Mas como é difícil esse labor, duro e amargo para a vontade humana até ela poder ser trazida a esta forma que lhe permita permanecer serena e abandonada quando todos os fogos se desencadeiam contra ela, e todas as formas de provação a assaltam!

513 "Aqui, como vedes, o perigo é grande e é fácil descuidar da tintura da vida e o fruto no ventre materno pode corromper-se, ao ver-se cercado e combatido de todos os lados por tantos demônios e tantas essências tentadoras. Mas se a tintura lograr resistir e vencer essa prova de fogo e essa grave tentação, conquistando a vitória sobre elas, então se vos descortinará o princípio de sua ressurreição do inferno, do pecado, da morte e do túmulo da mortalidade, inicialmente sob a forma das qualidades de Vênus: pois a tintura da vida irromperá então ela própria com seu poder, deixará o cativeiro sombrio de Saturno, atravessará o inferno do veneno de Mercúrio, a maldição e a morte dolorosa da cólera de Deus que em Marte arde e flameja, e o termo fogo-amor na qualidade de Vênus prevalecerá e a tintura do fogo-amor obterá a proeminência e o domínio supremo. Reinará a mansidão e o fogo-amor da Vênus divina será senhor e rei dentro e acima de todas as qualidades.

514 "Mesmo assim, persiste o perigo de a obra da pedra vir a fracassar. O Artista ainda deve aguardar até ver a tintura revestida com a outra cor branca, a do branco mais branco, a qual só espera vislumbrar depois de muita paciência e tranquilidade; ela realmente aparecerá, quando a tintura ascender à qualidade lunar: visto que *Luna* dá à tintura um belo alvor, sim, a cor branca mais perfeita, e um forte brilho e luminosidade. A escuridão então se converte em luz e a morte em vida. E este alvor tão luminoso costuma desabrochar em alegria e esperança no coração do Artista, pois a obra transcorreu favoravelmente e teve um final tão feliz. Deste momento em diante, a cor branca revela ao olho iluminado da alma a pureza, a inocência, a san-

tidade, a simplicidade, uma vontade unificada, uma disposição de espírito celeste, de santidade e justiça que revestem por completo a tintura, como se fora um vestido: é luminosa como a lua, bela como a aurora. Aparece então a divina virgindade da vida que tinge, e nela não há mancha, nem ruga, nem mácula alguma.

515 "Os antigos designavam esta obra por seu cisne branco, sua albificação, ou alvejamento, sua sublimação, destilação, sua circulação, purificação, sua separação, santificação, ressurreição, pois a tintura torna-se branca como a prata de brilho intenso; por suas frequentes descidas a Saturno, Mercúrio e Marte e por suas repetidas ascensões a Vênus e Lua, ela é sublimada ou elevada e transfigurada. Esta é a sua destilação, o seu *balneum Mariae* (banho-maria): pois a tintura é purificada nas qualidades da natureza pela frequente destilação da água, do sangue e do orvalho celeste pela virgem divina Sofia. E ela é alvejada e purificada como a alva prata polida e intensamente brilhante, pela múltipla circulação produzida pelo entrar e sair e atravessar as qualidades e formas da natureza. Toda impureza do negrume, morte, inferno, maldição, toda ira e veneno que emanam das propriedades de Saturno, de Mercúrio e de Marte é separada e afastada, razão pela qual os antigos chamavam esse processo de sua separação; e quando a tintura atinge em Vênus e *Luna* seu brilho e brancura, o designavam por sua santificação, purificação e alvejamento. Designavam-no por sua ressurreição; porque o alvor ressurge do negrume, assim como a virgindade e a pureza divinas, do veneno de Mercúrio e da ira e da cólera rubra e ardente de Marte".

516 Ao branco, Júpiter acresce o amarelo, e Sol, o carmesim, o escarlate, o grená, o rosa, a cor da uva-passa o que brilha como ouro. "Desse momento em diante a pedra é fixada, o elixir da vida preparado, nascido o amor criança ou a criança do amor, o novo nascimento é concluído, e a obra completa e perfeita. Adeus queda, inferno, maldição, morte, dragão, animal e serpente! Boa-noite mortalidade, temor, luta e miséria! Pois agora a redenção, a salvação e o resgate de tudo o que estava perdido dar-se-á interna e externamente; pois agora possuís o grande segredo e o mistério do mundo inteiro; vossa é a pérola do amor; vossa a eterna e imutável essência da alegria divina, de onde provém toda virtude curativa e todo poder de multiplicação, de onde emana efetivamente a força atuante do Espírito Santo. Possuís a se-

mente mulher que esmagou a cabeça da serpente. Possuís a semente da virgem e o sangue da virgem numa única essência e qualidade.

517 "Ó milagre dos milagres! Possuís a tintura que tinge, a pérola da virgem que tem três numa única essência e qualidade, tem corpo, alma e espírito, tem fogo, luz e alegria, tem a qualidade do pai, tem a qualidade do filho e também a qualidade do Espírito Santo, ou seja, estas três qualidades em uma única essência e natureza fixa e perene. É o filho da virgem, seu primogênito, é o nobre herói, o esmagador da serpente, o que precipita e aniquila o dragão debaixo dos seus pés... Pois agora o homem paradisíaco é límpido qual um vidro transparente, atravessado por inteiro pelo brilho do sol divino, tal como o ouro, todo claro, puro e límpido, sem mácula, sem a menor impureza. A partir deste momento, a alma é sem dúvida um anjo seráfico, podendo por si mesma tornar-se médico, teólogo, astrólogo, ou mago divino, podendo fazer de si mesma e também realizar e possuir o que quiser: pois todas as qualidades têm uma só vontade em unidade e harmonia. E esta vontade única é a vontade eterna e infalível de Deus; de ora em diante, o homem divino tornou-se *um* com Deus, em sua própria natureza"[40].

518 Este mito celeste do amor, da virgem, da mãe e do filho soa por certo bem feminino. Na realidade, porém, trata-se da concepção arquetípica do inconsciente masculino, em que a virgem Sofia corresponde à *anima* (no sentido psicológico da palavra)[41]. Trata-se ao mesmo tempo do ser humano "paradisíaco" ou "divino", isto é, do Si-mesmo, tal como o demonstra o simbolismo e a diferenciação insuficiente do filho. Esta insuficiente diferenciação das ideias e figuras que naquele tempo ainda eram místicas explica-se pelo caráter emocional das vivências interiores descritas pelo próprio Pordage[42]. Tais experiências deixam pouco espaço para a razão crítica. Mas elas revelam os processos ocultos por detrás do simbolismo alquímico, constituindo a ponte para a psicologia médica moderna e seus conhe-

---

40. As últimas frases lembram as doutrinas da *secta liberi spiritus* que já iniciara no século XIII com as beguinas e os beguinos.

41. A concepção de Pordage corresponde por isso de certa forma à psicologia feminina consciente, mas não à psicologia feminina inconsciente.

42. PORDAGE. *Sophia*, 134, cap. 1s.

cimentos. Infelizmente não dispomos de tratados originais que pudéssemos atribuir com suficiente segurança a uma autora feminina. Devido a isso, não sabemos que tipo de simbolismo alquímico nasceria de uma visão feminina. Mediante a experiência médica moderna, porém, sabemos que o inconsciente feminino cria um simbolismo que, em suas linhas gerais, se comporta compensatoriamente em relação ao do homem. Para falarmos com Pordage, o *leitmotiv* seria menos o da terna Vênus do que o do fogoso Marte, e menos o de Sofia do que o de Hécate, Deméter e Perséfone, ou então, da Kali matriarcal, do sul da Índia, em seus aspectos luminosos e obscuros[43].

519 Neste contexto, gostaria de referir-me ainda à estranha representação da *arbor philosophica* (árvore filosófica), no *Codex Ashburn* de 1166[44]. Em Adão, ferido pela flecha[45], a árvore nasce da região genital, ao passo que em Eva nasce da cabeça. A mão direita da mulher cobre a região genital e a mão esquerda aponta para uma caveira. O primeiro gesto é uma nítida alusão ao fato de que o *opus* implica, no homem, o aspecto erótico da *anima*; o segundo mostra que, na mulher, se trata do *animus*, enquanto *função de cabeça*[46]. A "prima materia", como coisa inconsciente, é representada, no homem, pela *anima* (em sua forma inconsciente) e na mulher, pelo *animus* (também em sua forma inconsciente). Da *prima materia* cresce a árvore filosófica, que é o desenvolvimento da obra. Mesmo tomadas em seu senti-

43. No entanto existe uma obra moderna que descreve perfeitamente o mundo simbólico feminino. Trata-se do *Woman's Mysteries*, 61, de Esther Harding.

44. Fig. 131 e 135 em *Psicologia e alquimia*. OC,12.

45. A flecha aponta para o "telum passionis" do Mercurius (cf. *Cantilena* RIPLAEI, 141, p. 423). Compare-se com *Der Geist Mercurius*, 79, p. 121s., OC, 13; § 113s. Cf. tb. BERNARDO DE CLARAVAL, 24, XXIX, 8: "Est et sagitta sermo Dei vivus et efficax et penetrabilior omni gladio ancipiti... Est etiam sagitta electa amor Christi, quae Mariae animam non modo confixit, sed etiam pertransivit, ut nullam in pectore virginali particulam vacuam amore relinqueret". (A palavra de Deus é uma flecha; ela é viva e atuante e mais penetrante do que qualquer espada de dois gumes... E o amor de Cristo é também uma flecha de escol, que não só atingiu a alma de Maria, como também a trespassou para que em seu coração virginal não restasse partícula alguma vazia de amor.)

46. Comparar com o conto "A mulher que virou aranha" de K. RASMUSSEN, 139, p. 121s., e a lenda Siberians 114b, n. 31: "A donzela e o crânio"; em ambos os casos uma mulher desposa um crânio.

do simbólico, as imagens concordam com as descobertas da psicologia, uma vez que, neste caso, Adão representa o *animus* da mulher, cujo membro viril engendra os pensamentos "filosóficos" (os λόγοι σπερματιχοί). E Eva, a *anima* do homem, enquanto *sapientia*, ou σοφία, faz, por seu lado, com que de sua cabeça saiam os conteúdos intelectuais da obra.

520 Para finalizar, devo fazer menção ao fato de que o *Rosarium* também comporta uma concessão à psicologia feminina, pois a esta primeira série de imagens se segue uma segunda, menos completa, embora análoga de resto à primeira. No final dessa segunda série de imagens aparece não um ser feminino como na primeira, a "imperatriz", a "filha dos filósofos", mas um ser masculino, o "imperador". O destaque maior do elemento feminino na *rebis* corresponde à psicologia masculina dominante. O acréscimo, do "imperador" na segunda versão, porém, é uma concessão à mulher (ou eventualmente ao consciente do homem).

521 O *animus*, em sua forma primeira e inconsciente, se traduz por uma formação espontânea, involuntária de opiniões, que exercem uma poderosa influência sobre a vida do sentimento; ao passo que a *anima* consiste numa formação espontânea de sentimentos que influenciam, ou distorcem a razão. ("Ela virou-lhe a cabeça".) Assim sendo, o *animus* projeta-se de preferência sobre autoridades "espirituais" e outros "heróis" (inclusive tenores, "artistas" e esportistas campeões). A *anima* gosta de apoderar-se daquilo que na mulher é inconsciente, vazio, frígido, frágil, desamparado, obscuro e dúbio. Em ambos os casos, o aspecto incestuoso desempenha um papel preponderante; na mulher jovem é o pai; na de mais idade, o filho; no homem jovem, a mãe; no mais velho, a filha.

522 A alma que no decorrer do *opus* vem acrescer-se à consciência do eu tem, pois, a marca do feminino no homem, e na mulher a do masculino. A *anima* dele procura unificar e unir, o *animus* dela quer diferenciar e entender. É uma rigorosa antítese que na *rebis* alquímica, símbolo de uma unidade transcendente, representa a *coincidentia oppositorum*. Mas na realidade da consciência que, graças à *mundificatio* (purificação) anterior já se livrou de toda imisção inconsciente, essa antítese representa uma situação de conflito, ainda que seja har-

mônica a relação consciente dos dois indivíduos. O consciente, embora não se identifique com a tendência inconsciente, confronta-se com ela e tem que levá-la em conta, de um modo ou de outro, para desempenhar seu papel na vida do indivíduo, por mais difícil que isto seja. Se o inconsciente não se expressar de alguma forma, através de palavras, ação, inquietação, sofrimento, consideração, resistência, a antiga cisão reaparece, com todas as consequências muitas vezes imprevisíveis que o desprezo do inconsciente pode acarretar. Se, ao invés, as concessões ao inconsciente forem excessivas, ocorrerá uma inflação da personalidade, no sentido positivo ou negativo. Como quer que se encare a situação, ela sempre será um conflito interno e externo: um dos pássaros já aprendeu voar, o outro, ainda não. A dúvida é a seguinte: por um lado um *pro* discutível, por outro, um *contra* que é preciso acatar. Todos gostariam de escapar a esta situação, por certo inconfortável, mas só para descobrirem depois que o que foi deixado para trás eram eles mesmos. Viver fugindo de si mesmo só traz amargura, e viver consigo mesmo requer uma série de virtudes cristãs, que, no caso, devemos ter em relação a nós mesmos. Estas virtudes são: paciência, amor, fé, esperança e humildade. É importante beneficiar o próximo com elas, não resta a menor dúvida, mas logo vem o diabo do narcisismo, dá-nos uns tapinhas nas costas e diz: "Bravo! Muito bem!" E como esta é uma grande verdade psicológica, ela tem que ser invertida em relação a outras tantas pessoas, a fim de que o diabo tenha algo a censurar. Mas se for preciso ter essas virtudes para conosco mesmos, isso nos torna felizes? E se for eu mesmo o receptor de minhas próprias dádivas, se for eu mesmo o menor entre os meus irmãos que devo acolher dentro de mim? E se tiver que reconhecer que estou necessitado de minha própria paciência, de meu amor, de minha fé e até de minha humildade? Que o diabo, meu opositor, aquele que sempre em tudo me contraria, sou eu mesmo? Podemos realmente suportar-nos a nós mesmos? Não se deve fazer aos outros o que não se faria a si mesmo. E isto é válido para o mal como para o bem.

523 Foi extraído da *Confessio Amantis* (Confissão de um amante), de John Gower, o verso que usei como epígrafe na introdução:

"Bellica pax, vulnus dulce, suave malum"[47]. (Uma paz bélica, uma doce ferida, um mal suave). Com estas palavras, o antigo alquimista formula a quintessência de sua experiência. Eu nada poderia acrescentar à incomparável simplicidade e síntese destas palavras. Elas contêm tudo o que o eu pode reclamar para si do *opus*. Elas lhe clareiam a obscuridade e o paradoxo da vida humana. Sujeitar-se e abandonar-se ao antagonismo fundamental da natureza humana significa aceitar as *tendências que se entrecruzam a si mesmas* no psiquismo. Tal como nos ensina a alquimia, esse antagonismo é quádruplo: forma uma cruz, a dos quatro elementos inimigos entre si. O aspecto mínimo de uma oposição total é o de quatro componentes. A *crux* (cruz) corresponde à realidade psíquica, tanto por sua forma cruzada quanto por seu aspecto de suplício. "Carregar a cruz" é, portanto, um símbolo adequado da totalidade e ao mesmo tempo da paixão, à qual o alquimista compara o seu *opus*. Não é, pois, sem razão, que o *Rosarium* conclui com a imagem do Cristo ressuscitado e com o verso alemão:

> "Nach meinem viel und manches leiden und marter gross / Bin ich erstanden / clarificiert / und aller mackel bloss".
>
> (Depois de tanto e múltiplo sofrimento e do meu grande martírio / Ressuscitei / clarificado / e livre de toda mácula).

524 Uma análise e interpretação exclusivamente racionais da alquimia, bem como dos conteúdos inconscientes nela projetados poderiam e até deveriam ser dadas por encerradas com os paralelos acima e suas antinomias, porquanto a oposição total não conhece um terceiro termo *tertium non datur* (não há terceira solução)! Mas a ciência termina nas fronteiras da lógica, o que não ocorre com a natureza, que também floresce onde teoria alguma jamais penetrou. A *venerabilis natura* (venerável natureza) não para no antagonismo, mas serve-se do mesmo para formar um novo nascimento.

---

47. 54, II, lib. I, p. 35. Comparar com BERNARDO DE CLARAVAL, 24, XXIX, 8: (Maria) "Et ilia quidem in tota se grande et suave amoris vulnus accepit..." (Mas ela [Maria] recebeu em seu ser inteiro uma grande e suave ferida de amor...).

10. O novo nascimento

525 A gravura é a décima da série. Isso não acontece por acaso, pois o *denarius* (o dez) representa o número perfeito[1]. A sequência 4, 3, 2, 1 constitui o *axioma de Maria*, conforme foi mostrado acima. A soma dos quatro algarismos é dez, representando a unidade num grau superior. O *unarius* (o um), enquanto unidade, representa a *res simplex* (a coisa simples), ou seja, a divindade (enquanto *auctor rerum* [autor das coisas])[2]; mas o dez é o resultado que se obtém depois e através da conclusão da obra. Por isso o *denarius* significa propriamente o Filho de Deus[3]; os alquimistas denominam-no *filius philosophorum* (filho dos filósofos)[4], mas simbolizam-no diretamente como Cristo, por um lado e por outro utilizam qualidades simbólicas que a Igreja atri-

1. "Numerus perfectus est denarius" (O número perfeito é o dez) (MYLIUS, 121, p. 134). Para os pitagóricos, o τέλειος ἀριθμός (HIPPOLYTUS, 65, I, 2, 8). Comparar com JOHANNES LYDUS, 109, 3, 4; e PROCLUS, 136, 21 AB. Esta ideia foi introduzida na alquimia por intermédio da *Turba* (*Sermo Pytagorae*, org. RUSKA, 148, p. 300s.). E também SENIOR, 160, p. 29s. DORNEUS, 5, IV, p. 622, diz o seguinte: "Quando quidem ubi Quaternarius et Ternarius ad Denarium ascendunt, eorum tit ad unitatem regressus. In isto concluditur arcano omnis occulta rerum sapientia". (Quando o quatro e o três ascendem para o dez, opera-se a volta a unidade. Neste arcano está contida toda a sabedoria oculta das coisas.) Mas não concorda (op. cit., p. 545) com o chegar ao 10 pelo 1+2+3+4, posto que o 1 ainda não é um número. O denarius procederia muito mais do 2+3+4=9+1. Ele insiste na exclusão do binário diabólico (op. cit., p. 542s.). John Dee (5, IX, p. 220) faz derivar o denarius da maneira habitual. Diz que os "antiquissimi latini philosophi" acreditam que a "crux rectilinea" significa o "denarius". O autor antigo, provavelmente árabe, Artefius (5, XII, p. 222), também começa derivando o denarius da adição dos primeiros quatro números. Depois menciona que 2 é o primeiro número e passa a fazer a seguinte operação: 2+1 = 3, 2+2=4, 4+1 = 5, 4+3=7, 7+1 = 8, 8+1 = 9, 8+2=10, "eodem modo centenarii ex denariis, millenarii vero ex centenariis procreantur" (Do mesmo modo as centenas provêm das dezenas e os milhares, das centenas). A operação é enigmática ou infantil.

2. Segundo HIPPOLYTUS, 65, IV, 43, 4, os egípcios dizem que Deus é uma μονάς ἀδιαίρετος (unidade indivisível), e que o dez também é uma mônada, o começo e o fim dos números.

3. "Denarius" como alegoria de Cristo em RABANUS MAURUS, 137.

4. "Audi atque attende: Sal antiquissimum Mysterium! Cuius nucleum in Denario, Harpocratice, sile" (Ouve e presta atenção: o sal é o mistério mais antigo! Oculta seu núcleo no dez, a modo de Harpócrates) (H. KHUNRATH, 95, p. 194). O sal é o sal da sapientia. Harpócrates é o gênio do segredo dos mistérios.

PHILOSOPHORVM.

Hie iſt geboren die eddele Keyſerin reich/
Die meiſter nennen ſie jhrer dochter gleich.
Die vermeret ſich/gebiert kinder ohn zal/
Sein vndötlich rein/vnnd ohn alles mahl.

Dit

Figura 10

bui à figura de Cristo para caracterizar sua *rebis*[5]. Esta caracterização poderia convir à figura medieval da *rebis*; no entanto, no que diz respeito à figura do hermafrodita de fontes árabes e gregas, temos que adotar em parte a tradição pagã. O simbolismo eclesial do *sponsus et sponsa* (esposo e esposa) conduz à unidade mística de ambos, a saber, à *anima Christi* (alma de Cristo) viva no *corpus mysticum* (corpo místico) da Igreja. Essa unidade é o fundamento da androginia de Cristo, que a alquimia medieval explora em vista de seus objetivos. A figura muito mais antiga do hermafrodita, cuja forma exterior provém, presumivelmente, de uma *Venus barbata* (de barbas) cipriota, veio de encontro à ideia, já bastante elaborada na Igreja oriental, de um Cristo andrógino. Esta ideia deve estar, por sua vez, intimamente ligada à ideia platônica da bissexualidade do homem primordial. É que Cristo é, afinal de contas, pura e simplesmente o *anthropos*.

526 O *denarius* (o dez) constitui *totius operis summa* (o somatório da obra inteira), o ponto culminante, que não pode ser ultrapassado, a não ser pela chamada *multiplicatio* (multiplicação). Ainda que o *denarius* represente uma unidade em grau superior, também é múltiplo de um, possuindo, portanto, a faculdade de multiplicar-se ao infinito, à razão de 10, 100, 1.000, 10.000 etc., do mesmo modo, que o *corpus mysticum* da Igreja é constituído de uma quantidade qualquer de fiéis, passível de multiplicar esse número ilimitadamente. Isso explica a origem dos nomes dados à *rebis*, tais como *cibus sempiternus* (alimento eterno), *lumen indeficiens* (luz indestrutível) etc., bem como a ideia de que a tintura se completa a si mesma, bastando concluir a obra *uma única vez*, pois esta única vez vale por todas[6]. Mas a *multiplicatio* nada

---

5. Existe um paralelo disto no sistema do Monoirnos (HIPPOLYTUS, 65, VIII, 12, 2s.). O filho do Okeanos (o anthropos) é uma mônada indivisível embora divisível, ele é mãe e pai, uma mônada que também é uma década. “Ex denario divino statues unitatem” (A partir do denarius divino estabelecerás a unidade) (citação de joh. Daustin, in: AEGIDIUS DE VADIS, 5, VII, p. 115s.). Dausten, Dastyne etc., aparentemente um inglês, que alguns situam no início do século XIV, e outros, muito mais tarde. Cf. FERGUSON, 40.

6. *Ordinall* de NORTON, 6, I, p. 48. PHILALETHES, 4, V, p. 802 diz: “Qui semel adeptus est, ad Autumnum sui laboris pervenit”. (Quem o conseguiu uma vez, chegou ao outono de seu trabalho.) Uma citação de Joh. Pontanus. Este vivia por volta de 1550 e era médico e professor de Filosofia em Konigsberg. Comparar com FERGUSON, 40, II, p. 212.

mais é do que uma simples propriedade do *denarius*, e, por essa razão, o 100 não é outra coisa, nem melhor do que o 10[7].

527 Como diz o *Rosarium*, a *lapis* enquanto homem primordial cosmogônico, é *radix ipsius* (raiz de si mesmo). Tudo surgiu desse Um e por esse Um[8]. É o ouroboros que se autofecunda e se gera a si mesmo; é um *increatum per definitionem* (incriado por definição), muito embora se cite uma passagem no *Rosarium*, segundo a qual, *Mercurius noster nobilissimus* (nosso nobilíssimo Mercúrio) foi criado por Deus como uma *res nobilis* (coisa nobre). Este *creatum increatum* (criado incriado) só pode ser inserido aqui como um paradoxo a mais. E não adianta quebrar a cabeça por causa desse estranho modo de pensar. Aliás, faremos isso só enquanto acharmos que os alquimistas não usavam o paradoxo intencionalmente. Creio que para eles era natural pensar que a melhor maneira de descrever o incognoscível é através de antagonismos[9]. Um longo poema alemão[9a] que, ao que tudo indica, só foi criado na época da impressão (1550), nos esclarece a natureza do hermafrodita da seguinte maneira:

528

> "Hie ist geboren die eddele Keyserin reich / Die meister nennen sie jhrer dochter gleich. Die vermeret sich / gebiert Kinder ohn zal / Sein undötlich rein / unnd ohn alies mahl.
> Die Königin hasset den todt und armuth Sie ubertriffet goldt silber eddel gesteyn / Alie Artzeneie / gross und klein. Nichts ist auff erden jhr gleich / Des sagen wir danck Gott von Himmelreich.
> O gewalt zwingt mich nackendes weib / Dann unsälig was mein erster leib. Unnd noch nie mutter was ich worden / Biss ich zum andern mahl ward geboren. Da gewan ich aller wurtz unnd kreutter krafft / Inn aller kranckheyt ward ich sigkhafft

---

7. É digno de nota que a ascensão espiritual da alma também tenha dez degraus para São João da Cruz.

8. "... ipsa omnia sunt ex uno et de uno et cum uno, quod est radix ipsius" (Todas essas coisas vêm pelo uno, do uno e com o uno, que é sua própria raiz) (2, XIII, p. 369). Comparar com o § 454, nota 21 deste volume.

9. Com referência à antinomia como o mais elevado grau da *ratio* (razão), cf. a "Docta Ignorantia", 123, de Nicolaus Cusanus.

9a. Comparar com *Ros. Phil.*, 142.

Meines Sones nam ich da wahr / Unnd kam mit jhm selbannder dar.
Da ich seiner wardt schwanger / Unnd gebäret uff ein unfruchtbarn anger. Ich wardt Mutter / unnd bleib doch Magt / Unnd wardt in meinem wesen angelagt.
Das mein Son mein Vatter wardt / Wie das Gott geschickt hat wesentlicher arth. Die Mutter die mich hat gebäret / Durch mich wardt sie geboren auff erdt. Eins zu betrachten / natürlich verbunden / Das hat das gebirg meisterlich verschlunden[10]. Darauss kommen vier inn eyn / Inn unserm meisterlichen stein. Unnd Sechs / inn dreifalt bedacht / Unnd in ein wesentlich arth gebracht. Wer das bedencken kann eben / Dem ist von Gott der gewalt gegeben Das ehr alle kranckheyt thut verdreiben / An metallen / unnd menschen leyben. On gottes hülff das niemand mag bawen / Dan der sich selbs kan durch schawen. Auss meyner erd entspringt eyn brun / Darauss rinnen zween sträum Der eyn fleust gen Orient / Und der ander gen Occident.
Darauss zwen Adler flygen und verbrennen jr gefider / Und fallen bloss in die erd nider.
Und werden hin wider gefidert schon / Ihm sein untherdenig Son und Mon.
O Herre Jhesu Christ:
Du der die gaben geben bist.
Durch deinen Heilygen geyst so gut / Der hat es als in seiner hut.
Wem er es gibt furwar / Der vernimmt der Meyster sprüch gar.
Das er bedenck das künfftig leben / Als leib und Seel gefügt werden eben.
Das sie schweben in jhres vatters reich / Also helt sich die kunst auff erdtreich".

(Aqui nasceu, rica e nobre, a imperatriz / Os mestres chamam-na sua filha.
Ela multiplica-se / dando à luz filhos incontáveis / Sua pureza é imortal / alheia a qualquer mácula.
A rainha odeia morte e pobreza

---

10. O termo verschlunden no original alemão deve significar o mesmo que verschlungen, oculto.

É superior a ouro, prata, pedra preciosa
E a todo remédio / grande ou pequeno.
Na terra nada a ela se compara / Por isso somos gratos a Deus no Reino dos Céus.
Ó a violência me domina mulher desnuda / Pois desventurado era meu primeiro corpo. E ainda eu não me tornara mãe / Quando nasci pela segunda vez. Recebi a força de ervas e raízes / E de todas as doenças triunfei. Percebi então a presença de meu filho / E com ele nasci ao mesmo tempo. Pois dele eu me encontrava grávida / E em solo infecundo dei à luz.
Fui mãe / permaneci donzela /
E cheguei à minha própria essência.
Para que meu filho também fosse meu pai /
Conforme Deus determinara essencialmente.
A mãe que me gerou /
Foi por mim trazida à luz na terra.
Para contemplar o Uno / ligado pela natureza /
A montanha o tragou porquanto dele é o Mestre.
Disto resulta quatro em um /
Em nossa pedra magistral.
E seis / de modo tríplice pensado /
A um trazido essencialmente.
Quem sobre isto for capaz de refletir /
A ele Deus dá benéfico poder
De afugentar toda e qualquer enfermidade /
Nos corpos metálicos / e humanos.
Sem a ajuda de Deus ninguém constrói /
A menos que a si mesmo se conheça.
De minha terra brota uma nascente /
Que se escoa em duas correntezas
A primeira se dirige para o oriente /
E a outra, para o ocidente.
Delas duas águias erguem voo e queimam sua plumagem /
Para cair então despidas sobre a terra.
E de novo recobram sua plumagem /
Sol e lua ficam a ele submetidos.
Ó Senhor Jesus Cristo:
Tu, dispensador dos dons preciosos.
Pelo Espírito Santo e sua benevolência

Que a tudo tem sob sua guarda e proteção.
Aquele a quem ele os dispensa /
Ouvirá os ditames desses mestres.
Que reflita pois na vida que virá /
Quando corpo e alma estiverem reunidos.
Para que se ergam flutuando ao reino de seu pai /
A arte assim prossegue no reino desta Terra).

529 O poema é de considerável interesse psicológico. Já destaquei anteriormente o andrógino e sua natureza de *anima*. A "desventura" do primeiro corpo corresponde à forma da *anima* nefasta e demoníaca (inconsciente), da qual já tratamos. Em seu segundo nascimento, resultado do *opus*, ela se tornou fecunda e nasceu ao mesmo tempo que seu filho, isto é, nasceu como hermafrodita, fruto da união incestuosa de mãe e filho. Sua virgindade não é lesada nem pela concepção, nem pelo parto[11]. Tal paradoxo, essencialmente cristão, está entre outros relacionado com a curiosa *intemporalidade do inconsciente*: tudo já aconteceu e ainda está por acontecer. Tudo está morto e ainda está por nascer[12]. Estas afirmações paradoxais exprimem a potencialidade dos conteúdos inconscientes. Por um lado, na medida em que se trata de algo susceptível de comparação, constitui objeto da nossa memória e do nosso saber, logo, algo que já aconteceu há muito tempo: falamos, neste caso, de "resíduos de concepções míticas arcaicas". Por outro lado, na medida em que se manifesta por uma irrupção inesperada e incompreensível, constitui algo "que jamais ainda aconteceu", algo totalmente "estranho, novo, futuro". Eis por que o inconsciente é mãe e filha e a mãe deu à luz sua própria

---

11. Comparar com *Rosinus ad Sarratantam*, 2, IV, p. 309: "Cuius (lapidis) mater virgo est, et pater non concubuit". (Sua mãe [a mãe dessa pedra] *é* uma virgem, e ela e o pai não coabitaram.)

12. Comparar com PETRUS BONUS, 5, XVI, p. 649: "Cuius mater virgo est, cuius pater foeminam nescit. Adhuc etiam noverunt, quod Deus fieri debet homo, quia in die novíssima huius artis, in qua est operis complementum, generans et generatum fiunt omnino unum: et senex et puer et pater et filius fiunt omnino unum. Ita quod omnia Vetera fiunt nova". (Sua mãe é virgem e seu pai não conheceu sua mulher. Pois já sabiam que Deus devia tornar-se homem, porque no último dia desta Arte, que é o dia em que a obra se completa, o ser que gera e o ser gerado tornam-se totalmente um. O ancião e o menino, pai e filho tornam-se totalmente um. Desta maneira, todas as coisas velhas tornam-se novas.)

mãe (*increatum*) e seu filho era o seu pai[13]. O velho alquimista começa a suspeitar que esse monstro de paradoxos está relacionado com o si-Mesmo, pois ninguém pode praticar essa arte sem a ajuda de Deus e sem se conhecer a si próprio. Essa experiência não era estranha aos mestres antigos, conforme podemos deduzir do diálogo de Morienus (para mencionar uma autoridade no assunto) como o Rei Calid: Morienus conta ao rei que Hércules (o imperador bizantino Herakleios) dizia a seus discípulos: "Ó filhos da sabedoria, sabei que Deus, o supremo e louvado Criador, o Altíssimo, criou o mundo a partir de quatro elementos desiguais e colocou o homem como ornamento (*ornamentum*) no meio deles". O rei pede então maiores explicações, e Morienus responde: "Que mais devo contar-te? Esta coisa (isto é, o *arcanum* [o arcano]) é extraída de ti (*a te extrahitur*, no sentido de *ex te* [de ti]); tu és o seu mineral e em ti eles (os filósofos) a encontram (esta coisa, a *res* = *arcanum*); e para exprimi-lo ainda mais claramente, eles a retiram de ti. Depois que tiveres experimentado tal coisa, o amor que lhe tens e a tua veneração (ainda) aumentarão. Sabe, isso é verdadeiro e indubitável e assim permanecerá... Pois nesta pedra os quatro elementos estão unidos e a ela se compara o mundo e a sua estrutura (*compositioni*) etc."[14].

530 Deste ensinamento podemos concluir que, graças à sua posição entre os quatro princípios do mundo, o homem tem um equivalente do mesmo dentro de si; nele os elementos desiguais se encontram unidos. É o microcosmo dentro do homem, correspondente ao "firmamento" ou ao "Olimpo" de Paracelso, aquilo que no ser humano é tão geral e vasto como o mundo e nele se encontra de modo natural e não de forma adquirida. Psicologicamente, corresponde ao inconsciente coletivo, cuja projeção sempre está presente nas ideias da alquimia. Não quero acumular aqui novas provas dos *insights* psicológicos dos alquimistas, uma vez que isto já foi feito em outra parte[15].

---

13. DANTE. *Paradiso*, XXXIII, I: "Ó virgem mãe, filha de teu filho".

14. 2, XII, p. 37.

15. Comparar com *Psicologia e religião* [OC, 11; § 95s. e 153s.); *Paracelsus ais Arzt*, 81a, p. 24s. (*O espírito na arte e na ciência*. Petrópolis: Vozes, 1985) [OC,15]; *Psicologia e alquimia*, parte II, cap. III, 4 e parte III, cap. II.

531 O final do poema é uma alusão à imortalidade, aliás a grande esperança dos alquimistas (*elixir vitae*!). A imortalidade, enquanto ideia transcendente, não pode ser objeto de experiência, por isso não existem argumentos nem a favor nem contra. Mas enquanto *experiência do sentimento*, a questão da imortalidade se põe de outro modo. A existência de um sentimento é tão indiscutível quanto a de um pensamento; podemos fazer a experiência tanto de um como de outro. Já constatei muitas vezes que as manifestações espontâneas do Si-Mesmo, isto é, o aparecimento de alguns de seus símbolos, trazem consigo algo da intemporalidade do inconsciente, o que se exprime através de um sentimento de eternidade ou de imortalidade. Tais vivências podem produzir uma impressão profunda. A ideia da *aqua permanens* (água eterna), da *incorruptibilitas lapidis* (incorruptibilidade da pedra), do *elixir vitae*, do *cibus immortalis* (alimento imortal) etc., nada tem de espantoso, mas se insere no quadro da fenomenologia do inconsciente coletivo[16]. Bem que nos parece desmedida a pretensão do alquimista, que se imagina capaz de criar – mesmo com a ajuda de Deus – uma substância que dure eternamente. Essa pretensão é justamente o que confere a muitos tratados aquele caráter grandiloquente e embusteiro, responsável pelo merecido descrédito e esquecimento em que caíram. Mas, "man soll das Kind nicht mit dem Bade ausschütten" (provérbio alemão que diz: "não se deve despejar a criança com a água do banho"). Também encontramos pensamentos profundos sobre a natureza do *opus* que nos revelam a outra face da alquimia. Assim, nas palavras do autor anônimo do *Rosarium*: "Patet ergo quod Philosophorum Magister lapis est, quasi diceret, quod naturaliter etiam per se facit quod tenetur facere: et sic Philosophus non est Magister lapidis, sed potius minister. Ergo qui quaerit per artem extra naturam per artificium inducere aliquid in rem, quod in ea naturaliter non est, errat et errorem suum deflebit". (Está claro, portanto, que o mestre dos filósofos é a pedra, tal como [o filósofo] dizia, ela faz por si mesma naturalmente o que tem de fazer, e assim o filósofo não é o mestre da pedra, mas muito mais o seu servidor. Eis por que, se alguém tentar introduzir pela arte e seu método no arcano, artificialmente, algo que nele não exista por natureza, incorrerá em erro e do seu erro se arrependerá)[17].

---

16. Com tais constatações não se resolve obviamente nenhum problema metafísico e nada se prova a favor nem contra a imortalidade da alma.

17. 2, XIII, p. 356. Comparar com *Psicologia e alquimia* [OC, 12; § 142].

Depreende-se disto, claramente, que o artista não procede segundo a sua fantasia criativa, mas é a própria pedra que o leva a realizar a obra, e esse mestre que lhe é superior não é outra coisa senão o *si-mesmo*. O si-mesmo quer manifestar-se na obra; por esta razão o *opus* é um processo de individuação ou de realização de si-mesmo. O si-mesmo, enquanto ser humano mais abrangente, que alcança o intemporal, corresponde à ideia do homem primordial, que é perfeitamente redondo[18] e bissexual, pelo fato de representar uma integração recíproca do consciente e do inconsciente.

532 Do acima exposto podemos concluir que a *perfectio operis* (perfeição da obra) conduz à ideia de um ser extremamente paradoxal, que desafia toda abordagem racional. No entanto, tal desfecho da obra é inevitável, uma vez que a *complexio oppositorum* (união dos opostos) não pode deixar de levar a uma incompreensível paradoxalidade. Em termos psicológicos, isto significa que a totalidade do homem só pode ser descrita através de antinomias, o que sempre é o caso, quando se trata de uma ideia transcendente. Poderíamos comparar tal resultado à natureza corpuscular e ondulatória da luz, a qual, à primeira vista, parece igualmente paradoxal. Temos aqui, sem dúvida, a possibilidade de uma síntese matemática, o que, evidentemente, não ocorre em relação à ideia psicológica. Mas esta última oferece a *possibilidade da vivência intuitiva e pelo sentimento*, isto é, o Si-Mesmo irradia sua unidade irreconhecível e incompreensível inclusive na esfera da consciência discriminatória e por isso não unificada, tal como costumam fazer os conteúdos inconscientes de forma muito eficaz. As expressões mais fortes da unidade interior ou da experiência dessa unidade (da *unio mystica*) são encontradas nos nossos místicos e, sobretudo, na filosofia e na religião da Índia, e também na filosofia taoista da China e no Zen do Japão. O nome que se dá ao Si-Mesmo, assim como a questão da verdade, são irrelevantes do ponto de vista psicológico. A realidade psíquica é suficiente. Também do ponto de vista prático. De qualquer maneira, o intelecto é incapaz de saber algo mais a respeito, e por isso a sua pergunta de Pilatos também é inconsciente e supérflua.

---

18. O Gayomart persa tem comprimento e largura iguais; assim sendo, ele deve ser esférico, como a alma do mundo do Timaios. Ele vive na alma de todo ser humano e é nessa alma que ele retorna a Deus. REITZENSTEIN & SCHAEDER, 140, p. 25.

533 Voltemos à nossa gravura! Trata-se de uma apoteose da *rebis*, masculina à direita e feminina à esquerda. Ela se encontra de pé sobre a lua, a qual equivale aqui ao vaso feminino, lunar, o *vas hermeticum* (vaso hermético). Suas asas indicam volatilidade, ou seja, espiritualidade. Em uma das mãos segura um cibório com três serpentes ou uma serpente tricéfala; na outra, *uma* única serpente, numa referência nítida ao *axioma de Maria* e ao dilema frequente do três e do quatro[19] por um lado, e ao mistério da Trindade, por outro. As três serpentes no cálice representam o homólogo ctônico da Trindade e a serpente única, a unidade das três segundo Maria Prophetissa, mas, devido à oposição da esquerda em relação à direita, também representa a *serpens mercurialis* (serpente de Mercúrio), com todos os seus significados conexos[20]. Ainda não foi resolvida a questão da relação destas imagens com o Baphomet[21] dos Templários, mas o símbolo da serpente[22], por si só, já evoca o problema do maligno que, embora exterior à Trindade, tem algo a ver com a obra da redenção. Ora, do lado esquerdo da *rebis*, também se vê um corvo, sinônimo do diabo[23]. O pássaro que ainda não sabe voar está ausente; em seu lugar figura agora a *rebis* alada. A sua direita, a "árvore dos sóis e das luas", a *arbor philosophica* (árvore filosófica), representando o equivalente consciente do processo inconsciente do vir a ser indicado do outro lado. Na segunda versão[24], a figura da *rebis* tem à sua esquerda um

19. Cf. *Psicologia e alquimia* [OC, 12; § 123].

20. Comparar com *Der Geist Mercurius*, 79.

21. Composto de βαφή = tintura e μῆτις = inteligência, reflexão; corresponderá à cratera de Hermes repleta de νοῦς? Comparar com FR. NICOLAI, 124, p. 120, e com HAMMER, 60.

22. Comparar com a fig. 70 em *Psychologie und Alchemie*, 82, representação de um mistério da serpente. Sua relação com os templários não é certa (HAMMER, 59).

23. ANASTASIUS SINAÏTA,12, lib. XII: "Et cum vel suffocatus esset et periisset tenebrosus corvus satan..." (E quando o tenebroso corvo Satanás fora asfixiado ou perecera...). S. AMBRÓSIO, 11, lib. I, cap. XVIII: "Siquidem omnis impudentia atque culpa tenebrosa est et mortuis pascitur sicut corvus..." (Uma vez que todo impudor e toda culpa é escura e se alimenta de cadáveres como o corvo...). Ou então o corvo é a imagem dos peccatores. AGOSTINHO, 16, lib. I, cap. 38: "Significantur ergo nigri (sc. corvi) hoc est peccatores nondum dealbati remissione peccatorum". (Os corvos negros representam os pecadores, que ainda não se tornaram brancos pelo banho do perdão dos pecados.) PAULINUS AQUILEIENSIS, 131: "anima peccatoris... quae nigrior corvo est". (A alma de um pecador... que é mais negra que um corvo.)

24. *Ros. Phil.*, 2, XIII, p. 359. Cf. fig. 54 em *Psychologie und Alchemie*, 82.

pelicano, em lugar do corvo. O pelicano rasga o peito para alimentar seus filhotes, sendo por este motivo uma conhecida alegoria do Cristo. No entanto, há um leão à espreita, por trás da *rebis*, e, ao pé da colina sobre a qual ela se mantém de pé, encontra-se a serpente tricéfala[25]. O hermafrodita alquímico é um problema em si; na realidade, ele mereceria uma apresentação especial. No presente contexto, gostaria apenas de dizer algumas palavras sobre o fato espantoso de que a tão esperada meta do trabalho alquímico seja concebida sob a forma de um símbolo tão monstruoso e repugnante. Já vimos sobejamente que a razão principal da monstruosidade de seu símbolo é a natureza paradoxal da meta. Contudo, esta explicação racional não altera em nada o fato de que o monstro é um ser disforme, horroroso e uma perversão da natureza. Isso não ocorre por um acaso sem importância, que não mereça que nele nos detenhamos; muito pelo contrário, trata-se de uma consequência importante dos fatos psicológicos que fundamentam a alquimia. Mas devemos levar em conta que o símbolo do hermafrodita é apenas um dos numerosos símbolos que designam a meta da arte. Para não repetir o que já foi dito, remeto o leitor à elaboração feita em meu livro *Psychologie und Alchemie (Psicologia e alquimia)* e, sobretudo, ao paralelo traçado pelos alquimistas entre a *lapis* e o Cristo, ao qual devemos acrescentar a relação de identidade que evidentemente manifestam com certo receio entre a *prima materia* e Deus, apesar de isso ocorrer mais raramente[26]. A despeito da proximidade analógica, a *lapis* não é pura e simplesmente o Cristo ressuscitado e a matéria originária não é Deus, mas, de

---

25. Cf. outras maneiras de representar a *rebis*, op. cit. Índice, tít. Hermaphroditus.

26. A ideia da identidade entre a prima materia e Deus não é encontrada unicamente na alquimia; ela também existe na filosofia medieval. Remonta a Aristóteles e é encontrada pela primeira vez no *Tratado* harrânico das *Tetralogias Platônicas* (5, XIV, p. 142s.). G. Mennens (5, XV, p. 334) diz: "Nomen itaque quadriliterum Dei sanctissimam Trinitatem designare videtur et materiam, quae et umbra eius dicitur et a Moyse Dei posteriora vocatur". (O nome de quatro letras de Deus parece designar a Santíssima Trindade e a matéria que também é denominada sua sombra, e que Moisés chama de lado posterior de Deus.) Mais tarde esta ideia surge na filosofia em David de Dinant e foi combatida principalmente por Alberto Magno. ("Sunt quidam haeretici dicentes Deum et materiam primam et νοῦν sive mentem idem esse" [Existem certos hereges que afirmam que Deus e a prima materia e o νοῦν (nous) ou o espírito do mundo são uma e a mesma coisa]. *Summa Theologica*, I, 6, quaest. 39). Para maiores detalhes, cf. KROENLEIN, 103, p. 303s.

acordo com o sentido da *Tabula Smaragdina*, o segredo alquímico é um equivalente *inferior* dos mistérios *superiores*; *é* um *sacramentum* não do espírito paterno, mas da matéria materna. O abandono dos símbolos teriomórficos no cristianismo é nele compensado por uma abundância de figuras de animais representadas alegoricamente, que têm afinidade com a *mater natura* (mãe natureza). As figuras cristãs procedem do espírito, da luz e do bem, ao passo que as da alquimia nascem da noite, do negror, do veneno e do mal. Esta origem obscura explica por certo, em grande parte, o caráter disforme do hermafrodita, mas não o esclarece totalmente. O aspecto imaturo, embrionário deste símbolo é uma expressão da imaturidade do espírito do alquimista, cujo desenvolvimento não correspondia às dificuldades de sua tarefa, e isto em dois sentidos: por um lado, a natureza das ligações químicas não era conhecida, e, por outro, o problema psicológico da projeção e do inconsciente não era absolutamente compreendido. Tudo isso ainda estava oculto no seio do futuro. O desenvolvimento das ciências naturais veio preencher a primeira lacuna, e a psicologia do inconsciente esforça-se por preencher a segunda. Se os alquimistas tivessem compreendido o aspecto psicológico, teriam tido condições de libertar seu símbolo unificador do jugo do sexualismo primitivo, onde a natureza bruta, privada do apoio da razão crítica, era obrigada a deixá-lo. A natureza não podia acrescentar nada, apenas constatava que a união dos opostos supremos é um ser híbrido. Assim sendo, a formulação ficou retida no sexualismo, como ocorre toda vez que a consciência não tem possibilidade de vir ao encontro da natureza. E era este o caso na Idade Média – como aliás não podia deixar de ser – devido à total ausência da psicologia[27]. Este estado de coisas persistiu até o final do século XIX, quando Freud desenterrou o problema. No entanto, aqui se deu o que ocorre na maioria dos casos, quando o consciente se defronta com o inconsciente: o primeiro, embora não seja diretamente dominado pelo segundo, é, pelo menos, por ele altamente influenciado e sugestionado. O problema da união dos opostos, pronto há séculos em sua formulação sexual, devia con-

---

27. Ao que parece, a ideia do hermafrodita também é encontrada na mística cristã mais tardia. Pierre Poiret (1646-1719), amigo de Madame de la Motte Guyon, foi criticado por acreditar que no reino dos mil anos a reprodução se realize de modo hermafrodita. No entanto, isso é contestado por Cramer, que comenta nada disso constar das obras de Poiret (comparar com HAUCK, 63, XV, p. 496).

tudo esperar o momento em que o esclarecimento das mentes e a objetividade científica tivessem progredido o suficiente, para permitir que a sexualidade fosse mencionada no diálogo científico. O caráter sexual do inconsciente foi logo tratado com muita seriedade e elevado a um tipo de dogma religioso; até hoje ainda é defendido com fanatismo, tal o fascínio que emanava desses conteúdos, sobre os quais por fim ainda se debruçaram os alquimistas. Os arquétipos naturais que estão na base dos mitologemas do incesto, do hierosgamos, da criança divina etc., deram origem – na era científica – à doutrina acerca da sexualidade infantil e das perversões. A *coniunctio* foi redescoberta na neurose da transferência[28].

534 Inicialmente o caráter sexual do símbolo hermafrodita dominou à consciência, gerando uma interpretação insípida como a do simbolismo do ser híbrido. A tarefa que os alquimistas não foram capazes de levar a cabo é agora reformulada do seguinte modo: como compreender a desunião profunda existente no homem e no mundo, como responder-lhe e eventualmente suprimi-la? A questão coloca-se desta forma, quando desvencilhada de seu simbolismo natural e sexual, no qual ficou retida simplesmente porque o problema não tinha condições de transpor o umbral do inconsciente. O caráter sexual desses conteúdos implica sempre uma identificação inconsciente do eu com uma figura inconsciente (*anima* ou *animus*). Isso faz com que o eu meio deseje e meio seja obrigado a tomar parte no hierosgamos, ou pelo menos acredite tratar-se simplesmente de uma concretização erótica. É evidente que este aspecto se reforçará tanto mais quanto mais nos persuadirmos e mais nos concentrarmos exclusivamente nele, deixando de lado os modelos arquetípicos. Já pudemos verificar que isso é um convite formal ao fanatismo, uma vez que está tão claro que a razão não está do nosso lado. Se ao contrário não se é da opinião de que todo fascínio é prova inexorável da verdade, então se tem a possibilidade de ver o aspecto sexual e seu arrebatamento como apenas um dos lados do fenômeno, e justamente como o que mais obnubila o juízo. Este lado gostaria de entregar-nos a um tu, que parece consistir em todas as qualidades que não desenvolve-

---

28. É interessante observar como essa doutrina veio de novo encontrar-se com a alquimia no livro de Herbert Silberer *Probleme der Mystik und ihrer Symbolik*, 149.

mos em nós mesmos. Assim, pois, quem não quiser ser ludibriado por suas próprias ilusões, fará uma cuidadosa análise de cada fascínio e dela extrairá a quintessência, ou seja, um fragmento da própria personalidade; e, paulatinamente, vai descobrindo que, nos caminhos da vida, nos encontramos incessantemente conosco mesmos, sob mil disfarces diferentes. Isto é uma verdade que só é proveitosa na medida em que estivermos animados pela convicção da realidade individual e irredutível do outro.

535 Como se sabe, o inconsciente produz, no decorrer do confronto dialético, certas representações da *meta*. Em meu livro *Psychologie und Alchemie* apresentei uma vasta série de sonhos onde aparecem as tais "imagens da meta" (até sob a forma de um alvo de tiro!). Trata-se sobretudo de representações de caráter mandálico, ou seja, do *círculo* e da *quaternidade*. Estas duas formas são as mais frequentes e as que mais nitidamente caracterizam a meta. Tais imagens unem os opostos em forma de quatérnio, isto é, ligam-se em forma de cruz, ou então exprimem a própria ideia da totalidade, através do círculo ou da esfera. O símbolo da meta também é representado, embora mais raramente, pela figura da personalidade superior. Outras vezes, é especialmente enfatizado o *caráter luminoso* do centro. Nunca encontrei o hermafrodita como figura da meta, mas sempre simbolizando o estágio inicial, isto é, como expressão de uma identidade com a *anima* ou o *animus*.

536 Tais imagens antecipam, evidentemente, uma totalidade que, em princípio, só pode ser atingida de um modo aproximado. Também não podem ser interpretadas sempre como uma disposição subliminal a uma realização consciente da totalidade em vias de se efetivar; muitas vezes não passam de uma compensação transitória de um estado caótico ou de desorientação. Elas são, sem dúvida alguma, em sua essência, uma referência ao *Si-Mesmo* que contém e ordena todos os opostos. Mas no momento em que aparecem não são mais do que uma alusão a uma ordem possível na totalidade.

537 O que o alquimista tenta exprimir pela *rebis* e a quadratura do círculo, e o homem moderno pela configuração do círculo e da quaternidade, é uma totalidade que reúne os opostos em si e, deste modo, embora não elimine o conflito, pelo menos o abranda. O símbolo é uma *coincidentia oppositorum*, como se sabe, identificada por

Cusanus à divindade. Não tenho a menor intenção de discutir com esse grande homem. Eu trato somente da ciência da natureza da alma; o que me importa em primeiro lugar é estabelecer os fatos. O nome que damos a esses fatos e a interpretação mais ampla dos mesmos não é, sem dúvida alguma, desprovido de importância, mas não deixa de ser secundário. A ciência da natureza não é uma ciência de palavras e conceitos, mas, sim, de fatos. Não adoto rigidamente qualquer terminologia; designar os símbolos propostos por "totalidade", "si-mesmo", "consciência", "eu superior" ou outros termos semelhantes em nada altera os fatos. Minha única preocupação é evitar nomes falsos ou que possam induzir em erro. Mas todos esses termos não passam de nomes para os fatos e só estes é que têm peso. Os nomes que dou não implicam uma filosofia, mas mesmo assim não posso impedir que vociferem contra tais esquemas terminológicos, como se se tratasse de dogmas intocáveis. Os fatos existem. Eles bastam por si mesmos e é bom sabê-lo. A sua interpretação deve ficar entregue ao critério subjetivo do indivíduo. "Maximum autem est, cui nihil opponitur, ubi et Minimum est maximum"[29]. (O maior é aquilo que não se defronta senão com oposição, e onde o menor é o maior.) Mas Deus se mantém ao mesmo tempo acima dos opostos: "Ultra hanc coincidentiam creare cum creari es tu Deus"[30] (Tu estás, ó Deus, além desta coincidência do criar e do ser criado). O ser humano é uma analogia de Deus: "Homo enim Deus est, sed non absolute, quoniam homo. Humane igitur est Deus. Homo etiam mundus est, sed non contracte omnia, quoniam homo. Est igitur homo μιχρόχοσμος"[31] (É que o homem é Deus, mas não de um modo absoluto, pois é homem. Logo, ele é Deus humanamente. O homem também é o cosmo, mas não em todos os aspectos, pois é homem. Logo, o homem é um microcosmo). Daí decorre a *complexio oppositorum* como uma possibilidade, bem como um dever ético: "Debet autem in his profundis omnis nostri humani ingenii conatus esse, ut ad illam se elevet simplicitatem, ubi contradictoria coincidunt"[32] (Mas nessas regiões profundas todo

29. *De docta ignorantia*, 123, II, 3.

30. Op. cit., XII.

31. *De coniecturis*, 122, II, 14.

32. 123, I, cap. X (apud VANSTEENBERGHE, 154, p. 283, 310, 346).

esforço do nosso espírito humano deveria tender e elevar-se àquela simplicidade onde todos os opostos coincidem). Os alquimistas são, por assim dizer, os empiristas e experimentadores do grande problema da união dos opostos, enquanto Cusanus é o seu filósofo.

Palavras finais

538 Expor os fenômenos da transferência é tarefa das mais árduas e delicadas. Só consegui abordá-los apoiado no simbolismo do *opus* alquímico. A *theoria* da alquimia – e acredito tê-lo demonstrado – nada mais é, essencialmente, do que uma projeção de conteúdos inconscientes, ou seja, das formas arquetípicas, inerentes a todas as modalidades da fantasia em seu estado puro, tais como as encontramos nos mitos e lendas, por um lado, e por outro, nos sonhos, nas visões, nos delírios dos indivíduos. O papel preponderante desempenhado no plano histórico pela hierosgamos e pelas bodas místicas, como também pela *coniunctio* dos alquimistas, corresponde ao significado central da transferência no processo psicoterapêutico e nas relações humanas normais. Não me pareceu, portanto, ousadia ou exagero tomar como base ou fio condutor de meu trabalho um documento histórico, cujo conteúdo é o resultado de um esforço espiritual secular. Conforme tentei demonstrar no estudo que precede, as peripécias do drama simbólico me forneceram uma oportunidade providencial de apresentar minhas inúmeras experiências individuais realizadas no decorrer dos decênios em que me debrucei sobre o tema, e que – de bom grado o reconheço – eu não sabia como ordenar de outra maneira. O que empreendi aqui deve, portanto, ser considerado uma simples tentativa, à qual não gostaria de conferir caráter conclusivo. A problemática da transferência é de tal modo complexa e multifacetada, que me faltam as categorias necessárias a uma sistematização. O desejo de simplificação, que sempre se manifesta nestes casos, é perigoso, pois isto significaria violentar os fatos, ao tentar reduzir coisas incompatíveis a um denominador comum. Resisti a esta tentação na medida do possível e só espero que o leitor não caia no erro de achar que o desenrolar do processo, tal como é descrito aqui, represente o esquema geral do fenômeno. A experiência mostra que os alquimistas já eram completamente inseguros no tocante à sequência das diferentes fases, e também que, no caso da observa-

1
MUTUS LIBER, IN QUO TAMEN
tota Philosophia hermetica figuris hieroglyphicis
depingitur, ter optimo maximo Deo misericordi
consecratus, solisque filiis artis dedicatus,
authore cuius nomen est Altus.

Figura 11

Figura 12

Figura 13

ção individual, há uma multiplicidade de variantes quase impossível de abranger; além disso, constata-se uma ordem totalmente arbitrária no que diz respeito à sucessão dos diversos estados, apesar de uma concordância geral acerca dos princípios fundamentais. O estabelecimento de uma ordem lógica, ou mesmo a simples possibilidade de ordenação segundo os nossos conceitos me parece, por ora, fora do nosso alcance. Nós nos movemos aqui no campo de singularidades individuais, que não se prestam à comparação. O que podemos, sem dúvida, é pôr um pouco de ordem nesse processo, mediante a ajuda de certas categorias suficientemente amplas. Podemos descrevê-lo ou pelo menos esboçá-lo por meio de analogias apropriadas; sua essência mais profunda, porém, é a singularidade da experiência de vida individual, que ninguém pode captar de fora, mas na qual está envolvido aquele que a experiência. A série de gravuras que nos serviu de fio de Ariadne é uma dentre muitas[1]; isto é, poderíamos compor em outras bases diversos esquemas que seriam outros tantos modos diferentes de apresentar o processo da transferência. Mas nenhum desses esquemas seria capaz de exprimir totalmente a multiplicidade infinita das variações individuais, que, todas, têm a sua razão de ser. Estou perfeitamente cônscio de que, nestas circunstâncias, o simples fato de tentar expor o processo em seu conjunto já é em si um empreendimento ousado. A importância prática do fenômeno, porém, é de tal ordem, que a tentativa se justifica, por mais que sua imperfeição possa dar margem a desentendimentos.

539 Vivemos numa época de conturbação e desintegração. Tudo tornou-se problemático. Como costuma acontecer em tais circunstân-

---

1. Quero ressaltar apenas a série do *Mutus Liber*, 120. Ele apresenta o *opus* como sendo executado em comum pelo adepto e a "soror mystica". Na gravura n. 1 (fig. 11) há uma pessoa adormecida sendo despertada pela trombeta de um anjo. A gravura n. 2 (fig. 12) mostra o casal de alquimistas na parte inferior, com o "athanor" (forno) e, dentro dele, o frasco sendo soldado pelo calor. Na parte superior, dois anjos seguram este mesmo frasco, dentro do qual estão o sol e a luna, que correspondem aos adeptos da parte inferior. Na gravura n. 3 (fig. 13) vê-se, entre outras coisas, a "soror" capturando pássaros com uma rede, mas também uma sereia com o anzol (pássaros enquanto *volatilia* = pensamentos = *animus* plural. Sereia = anima). O caráter por assim dizer indisfarçavelmente psíquico desta apresentação da *opus* deve estar relacionado com a data relativamente tardia – 1677 – da criação do livro.

cias, conteúdos do inconsciente forçam passagem para as fronteiras da consciência com a finalidade de compensar a situação de emergência. Vale a pena, pois, examinar minuciosamente todos os fenômenos-limite, por mais obscuros que possam parecer, a fim de descobrir neles os germes de uma nova ordem possível. O fenômeno da transferência é, sem dúvida alguma, uma das síndromes mais importantes e decisivas do processo de individuação e significa mais do que uma simples atração e repulsa de ordem pessoal. Graças a seus conteúdos e símbolos coletivos, ele ultrapassa de longe a pessoa e atinge a esfera do social, trazendo-nos à memória aqueles contextos humanos superiores, que, por doloroso que seja, faltam à nossa ordem, ou melhor, à desordem social dos nossos dias. Os símbolos do círculo e da quaternidade, tão característicos do processo da individuação, remetem-nos, por um lado, ao passado, a uma ordem originária primitiva da sociedade humana e, por outro, apontam para o futuro, rumo a uma ordem interior da alma, como se esta fosse o instrumento indispensável à reorganização da comunidade cultural, em oposição às organizações coletivas tão apreciadas hoje em dia, as quais constituem um agregado de seres semi-humanos, inacabados e imaturos. As referidas organizações só têm sentido se o material que pretendem ordenar é de algum valor. O homem massificado, contudo, não tem valor; é uma simples partícula que perdeu sua alma, isto é, o sentido de sua humanidade. O que falta ao nosso mundo é a conexão anímica. Não há associação profissional ou comunidade de interesses econômicos, não há partido político ou Estado que possa jamais substituí-la. Não é de estranhar-se, portanto, que não sejam os sociólogos, mas sim os médicos, os primeiros a sentirem claramente as verdadeiras necessidades dos homens, pois são eles, como psicoterapeutas, os que lidam mais de perto com as aflições da alma humana. Se às vezes minhas conclusões gerais coincidem quase que textualmente com o pensamento de Pestalozzi, não é porque eu tenha um conhecimento profundo dos escritos desse grande educador, mas porque a concordância reside na natureza da questão, isto é, no conhecimento da essência do ser humano.

Referências*

As referências estão em ordem alfabética e dividem-se em duas partes:

A. Coleções antigas de tratados alquímicos de diversos autores.

B. Referência geral, com referências ao material da parte A.

A. Coleções antigas de tratados alquímicos de diversos autores

1 ARS CHEMICA, quod sit licita recte exercentibus, probationes doctissimorum iurisconsultorum. Argentorati (Estrasburgo), 1566 [Hermes Trismegisto].

Os tratados mencionados neste volume são:

I Septem tractatus seu capitula Hermetis Trismegisti aurei (p. 7-31, normalmente citado como "Tractatus aureus").

II Studium Consilii coniugii de massa solis et lunae (p. 48-263, normalmente citado como "Consilium coniugii").

2 ARTIS AURIFERAE quam chemiam vocant, volumen primun: quod continent Turban Philosophorum aliosque antiquissimos autores. 2 vols. Basilea: Konrad Waldkirch per a C. de Marne i J. Aubry, 1593.

Os tratados mencionados neste volume são:

Vol. I

I Aenigmata ex visione Arislei philosophi et allegoriis sapientum (p. 146-154, normalmente citado como "Visio Arislei").

II In Turbam philosophorum exercitationes (p. 154-182).

III Aurora consurgens, quae dicitur Aurea hora (p. 185-246).

IV (Zosimos) Rosinus ad Sarratantam episcopum (p. 277-319).

* Os autores da literatura universal, tais como Platão, Dante, Goethe etc. não constam destas referências.

V Maria Prophetissa: Practica... in artem alchemicam (p. 319-324).

VI (Kallid) Liber secretorum alchemiae compositus per Calid filium Iazichi (p. 325-351, cf. tb. 20 [BACON]).

VII Liber trium verborum Kallid (p. 352-361, de autoria duvidosa).

VIII Tractatulus Aristotelis de practica lapidis philosophici (p. 361-373).

IX Merlinus: Allegoria de arcano lapidis (p. 392-396).

X Tractatulus Avicennae (p. 405-437).

XI Liber de arte chimica (p. 575-631).

Vol. II

XII Morienus Romanus: Sermo de transmutatione metallica (p. 7-54).

XIII Rosarium philosophorum (p. 204-384).

3 MANGETTUS, J.J. (org.). *Bibliotheca Chemica Curiosa*, seu Rerum ad alchemiam pertinentium thesaurus instructissimus. 2 vols. Colonia Allobrogum (Genebra): [s.e.], 1702.

Os tratados mencionados neste volume são:

Vol. I

I Hermes Trismegistus: Tractatus aureus de lapidis physici secreto (p. 400-445).

II Lullius: Testamentum novissimum, regi Carolo dicatum (p. 790-806).

III Mutus liber in quo tamen tota Philosophia hermetica figuris hieroglyphicis depingitur (sem paginação, segue-se à p. 938).

4 MUSAEUM HERMETICUM reformatum et amplificatum... continens tractatus chimicos XXI praestantissimos... Francofurti, 1678. Cf. tb. 155 (WAITE).

Os tratados mencionados neste volume são:

I Hermes Trismegistus: Tractatus aureus de philosophorum lapide (p. 8-52).

II Barcius (F. von Sternberg): Gloria mundi, alias Paradysi tabula (p. 203-304).

III Lambspringk: De lapide philosophico figurae et emblemata (p. 337-371).

IV Philalethes: Introitus apertus ad occlusum regis palatium (p. 647-700).

V Philalethes: Fons chemicae philosophiae (p. 799-814).

5 THEATRUM CHEMICUM, praecipuos selectorum auctorum tractatus de chemiae et lapidis philosophici antiquitate, veritate, iure, praestantia, et operationibus continens. 3 vols. Ursellis, 1602 [Vol. IV, Argentorati (Estrasburgo), 1613; Vol. V, Argentorati, 1622].

Os tratados mencionados neste volume são:

Vol. I

I Hoghelande: Liber de alchemiae difficultatibus (p. 121-215).

II Dorneus: Speculativae philosophiae, gradus septem vel decem continens (p. 255-310).

III Dorneus: Physica Trismegisti (p. 405-437).

IV Dorneus: Congeries Paracelsicae chemiae de transmutationibus metallorum (p. 557-646).

V Zacharius: Opusculum philosophiae naturalis metallorum (p. 804-848).

VI Flamel: Annotata quaedam (p. 848-901).

Vol. II

VII Aegidius de Vadis: Dialogus inter naturam et filium philosophiae (p. 95-123).

VIII Penotus: Quinquaginta septem canones de opere physico (p. 150-154).

IX Dee: Monas hieroglyphica (p. 218-243).

X Ventura: De ratione conficiendi lapidis (p. 244-356).

Vol. III

XI Melchior: Addam et processum sub forma missae, a Nicolao (Melchiori) Cibinensi, Transilvano, ad Ladislaum Ungariae et Bohemiae regem olim missum (p. 853-860).

Vol. IV

XII Artefius: Clavis majoris sapientiae (p. 221-240).

XIII Avicenna: Declaratio lapidis physici filio suo Aboali (p. 986-994).

Vol. V

XIV Liber Platonis quartorum... (p. 114-208).

XV Mennens: Aurei velleris... libri tres (p. 267-470).

XVI Bonus: Preciosa margarita novella (p. 589-794).

XVII Tractatus Aristotelis alchymistae ad Alexandrum Magnum, de lapide philosophico (p. 880-892).

6 THEATRUM CHEMICUM BRITANNICUM. Containing Several Poeticall Pieces of Our Famous English Philosophers, Who Have Written the Hermetique Mysteries in Their Owne Ancient Language. Collected with annotations by Elias Ashmole. Londres, 1652.

Os tratados mencionados neste volume são:

I Norton: The Ordinall of Alchimy (p. 13-106). Compare-se com a edição fac-símile: *I-a* Thomas Norton of Bristoll. The Ordinall of Alchimy. With an introduction by E.J. Holmyard. Londres/Baltimore, 1928/1929.

B. Referência geral

ABUL KASIM. Cf. 67 (HOLMYARD).
7 Acta Joannis. In: TISCHENDORF, C. *Acta apostolorum apocrypha*. 2 partes (II, I, 2). Leipzig: Avenarius/Mendelssohn, 1891.
Compare-se com HENNECKE, E. (org.). *Neutestamentliche Apokryphen*. (Apócrifos do Novo Testamento). Tübingen/Leipzig: Mohr, 1904, p. 171.

8 *Adumbratio Kabbalae Christianae*. Frankfurt a.M.: [s.e.], 1684.

9 AFANASSIEW, N.A. *Russische Volksmärchen* (Contos populares russos). Viena, 1906.

10 AGRIPPA VON NETTESHEIM, H.C. *De incertitudine et vanitate omnium scientiarum*. Colônia, 1584.

11 AMBROSIUS. De Noe et Arca. In: MIGNE, J.P. (org.). *Patr. Lat*. Vol. 14, col. 411s.

12 ANASTASIUS SINAITA. Anagogicae contemplationes in hexaemeron ad Theophilum. In: MIGNE, J.P. (org.). *Patr. gr*. Vol. 89, col. 851-1.078.

13 ANGELUS SILESIUS (Johann Scheffler). Cherubinischer Wandersmann (Querubínico peregrino). In: HELD, H.L. (org.). *Samtliche poetische Werke*. (Obras poéticas completas). Munique, 1924.

14 ANSCHUETZ, R. *August Kékulé*. Berlim, 1929.

15 ATWOOD, M.A. *A Suggestive Inquiry into the Hermetic Mystery*. Belfast, 1920 [1. ed., 1850].

16 AUGUSTINUS, A. Annotationes in Job. In: MIGNE, J.P. (org.). *Patr. lat.* Vol. 34, col. 880s.

17 _____. *Confessiones*. In: MIGNE, J.P. *Patr. lat.* Vol. 32, col. 784s.

_____. *Bekenntnisse* (Confissões). Vol. 18. Kempten/Munique, 1914 [Trad. por Alfr. Hoffmann, Bibl. d. Kirchenväter (Bibl. dos Padres da Igreja)].

18 _____. Epistulae LV. In: MIGNE, J.P. *Patr. lat.* Vol. 33, col. 208s.

_____. *Ausgewählte Briefe* (Cartas escolhidas). Vol. 29. Kempten/Munique: [s.e.], 1917 [Trad. por Alfr. Hoffmann. Bibl. d. Kirchenväter (Bibl. dos Padres da Igreja)].

19 AVALON, A. (Sir John Woodroffe). *The Serpent Power*. 3. ed. rev. Madras/Londres, 1931.

_____. *Die Schlange* (A Serpente). Lahn, 1928 [Traduzido por E. Fuhrmann].

20 BACON, R. *The Mirror of Alchimy*... with Certaine Other Worthie Treatises of the Like Argument (The Smaragdine Table of Hermes Trismegistus, a Commentarie of Hortulanus, The Booke of the Secrets of Alchemie by Calid the Son of Jazich). Londres, 1597.

21 *Baruch-Apokalypse*. In: KAUTZSCH, E. (trad.). *Die Apokryphen und Pseudepigraphen des Alten Testaments* (Os apócrifos e pseudoepígrafos do Velho Testamento), 1921.

22 BAYNES, C.A. *A Coptic Gnostic Treatise Contained in the Codex Brucianus*-Bruce MS. 96. Oxford, Cambridge: Bodleian Library, 1933.

23 BENOÎT, P. *L'Atlantide*. Paris: [s.e.], 1920.

24 BERNARDO DE CLARAVAL. Sermo in Cantica canticorum. In: MIGNE, J.P. *Patr. lat.* Vol. 183, col. 932s.

25 BERTHELOT, M. *La chimie au moyen âge* (Histoire des sciences). 3 vols. Paris, 1893.

26 _____. *Collection des anciens alchimistes grecs*. 3 vols. Paris, 1887/1888.

27 BOUSSET, W. *Hauptprobleme der Gnosis* (Os problemas principais da gnose). Göttingen, 1907.

28 BROWN, W. "The Revival of Emotional Memories and its Therapeutic Value". *British Journal of Psychology*, Medical Section, I, 1920/1921, p. 16-19. Londres.

29 CARDANUS, H. *Somniorum synesiorum omnis generis insomnia explicantes libri IV*. Basileae, 1585.

30 CHRISTENSEN, A. *Les types du premier homme et du premier roi dans l'histoire légendaire des Iraniens*. (Archives d'etudes orientales, Lundell, XIV, 2 p.). Estocolmo, 1917.

31 CHWOLSOHN, D.A. Die Ssabier und der Ssabismus (Os sábios e o sabismo). 2 vols. São Petersburgo: Buchdruckerei der Kaiserlichen Akademie der Wissenschaften, 1856.

Códices e manuscritos:

32 Codex Ashburnham 1166. Miscellanea d'alchimia. Século XIV. Florença: Biblioteca Medicea-Laurenziana. MS.

33 Les grandes heures du due de Berry, 1413. Paris: Bibliothèque Nationale. MS (Latin 919).

34 Codex Rhenovacensis 172. Século XV, Tratado 1: Aurora Consurgens. Parte I. Zurique: Zentralbibliothek.

35 COLONNA, F. *Hypnerotomachia Poliphili*. Veneza, 1499.

Cf. tb.:

36 _____. *Le songe de Poliphile*. Paris, 1600 [Traduzido por François Béroalde de Verville].

Cf. tb.:

37 _____. *Der Liebestraum des Poliphilo – Ein Beitrag zur Psychologie der Renaissance und der Moderne von Linda Fierz-David (O sonho de amor de Polifilo – Uma contribuição à psicologia da Renascença e moderna de Linda Fierz-David). Zurique, 1947.*

38 DEMOCRITUS (Pseudo). Physica et mystica. In: BERTHELOT, M. *La chimie au moyen âge*. Vol. II. Paris, 1893, p. 43s.

39 DU CANGE, C.F. Sieur. *Glossarium ad scriptores mediae et infimae graecitatis*. 2. vols. Lyon, 1688.

40 FERGUSON, J. *Bibliotheca Chemica*. 2 vols. Glasgow, 1906.

41 FIERZ-DAVID, H.E. *Die Entwicklungsgeschichte der Chemie* (A história do desenvolvimento da química). Basileia, 1945.

FIERZ-DAVID, Linda. Cf. 37.

42 FIRMICUS MATERNUS, J. *Mathesis V*. Praefat. in Julii Firmici Matemi Matheseos Libri VIII. Tomo II. Leipzig, 1897/1913, p. 1-66 [Org. W. Kroll e F. Skutsch].

43 FRANZ, M.-L. von. Cf. 80.

44 FRAZER, Sir J.G. *Taboo and the Perils of the Soul* (The Golden Bough. 3. ed. vol. III). Londres, 1911 (Der Goldene Zweig, das Geheimnis von Glauben und Sitten der Völker. Abgekürzte Ausgabe, 1928). (O ramo de ouro, o segredo da fé e dos costumes dos povos. Edição abreviada, 1928).

45 _____. *Totemism and Exogamy*. 4 vols. Londres, 1910.

46 FREUD, S. *Zur Technik* – Erinnern, Wiederholen u. Durcharbeiten (Sobre a técnica – Lembrar, repetir e elaborar). Obras compl., vol. VI. Viena, 1925.

47 _____. *Zur Technik* – Bemerkungen über die Übertragungsliebe (Sobre a técnica – Observações sobre o amor da transferência). Obras compl., vol. VI, Viena, 1925.

48 _____. *Krankengeschichten* – Bruchstück einer Hysterie-Analyse (Histórias de doentes – Fragmento da análise de uma histeria). Obras compl., vol. VIII. Viena, 1924.

49 _____. *Die Traumdeutung* (A interpretação de sonhos). Obras compl., vol. II. Viena, 1925.

50 _____. *Vorlesungen zur Einführung in die Psychoanalyse* (Conferências introdutórias à psicanálise). Obras compl., *vol. VII. Viena, 1924.*

51 _____. *Eine Kindheitserinnerung des Leonardo da Vinci* (Uma recordação da infância de Leonardo da Vinci). Obras compl., vol. IX. Viena, 1925.

52 FROBENIUS, L. *Das Zeitalter des Sonnengottes* (A era do deus do Sol). Berlim, 1904.

53 GOODENOUGH, E.R. The Crown of Victory in Judaism. *Art Bulletin*, set. 1946, vol. XXVIII, 3.

54 GOWER, J. Confessio amantis. In: MACAULAY, G.C. (org.). *The Complete Works of John Gower*. Oxford, 1899/1902.

55 GREGORIUS MAGNUS. Epistolae. In: *Opera*. Paris, 1586, p. 575s. Cf. tb. 117 (MIGNE, J.P. *Patr. lat.*), vol. 77, col. 806s.

56 _____. Super Cantica Canticorum expositio. In: *Opera*. Paris, 1586, p. 6s.

Cf. tb. 117 (MIGNE, J.P. *Patr. Lat.*), vol. 79, col. 507s.

57 HAGGARD, Sir H.R. *She*. Londres, 1887.

58 _____. *Ayesha*, or The Return of She. Londres, 1905.

59 HAMMER-PURGSTALL, J. von. *Mémoire sur deux coffrets gnostiques du moyen âge*. Paris, 1835.

60 _____. *Mysterium Baphometis revelatum seu Fratres militiae Templi etc.* Fundgruben des Orients (As minas do tesouro do Oriente). Viena, 1818, vol. VI.

61 HARDING, M.E. *Woman's Mysteries, Ancient and Modern*. Londres/ Nova York, 1935.

_____. *Frauenmysterien, einst und jetzt*. Zurique, 1949 [trad. alemã].

62 HASTINGS, J. (org.). *Encyclopedia of Religion and Ethics*. Edimburgo/Nova York, 1908-1927.

63 HAUCK, A. (org.). Realencyklopädie für protestantische Theologie und Kirche (Enciclopédia real para a teologia e a Igreja protestantes). Leipzig, 1896-1913.

HENNECKE, E. Cf. 7.

64 HIERONYMUS, E. *Adversus Jovinianum liber primus*. Cf. 117 (MIGNE, J.P. *Patr. lat.*), vol. 23, col. 219s.

65 HIPPOLYTUS. Elenchos. In: WENDLAND, P. (org.). Hippolytus' Werke (Obras de Hipólito), vol. III, Leipzig, 1916.

66 HOCART, A.M. *Kings and Councillors*. Cairo, 1936.

HOGHELANDE, Theobald de. Cf. 5 (Theatrum chemicum), I.

67 HOLMYARD, E.J. Abû'1-Qâsim al-Irâqi. Isis (Bruges), VIII, 1926, 3, p. 403/26.

_____. Cf. tb. 6, *I-a*.

68 HORTULANUS (JOANNES DE GARLANDIA). Commentariolus in Tabulam smaragdinam Hermetis Trismegisti. In: *De Alchemia*. Noribergae, 1541. Cf. tb. 147 (RUSKA), p. 180s. Compare-se tb. com 20 (BACON).

69 HOWITT, A.W. *The Native Tribes of South-East Australia*. Londres/ Nova York, 1904.

HUERLIMANN, M. Cf. 132.

70 IRENAEUS. Contra haereses. Cf. 118 (MIGNE, J.P. *Patr. gr.*), vol. 7, col. 879s. Cf. tb.: _____. Traduzido por E. Klebba. Bibl. d. Kirchenväter (Bibl. dos Padres da Igreja), vol. 3. Kempten/Munique, 1912.

71 ISIDORO DE SEVILLA. Liber etymologiarum Isidori Hyspalensis episcopi. Basileae, 1489. Cf. tb. 117 (MIGNE, J.P. *Patr. lat.*), vol. 82, col. 73s.

72 JACOBI, J. *Die Psychologie von C.G. Jung* (A psicologia de C.G. Jung). Zurique, 1940 [3. ed., 1949].

JOANNES DE GARLANDIA. Cf. 68 (HORTULANUS).

73 JOÃO DA CRUZ. *Noite escura* (Em alemão: Dunkle Nacht. Theatiner Ausgabe. Munique, 1938).

JOHANNES LYDUS. Cf. 109 (LYDUS).

74 JUNG, C.G.*: *Aion*. Untersuchungen zur Symbolgeschichte, 1951. (Aion – Estudos sobre a história dos símbolos). [*Aion* – Estudos sobre o simbolismo do si-mesmo. OC, 9/2].

75 _____. Die Beziehungen zwischen dem Ich und dem Unbewussten (As relações entre o eu e o inconsciente) 1. ed., 1928; 5. ed., 1950 [*O eu e o inconsciente*. OC, 7].

76 _____. Bruder Klaus. *Neue Schweizer Rundschau*. Nova série, 1º ano, 1933, caderno 4 [OC, 11].

77 _____. Zur Empirie des Individuationsprozesses (Estudo empírico do processo de individuação). (*Eranos-Jahrbuch*, 1933/1934). In: Gestaltungen des Unbewussten, 1950 (As formas do inconsciente ou: Os arquétipos e o inconsciente coletivo) [OC, 9/1].

78 _____. *Über die Energetik der Seele* (A energia da alma), 1928. Edição ampliada: Über psychische Energetik und das Wesen der Träume (A energia psíquica e a natureza dos sonhos), 1948 [*A energia psíquica*. OC, 8].

79 _____. Der Geist Mercurius. (Eranos-Jahrbuch, 1942/1943). (O espírito Mercurius). In: JUNG, C.G. *Symbolik des Geistes*. 1. ed. 1948; 2. ed. 1953. (Os símbolos do espírito) [OC, 13].

---

* Nas obras de C.G. Jung com mais de uma edição, indicamos a primeira, bem como a última edição, como também o volume da Obra Completa, no qual se encontra o trabalho. As indicações de páginas nas notas de rodapé referem-se à edição mais recente de cada volume isolado, ao passo que os parágrafos indicam o trecho em que se encontram dentro da OC.

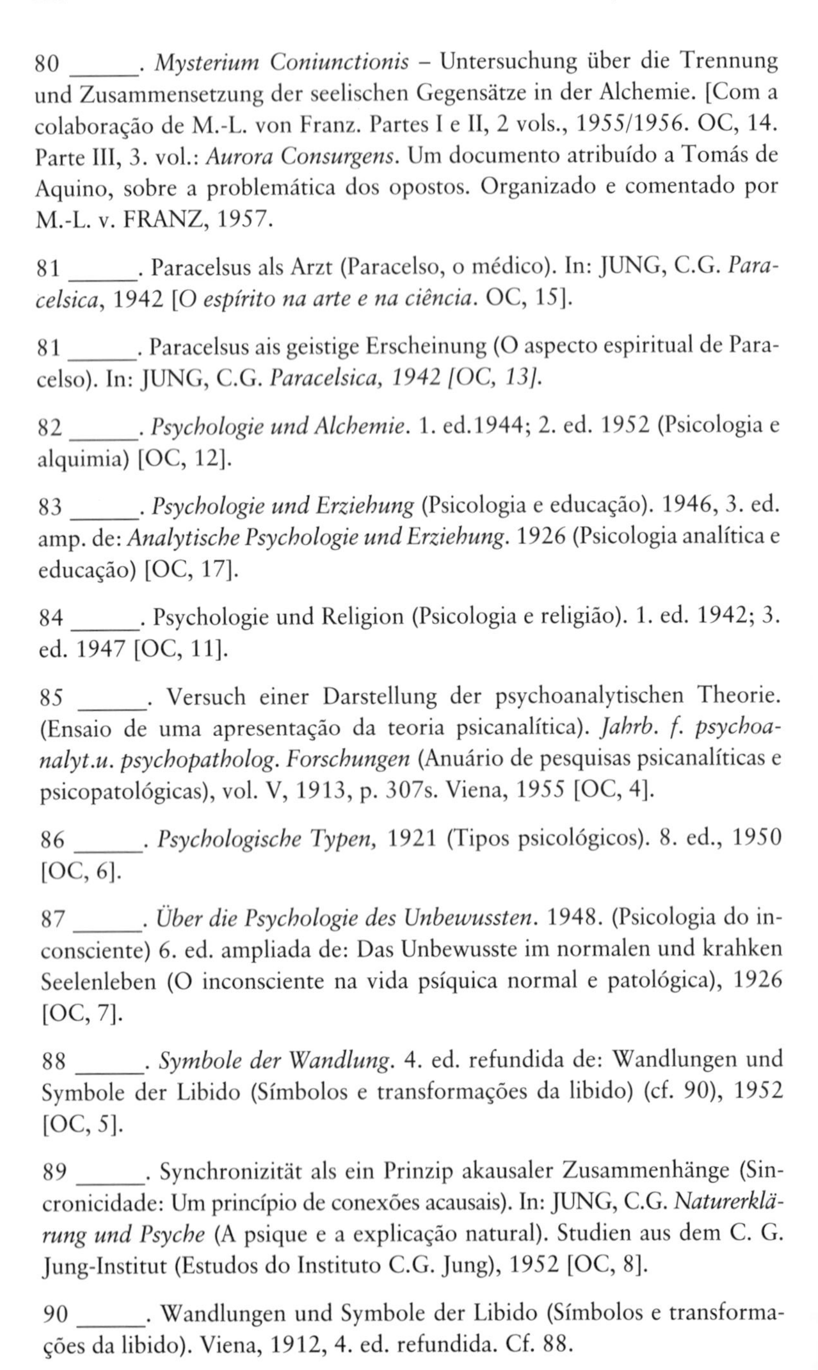

80 _____. *Mysterium Coniunctionis* – Untersuchung über die Trennung und Zusammensetzung der seelischen Gegensätze in der Alchemie. [Com a colaboração de M.-L. von Franz. Partes I e II, 2 vols., 1955/1956. OC, 14. Parte III, 3. vol.: *Aurora Consurgens*. Um documento atribuído a Tomás de Aquino, sobre a problemática dos opostos. Organizado e comentado por M.-L. v. FRANZ, 1957.

81 _____. Paracelsus als Arzt (Paracelso, o médico). In: JUNG, C.G. *Paracelsica*, 1942 [*O espírito na arte e na ciência*. OC, 15].

81 _____. Paracelsus ais geistige Erscheinung (O aspecto espiritual de Paracelso). In: JUNG, C.G. *Paracelsica, 1942 [OC, 13].*

82 _____. *Psychologie und Alchemie*. 1. ed.1944; 2. ed. 1952 (Psicologia e alquimia) [OC, 12].

83 _____. *Psychologie und Erziehung* (Psicologia e educação). 1946, 3. ed. amp. de: *Analytische Psychologie und Erziehung*. 1926 (Psicologia analítica e educação) [OC, 17].

84 _____. Psychologie und Religion (Psicologia e religião). 1. ed. 1942; 3. ed. 1947 [OC, 11].

85 _____. Versuch einer Darstellung der psychoanalytischen Theorie. (Ensaio de uma apresentação da teoria psicanalítica). *Jahrb. f. psychoanalyt.u. psychopatholog. Forschungen* (Anuário de pesquisas psicanalíticas e psicopatológicas), vol. V, 1913, p. 307s. Viena, 1955 [OC, 4].

86 _____. *Psychologische Typen,* 1921 (Tipos psicológicos). 8. ed., 1950 [OC, 6].

87 _____. *Über die Psychologie des Unbewussten*. 1948. (Psicologia do inconsciente) 6. ed. ampliada de: Das Unbewusste im normalen und krahken Seelenleben (O inconsciente na vida psíquica normal e patológica), 1926 [OC, 7].

88 _____. *Symbole der Wandlung*. 4. ed. refundida de: Wandlungen und Symbole der Libido (Símbolos e transformações da libido) (cf. 90), 1952 [OC, 5].

89 _____. Synchronizität als ein Prinzip akausaler Zusammenhänge (Sincronicidade: Um princípio de conexões acausais). In: JUNG, C.G. *Naturerklärung und Psyche* (A psique e a explicação natural). Studien aus dem C. G. Jung-Institut (Estudos do Instituto C.G. Jung), 1952 [OC, 8].

90 _____. Wandlungen und Symbole der Libido (Símbolos e transformações da libido). Viena, 1912, 4. ed. refundida. Cf. 88.

91 *Kabbala Denudata seu Doctrina Hebraeorum...* Sulzbach 1677. KALID. Cf. 2 (Artis auriferae), VI-VII.

92 KAUTZSCH, E. (trad.). *Die Apokryphen und Pseudepigraphen des Alten Testaments* (Os apócrifos e pseudoepígrafos do Velho Testamento), 1921.

93 KEKULE, F.A. Cf. 14 (ANSCHUETZ).

94 KERÉNYI, K. *Der göttliche Arzt* (O médico divino). Studien über Asklepios und seine Kultstätte (Estudos sobre Asclépios e o lugar de seu culto). Basileia, 1948.

95 KHUNRATH, H.C. *Amphitheatrum sapientiae aeternae solius verae.* Christiano-kabalisticum, divino-magicum... Tertriunum, Catholicon. Hanau, 1604.

96 _____. *Von hylealischen, das ist, pri-materialischen catholischen, oder algemeinem natürlichen Chaos* (Do caos hilético, ou seja, católico primaterial, ou geral e natural). Magdeburgo, 1597.

97 KIRCHER, A. *Oedipus Aegyptiacus.* Roma, 1652.

98 KLINZ, A. ‘Ιερὸς γάμος: Quaestiones selectae ad sacras nuptias Graecorum religionis et poeseos pertinentes. Halle, 1933.

KNORR VON ROSENROTH. Cf. 91.

99 KOCH, J. (org.). *Cusanus-Texte* (Textos de Cusanus). Sitzungsberichte der Heidelberger Akademie der Wissenschaften, Philosophischhistorische Klasse (Relatórios das sessões da Academia de Ciências de Heidelberg, secção filosofia e história), 1936/1937, tese 2. Cf. tb. 122-123.

100 KOHUT, A. Die talmudisch-midraschische Adamssage in ihrer Rückbeziehung auf die persische Yima–und Meshiasage. (A saga de Adão midrash-talmúdica e sua relação com a saga persa de Yima e Mechia). *Zeitschrift der Deutschen morgenländischen Gesellschaft* (Jornal da sociedade germano-oriental), vol. XXV, 1871, 59/94. Leipzig.

101 KRANEFELDT, W.M. “Komplex” und Mythos (Complexo e mito). In: JUNG, C.G. *Seelenprobleme der Gegenwart*, 1931 (Problemas psíquicos da atualidade). 5. ed. 1950.

102 KRATES (CRATES), Livro de. Cf. 25 (BERTHELOT), III, p. 44s.

103 KROENLEIN, J.H. *Amalrich von Bena und David von Dinant.* Theologische Studien und Kritiken, (Estudos e críticas teológicas). Hamburgo, 1847, vol. I, p. 271s.

LAMBSPRINGK. Cf. 4 (Musaeum hermeticum), III.

104 LAVAUD, M.B. *Vie profonde de Nicolas de Flue*. Fribourg, 1942.

105 LAYARD, J. The Incest Taboo and the Virgin Archetype. *Eranos-Jahrbuch,* 1944/1945, p. 253s.

106 _____. *Stone Men of Malekula*. Londres, 1942.

107 LEISEGANG, H. *Der heilige Geist (O Espírito Santo). Leipzig, 1919.*

108 LÉVY-BRUHL, L. *Les Fonctions mentales dans les sociétés inférieures*. Paris, 1912.

LULLIUS, R. Cf. 3 (Bibliotheca chemica curiosa), II.

109 LYDUS, J. (JOHANNES LAURENTIUS). *De mensibus*. Org. Rich. Wuensch. Leipzig, 1898.

110 McDOUGALL, W. The Revival of Emotional Memories and its Therapeutic Value. *British Journal of Psychology*. Medical Section, I, 1920/1921, 23/29. Londres. Compare-se tb. com 28.

111 MAJER, M. *De circulo physico quadrato*. Oppenheimii, 1616.

112 _____. Secretions naturae secretorum scrutinium chymicum. Francofurti, 1687.

113 _____. *Symbola aureae mensae duodecim nationum*. Francofurti, 1617.

MANGET, Jean Jacques. Cf. 3 (Bibliotheca chemica curiosa).

114 Lendas da literatura universal:

a) Contos populares da Islândia. Trad. por Ida e Hans Naumann. Iena, 1923.

b) Lendas da Sibéria. Org. por Hugo Kuenike. Iena, 1940.

Contos populares russos, Cf. 9.

Cf. tb. 139 (RASMUSSEN).

MARIA PROPHETISSA. Cf. 2 (Artis auriferae), V.

115 MEIER, C.A. Moderne Physik – Moderne Psychologie. (Física moderna – psicologia moderna). In: *Die kulturelle Bedeutung der komplexen Psychologie*. (O significado cultural da psicologia complexa). Berlim, 1935, p. 349s.

116 _____. Spontanmanifestationen des kollektiven Unbewussten (Manifestações espontâneas do inconsciente coletivo). *Zentralblatt für Psychotherapie* (Informativo central de psicoterapia), XI, 1939, p. 284s. Leipzig.

MELCHIOR, N. *Cibinensis*. Cf. 5 (Theatrum chemicum), *XI*. MENNENS, G. Cf. 5 (Theatrum chemicum), XV. MERLINUS. Cf. 2 (Artis auriferae), *IX*.

117 MIGNE, J.P. (org.). *Patrologiae cursus completus*. Series latina. Paris, 1844/1880 (Citado aqui como *Patr. lat.*).

118 _____. *Series Graeca*. Paris, 1857/1866 (Citado aqui como *Patr. gr.*). (As referências nestas obras dizem respeito a colunas, e não a páginas). MORIENUS ROMANUS. Cf. 2 (Artis auriferae), XII.

119 MURRAY, H.A. (org.). *Explorations in Personality*. Nova York/Londres, 1938.

120 *Mutus Liber* in quo tamen tota philosophia hermetica, figuris hieroglyphicis depingitur... Rupellae 1677. Cf. tb. 3 (Bibliotheca chemica curiosa), III.

121 MYLIUS, J.D. *Philosophia reformata*. Francofurti, 1622.

122 NICHOLAS (Khrypffs) DE CUSA (NICOLAUS CUSANUS). De conjecturis novissimorum temporum. In: *Opera*. Basileia, 1565.

123 _____. De docta ignorantia. In: *Opera*. Basileia, 1565.

124 NICOLAI, C.F. *Versuch über die Beschuldigungen, welche dem Tempelherrenorden gemacht wurden* (Ensaio sobre as acusações feitas contra a ordem dos templários). Berlim/Stettin, 1782.

NORTON, T., of Bristoll. Cf. 6 (Theatrum chemicum Britannicum), I.

125 NOTKER (Balbulus). *Hymnus in die Pentecostes*. Cf. 117 (MIGNE, J.P. Patr. lat.), vol. 131, col. 1.012s.

126 OLIMPIODORO. Cf. "Commentaire sur le livre 'Sur l'action' de Zosime, et sur les dires d'Hermes et des philosophes", em 26 (BERTHELOT), II, IV.

127 ORÍGENES. *Homiliae in Leviticum*. Cf. 118 (MIGNE, J.P. Patr. gr.), vol. 12, col. 405-475.

128 _____. *Homiliae in Librum Regnorum*. Cf. 118 (MIGNE, J.P. Patr. gr.), vol. 12, col. 995-1.028.

129 PARACELSUS. *Labyrinthus medicorum errantium* (Do labirinto errante dos médicos). Vom Irrgang der Ärzte, 1537/1538. SUDHOPF, K., vol. 11, p. 161-221, cap. 8, p. 199. Munique/Berlim, 1928.

130 _____. De ente dei. In: Tractatus de ente dei (p. 225), in: "Bruchstücke des Buches Von den fünf Entien, genannt Volumen medicinae Paramirum de

medica industria" ("Fragmentos do livro dos cinco entes, chamado Volumen medicinae Paramirum de medica industria"), por volta de 1520. In: SUDHOFF, K., vol. 1, p. 163-239. Munique/Berlim, 1929.

131 PAULINUS AQUILEIENSIS. Liber exhortationis ad Henricum Forojuliensem. Cf. 117 (MIGNE, J.P. Patr. lat.), vol. 99, col. 253. PENOTUS, Bernardus Georgius (Bernardus a Portu). Cf. 5 (Theatrum chemicum), VIII.

132 PESTALOZZI, J.H. *Ideen.* (Ideias). Org. por Martin Huerlimann, vol. II. Zurique, 1927. PHILALETHES. Cf. 4 (Musaeum hermeticum), IV-V. PLATÃO (Pseudo-). Cf. 5 (Theatrum chemicum), XIV.

133 PORDAGE, J. *Philosophisches Send-Schreiben vom Stein der Weisheit (Epístola filosófica sobre a pedra filosofal). Cf. 146 (ROTH-SCHOLTZ), I, p. 557s.*

134 _____. *Sophia:* das ist die holdseelige ewige Jungfrau der gottlichen Weisheit... (Sofia: que é a virgem cheia de graça e eterna da sabedoria divina...). Amsterdã, 1699.

135 PREISENDANZ, K. (org.). *Papyri graecae magicae:* die griechischen Zauberpapyri. (Os papiros mágicos gregos). Leipzig/Berlim, 1928-1931, 2 vols.

136 PROCLUS DIADOCHUS. *In Platonis Timaeum Commentaria.* Org. E. Diehl. Leipzig, 1903-1906, 3 vols.

137 RABANUS MAURUS. *Allegoriae in universam sacram scripturam.* Cf. 117 (MIGNE, J.P. Patr. lat.), vol. 112, col. 907.

138 RAHNER, H. Mysterium lunae. Ein Beitrag zur Kirchentheologie der Väterzeit. (Contribuição à teologia eclesial do tempo dos Padres da Igreja). *Zeitschrift f. Katholische Theologie* (Revista de teologia católica), ano 63, 1939, p. 311s. e 428s. e ano 64, 1940, p. 61s. e 121s. Würzburg.

139 RASMUSSEN, K. *Die Gabe des Adlers* (A dádiva da águia). Frankfurt a.M., 1937.

140 REITZENSTEIN, R. & SCHAEDER, H.H. Studien zum antiken Synkretismus aus Iran und Griechenland. (Estudos sobre o sincretismo na antiguidade, do Irã e da Grécia). *Studien der Bibliothek Warburg*, VII. (Estudos da Biblioteca de Warburg, VII). Leipzig, 1926.

140a RHINE, J.B. *Extra-sensory Perception.* Boston, 1934.

141 RIPLEY, G. *Omnia opera chemica.* Casseliis, 1649.

142 *Rosarium philosophorum.* Secunda pars alchemiae de lapide philosophico vero modo praeparando... Cum figuris rei perfectionem ostendentibus. Francofurti, 1550. Cf. tb. 2 (Artis auriferae), XIII.

143 ROSENCREUTZ, C. (Johann Valentin Andreae). Chymische Hochzeit... (Bodas químicas). Anno 1459. De uma edição de Estrasburgo, de 1616. Org. por Ferdinand Maack. Berlim, 1913.

144 _____. Fama e Confessio. In: *Chymische Hochzeit* (Bodas químicas). Cf. 143.

145 _____. *Turbo, sive moleste et frustra per cuncta divagans ingenium*. Helicon, 1616.

146 ROTH-SCHOLTZ, F. *Deutsches Theatrum chemicum* (Theatrum chemicum alemão). Nüremberg, 1728-1732, 3 vols.

147 RUSKA, J.F. *Tabula smaragdina*: ein Beitrag zur Geschichte der hermetischen Literatur (Tabula smaragdina: uma contribuição à história da literatura hermética). Heidelberg, 1926.

148 _____. *Turba Philosophorum*: ein Beitrag zur Geschichte der Alchemie. (Turba Philosophorum: uma contribuição à história da alquimia). (Quellen und Studien der Geschichte der Naturwissenschaften und der Medizin. [Fontes e estudos da história das ciências naturais e da medicina], vol. 1). Berlim, 1931. SENIOR. Cf. 160 (ZADITH).

149 SILBERER, H. *Probleme der Mystik und ihre Symbolik*. (Problemas da mística e seu simbolismo). Viena, 1914.

150 SPENCER, Sir B. & GILLEN, F.J. *The Northern Tribes of Central Australia*. Londres/Nova York, 1904.

151 STAPLETON, H.E. & HUSSAIN, H.H. (orgs.). *Three Arabic Treatises on Alchemy*, by Muhammad Bin Umail (Asiatic Society of Bengal: Memoirs, XII, I). Calcutá, 1933.

152 STOECKLI, A. *Die Visionen des seligen Bruder Klaus* (As visões do beato Bruder Klaus). Einsiedeln, 1933.

153 STOLCIUS DE STOLCENBERG, D. *Viridarium chymicum figuris cupro incisis adornatum et poeticis picturis illustratum*... Francofurti, 1624.

Tabula smaragdina. Cf. 147 (RUSKA). Compare-se tb. com 20 (BACON) e 68 (HORTULANUS). *Tractatus aureus*. Cf. 1 (Ars chemica), *I*. *Turba Philosophorum*. Cf. 148 (RUSKA).

UMAIL, MUHAMMAD BIN (ZADITH SENIOR, ZADITH BIN HAMUEL). Cf. 151 (STAPLETON and HUSSAIN) e 160 (ZADITH).

154 VANSTEENBERGHE, E. *Le Cardinal Nicolas de Cues*. Paris, 1920. VENTURA, L. Cf. 5 (Theatrum chemicum), X.

155 WAITE, A.E. *The Hermetic Museum Restored and Enlarged*. Londres, 1893, 2 vols. Tradução de 4 (Musaeum hermeticum).

156 _____. *The Real History of the Rosicrucians*. Londres, 1887.

157 _____. *The Secret Tradition in Alchemy*: Its Development and Records. Londres, 1926.

158 WEI PO-YANG. *An Ancient Chinese Treatise on Alchemy Entitled Ts'an T'ung Ch'i*. Written by Wei Poyang about 142 a.d., translated by Lu-Ch'iang Wu, Isis, Bruges, vol. XVIII, 53, out. 1932, p. 210-289.

159 WINTHUIS, J. *Das Zweigeschlechterwesen* (O ser bissexual). Leipzig, 1928.

WOODROFFE, John. Cf. 19 (AVALON).

ZACHARIUS, Dionysius. Cf. 5 (Theatrum chemicum), V.

160 ZADITH SENIOR (ZADITH BEN HAMUEL). *De chemia Senioris antiquissimi philosophi libellus*... Estrasburgo, 1566. Cf. tb. 151 (STAPLETON and HUSSAIN).

161 ZÓSIMO. Cf. "Sur les substances qui servent de support et sur les quatre corps métalliques", em 26 (BERTHELOT), III, XII.

162 _____. Cf. "Sur la vertu – Leçon I", em 26 (BERTHELOT), III, I.

163 _____. Cf. "Sur la vertu et l'interpretation", em 26 (BERTHELOT), III, VI.

Cf. tb. 2 (Artis auriferae), IV.

Índice onomástico*

---

* Os números a) em redondo referem-se aos parágrafos; b) em expoente, às notas de rodapé; c) em grifo, à referência.

Índice analítico*

* Os números referem-se aos parágrafos; os números em expoente, às notas de rodapé.

EDITORA VOZES LTDA.
Rua Frei Luís, 100 – Centro – Cep 25689-900 – Petrópolis, RJ
Tel.: (24) 2233-9000 – E-mail: vendas@vozes.com.br